LE ROYAUME DU FLEUVE

DU MÊME AUTEUR
CHEZ POCKET

Le pays bleu :

1. LES CAILLOUX BLEUS
2. LES MENTHES SAUVAGES

La rivière espérance :

1. LA RIVIÈRE ESPÉRANCE
2. LE ROYAUME DU FLEUVE
3. L'ÂME DE LA VALLÉE

ANTONIN, PAYSAN DU CAUSSE
MARIE DES BREBIS
ADELINE EN PÉRIGORD

LES CHEMINS D'ÉTOILES
LES AMANDIERS FLEURISSAIENT ROUGE
L'ENFANT DES TERRES BLONDES

CHRISTIAN SIGNOL

LE ROYAUME DU FLEUVE

roman

ROBERT LAFFONT

ISBN 2-266-05220-9

A Caroline.

« (Dieu parle)
... Fais entrer dans ton cœur toute chair de ce qui est au monde pour le conserver en vie avec toi... et j'établirai mon alliance avec toi. »

(Fragments d'un « déluge »)

« ... Cette visite à la Dordogne fut pour moi, je le répète, d'une importance capitale : il m'en reste un espoir pour l'avenir de l'espèce, et même de notre planète. »

Henry Miller
(Le Colosse de Maroussi)

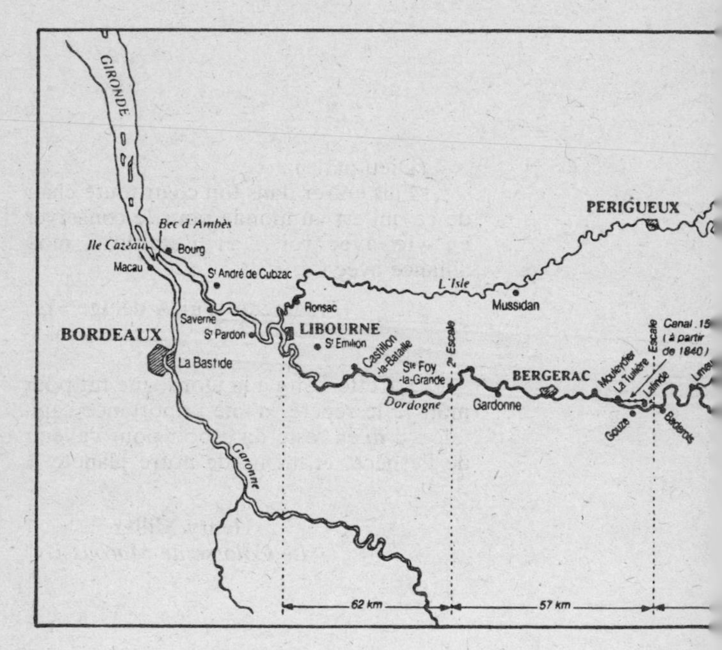
GIRONDE
Bec d'Ambès
Ile Cazeau
Bourg
Macau
St André de Cubzac
L'Isle
PERIGUEUX
Mussidan
Ronsac
Saverne
St Pardon
BORDEAUX
LIBOURNE
St Emilion
La Bastide
Castillon -la-Bataille
Ste Foy -la-Grande
2e Escale
Dordogne
Gardonne
BERGERAC
Mouleydier
La Tuilière
Escale
Canal .15
(à partir de 1840)
Lalinde
Gouze
Badefols
Garonne
62 km
57 km

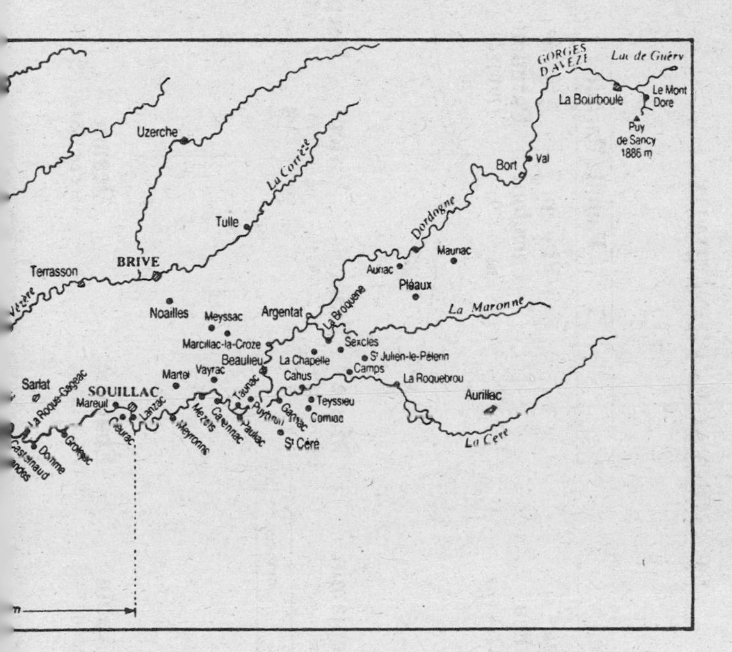

GORGES D'AVÈZE
Lac de Guéry
La Bourboule
Le Mont Dore
Puy de Sancy 1886 m
Uzerche
La Corrèze
Bort
Val
Tulle
Dordogne
Maurac
BRIVE
Terrasson
Auriac
Pléaux
Noailles
Meyssac
Argentat
La Broquerie
La Maronne
Marcillac-la-Croze
Sexcles
Beaulieu
La Chapelle
St Julien-le-Pèlerin
Sarlat
Martel
Vayrac
Camps
Cahus
La Roquebrou
SOUILLAC
Taurac
Aurillac
La Roque-Gageac
Mareuil
Lanzac
Teyssieu
Comiac
Meyronne
Mezels
Domme
St Céré
La Cère

PERSONNAGES PRINCIPAUX

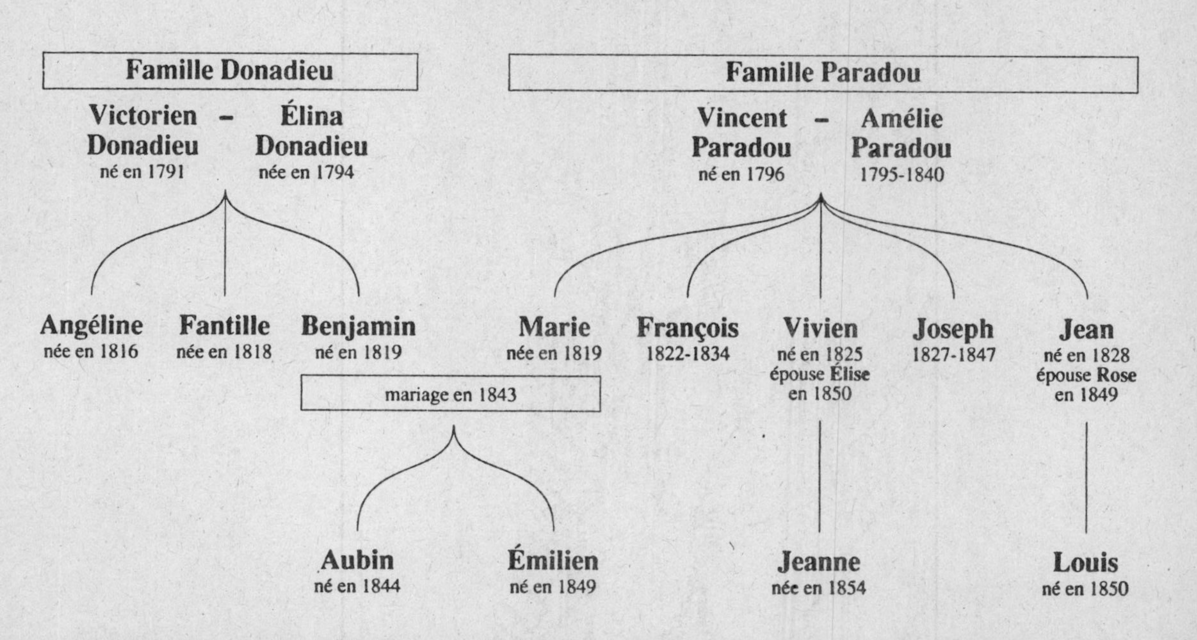

SOMMAIRE

PREMIÈRE PARTIE

L'AIGLE AUX YEUX D'OR

1

C'était une lumière de premier jour du monde. Elle déferlait en vagues sur le fleuve qui miroitait comme une mer polaire. Depuis deux jours, le vent lustrait le ciel qui semblait sur le point de se briser. Debout à l'arrière du bateau, Benjamin Donadieu se tourna vers tribord. Le soleil venait de surgir au-dessus des collines où le printemps allumait çà et là des îlots de verdure. Il faisait froid. La gabare, que le jusant entraînait à vive allure, arrivait sous le tertre de Fronsac, un coteau aux lignes douces dominé par un château en ruine. Sous le tertre, le fleuve mesurait plus d'un kilomètre de large. Ses eaux de mica palpitaient avec un clapotis régulier où de grands oiseaux blancs s'abattaient violemment, comme foudroyés par la lumière.

Maintenant d'un bras le gouvernail, Benjamin ferma un instant les yeux pour laisser s'estomper la douleur. Il ne se souvenait pas d'avoir descendu la Dordogne par un matin pareil. Cela faisait pourtant cinq ans qu'il naviguait jusqu'à Bordeaux par le bec d'Ambès et la Garonne. Cinq ans, et, malgré tout, il ressentait toujours l'impression de descendre pour la première fois. Il aimait follement cette sensation de grand large qui l'assaillait toujours, passé Libourne, et lui rappelait les voyages lointains qu'il avait effectués pendant son temps dans la marine.

Ces cinq ans si vite passés avaient à peine estompé les souvenirs violents de sa jeunesse. Mais la naissance de son fils Aubin, en 1844, l'avait en quelque sorte pacifié.

Il prenait désormais moins de risques sur son bateau, songeant très souvent à ce fils, qui, aujourd'hui âgé de quatre ans, suivait Marie à l'école de Souillac où elle apprenait à lire et à écrire aux enfants que lui confiait l'abbé. Si, au début, Marie s'était passionnée pour cette tâche, elle ne s'en satisfaisait plus aujourd'hui, car elle estimait qu'ils étaient trop souvent séparés et manifestait le désir d'accompagner Benjamin.

— Tu n'y penses pas ? protestait-il. A-t-on jamais vu une femme sur un bateau ?

— Je serai donc la première.

— Et tu vivras parmi les matelots dans les auberges ?

— Je resterai sur le bateau.

— Même la nuit ?

— Même la nuit.

Elle avait réponse à tout, et Benjamin s'en irritait, ne comprenant pas pourquoi elle ne se contentait pas de la vie que menaient les autres femmes sur le port. Il songeait qu'un deuxième enfant l'eût probablement détournée de ce projet déraisonnable, mais la grossesse qu'il espérait se faisait attendre et les discussions devenaient parfois vives quand il rentrait au port.

Au reste, il n'avait besoin d'aucune aide sur la gabare depuis qu'il avait engagé Jean, le frère de Marie, comme second. Celui-ci avait eu la chance de tirer un bon numéro et de ne pas partir. Quant à Vivien, il lui restait encore deux ans avant de revenir près des siens, où Joseph, lui, ne reviendrait jamais. Il était mort en mer dans des conditions obscures en 1847, et la famille Paradou n'avait jamais pu récupérer son corps. Après François, c'était le deuxième frère que Marie perdait. Elle tremblait aujourd'hui pour Vivien qu'elle n'avait pas revu depuis deux ans et qui écrivait peu. Heureusement, à la maison, il y avait Jean, Vincent, Benjamin et Aubin, son petit homme, dont la seule présence illuminait ses journées.

Victorien, à cinquante-sept ans, naviguait encore en compagnie de Vincent et conduisait le convoi qui s'arrêtait à Libourne. Chaque été, il partait avec Benjamin dans le haut-pays afin de passer les commandes de bois pour l'année à venir. Ils perpétuaient ainsi le premier voyage effectué côte à côte, dont le souvenir brasillait comme un feu qui refuse de s'éteindre.

Là-haut, Ambroise Debord était mort, foudroyé sur son plateau un soir de septembre. Son fils aîné, Henri, lui succédait, avec la même autorité et le même amour pour les arbres sacrés. La disparition d'Ambroise Debord avait affecté Victorien plus qu'il ne l'avouait. Lui-même, depuis quelques semaines, se sentait las et rentrait épuisé des voyages à Libourne. A tel point que la semaine passée, pour la première fois de sa vie, il n'avait pu repartir avec ses hommes. Elina, inquiète mais ravie, l'avait gardé près d'elle, fidèle à son image, à son destin. L'âge n'influait ni sur son caractère ni sur sa santé. Toujours aussi gaie, toujours aussi généreuse, elle continuait de veiller sur toutes celles qui restaient à quai, y compris sur ses filles, Fantille et Angéline, qui n'habitaient plus dans la maison du port, mais dans le bourg, où leurs maris, renonçant définitivement aux voyages, s'étaient établis, l'un cordier, l'autre ferblantier. Ainsi, pendant ces cinq années, malgré les accidents inévitables sur la rivière, malgré les deuils et les dangers, les familles Donadieu et Paradou avaient-elles vécu honnêtement tout en parvenant à épargner quelque argent.

La gabare passa au pied du tertre qu'avril reverdissait, puis elle poursuivit sa route à vive allure, précédant les cargos, les chalands, les couraux et les filadières qui descendaient vers la mer bordelaise. La beauté des collines couvertes de vignes, l'immensité du fleuve et du ciel enflammaient Benjamin comme à chaque voyage. Là, il se sentait libre, heureux, puissant, et il lui venait une sorte d'exaltation qui se situait au-delà du bonheur. En outre, même s'il s'en défendait, il était très fier du surnom que lui avaient donné les bateliers du Périgord : l'aigle du bec d'Ambès. Il savait que tous l'enviaient et l'admiraient. Car il était le seul à savoir se frayer une place dans le trafic, à utiliser les passes entre les bancs de sable de Macau, à se jouer des vents et des marées, à remonter la Garonne jusqu'au quai de la Bastide, à Bordeaux, où tout le monde le connaissait.

Portée par le courant descendant, la gabare allait toute seule, et il suffisait à Benjamin de la maintenir droit sur sa ligne en évitant de la ralentir. Elle passa le méandre de Fronsac, puis celui de Vayres. Plus loin apparurent Saint-Pardon d'un côté, de l'autre Perpignan. Eglises, villages et châteaux se succédèrent sur la rive droite, tandis que sur la gauche, au contraire, dans les palus cernés par les esteys[1], des troupeaux fantomatiques semblaient ancrés dans l'éternité. Les rives étaient hérissées de mâts portant le « rond », ce filet que les pêcheurs laissaient choir dans la boue avant de remonter les lamproies, les aloses, les anguilles ou les truites dont ils faisaient commerce.

Comme Benjamin n'apercevait aucun obstacle à l'horizon, ses pensées, de nouveau, s'évadèrent. Il pensa à son ami Pierre Bourdelle, avocat à Marmande, qu'il rencontrait régulièrement à Bordeaux quand celui-ci allait plaider. Le début de l'année 1848 avait enfin vu la réalisation de toutes leurs espérances : la République avait été proclamée en février, et l'on avait planté l'orme de la liberté sur les places où l'on avait chanté et dansé pendant huit jours. Puis, pour la première fois, on avait voté au suffrage universel le dimanche de Pâques. Il y avait exactement une semaine de cela. Quelle fête cela avait été ! On était parti en cortège depuis le port jusqu'à Souillac, et Benjamin, au moment d'introduire son bulletin dans l'urne, avait pensé à Pierre, à ce droit de vote conquis de haute lutte en février, dont les hommes faisaient la première expérience avec une grande émotion.

Les résultats n'avaient pas été conformes aux souhaits de l'avocat, qui avait placé ses espoirs dans Barbès et Blanqui. Benjamin, lui, avait voté pour le candidat des modérés dont les listes, dans le pays, avaient obtenu 550 sièges sur 880. Avec les socialistes, les conservateurs avaient été les grands perdants de ces élections. Ils comptaient seulement 200 élus, dont

1. Estey : large fossé où remontent les eaux de la marée.

130 légitimistes. Benjamin imaginait la déception de son ami Pierre, tout en sachant parfaitement que ces résultats ne remettaient pas en cause l'immense joie de février.

Le bateau approchant de Saint-André-de-Cubzac, Benjamin fut rappelé aux difficultés de la navigation par le trafic devenu plus intense. De nombreux petits ports desservaient les villages de l'intérieur : Port-de-Plagne, Port-Neuf, Port-d'Espeau, Port-Mille-Secousses. Benjamin les connaissait tous, ainsi que les bourgades auxquelles ils donnaient accès. Sur bâbord, les marais de Montferrand annonçaient ceux d'Ambès. De l'autre côté, sur les collines, les vignes et les châteaux scintillaient sous la rosée que le soleil semblait boire goutte à goutte. C'était une succession de logis en pierre de taille, aux frontons triangulaires, aux toits couverts de tuiles romanes, qu'ombrageait çà et là un pin parasol.

Quand la gabare atteignit Bourg, dernier port avant le bec d'Ambès, les quais bruissaient d'une activité heureuse en exhalant des odeurs violentes de résine, de goudron, de moût et d'épices. Dès que son bateau eut dépassé le port, Benjamin se fit plus vigilant. Il savait que sur tribord de grands bancs de sable allaient apparaître avec la marée basse. Il savait aussi qu'il fallait traverser le fleuve avant le début de la marée montante pour éviter les vagues du mascaret qui se lèverait avec la renverse[1]. Sa vitesse étant suffisante pour traverser, il fit affaler la petite voile de la gabare, puis il manœuvra pour couper la Dordogne après s'être assuré que les bateaux qui le suivaient n'étaient pas trop proches du sien. Il ressentit aussitôt l'impression de danger qu'il connaissait bien, et les battements de son cœur se précipitèrent. Le vent prit la gabare par le travers, mais Benjamin la redressa habilement tout en observant son second qui guettait, sur bâbord, la ligne des bateaux descendant de Bordeaux avec le jusant, toutes voiles déployées. C'était là l'une des plus péril-

1. Moment où le courant s'inverse, c'est-à-dire de descendant devient montant ou inversement.

leuses manœuvres du voyage, mais, ce matin, la visibilité étant excellente, Benjamin put traverser sans difficulté. Sa gabare vint s'arrêter en douceur près de l'île Cazeau où, déjà, des barques de pêche attendaient la renverse pour se lancer dans la Garonne. Jean jeta l'ancre en lisière du chenal, à dix pas de l'île, et tous les hommes d'équipage profitèrent de ce moment de répit pour sortir leurs victuailles et reprendre des forces.

Dès que Marie avait compris ce qui se passait en elle, ce dimanche-là, elle était partie sur les rives de la Dordogne qui s'éveillaient sous les premiers rayons de soleil. Elle avait besoin d'être seule pour songer à cette vie qui était née en elle pour la deuxième fois, quatre ans après Aubin, son fils, si semblable à Benjamin, si farouche et si rebelle, aussi, comme le sont les enfants quand le père est absent. Ces quatre ans de sa vie lui avaient paru durer quatre mois. Ils avaient coulé sans laisser la moindre aspérité dans son existence, sans qu'elle s'en rendît compte. Et elle se demandait si le bonheur c'était de respirer jour et nuit sans chercher à rompre ce rythme, à changer le cours d'une vie dont la tiédeur l'engourdissait, la menait au bord des larmes, parfois, le soir, à l'heure où la nuit tombe.

Elle avait retrouvé sa rivière, son enfance et ses parfums d'herbe humide, elle avait renoué avec cette sorte d'éternité qui pousse au sanglot chaque fois que la sensation de n'avoir rien perdu de sa vie illumine le moindre souvenir, et elle avait donné (du moins l'avait-elle cru) un sens à son existence en apprenant à lire et à écrire aux enfants. Elle avait aimé Benjamin et se sentait aimée de lui comme au premier jour, et pourtant il lui semblait se heurter à une muraille dont elle ne définissait pas très bien les contours : était-elle heureuse vraiment ?

Certes, il y avait toujours ce ciel d'un bleu de dragée dans les après-midi d'automne, ces vents de lilas dans les printemps frileux, cette lumière originelle dans les aubes naissantes, ces nuits magiques de juin qu'elle vivait près de Benjamin et qui perpétuaient délicieusement leur jeunesse. Oui, mais voilà : il y avait eu

Bordeaux, le théâtre, les cargos, les terre-neuvas, la rue Sainte-Catherine, et l'horizon de sa vie s'était ouvert sur le grand large. Elle se défendait de son mieux contre cette nostalgie, se persuadait que le bonheur devait être protégé, que le danger commençait au-delà des collines, mais quelque chose en elle l'attirait vers l'ailleurs. Elle avait compris pourquoi depuis quelques mois. C'était assez simple, en somme : elle ne partageait pas la même existence que Benjamin, demeurait seule comme toutes les femmes du port, et le sentiment d'une perte, d'un échec, ne faisait que s'exacerber au fil des mois, des années. Ce dont elle avait besoin, c'était de respirer le même air que lui, et cela chaque jour, chaque nuit.

Elle s'en était plusieurs fois ouverte à Elina qui avait tenté de la dissuader de se confier à Benjamin. Pour elle, le monde des hommes ne pourrait jamais devenir celui des femmes. C'était ainsi. Il ne fallait pas vouloir briser l'équilibre réalisé depuis des siècles dans la vallée sous peine de rompre également celui des familles. Marie, elle, savait que l'on pouvait vivre différemment, ne pas se contenter d'attendre (espérer, disait Elina), briser ses chaînes, exister vraiment. Aussi avait-elle parlé à Benjamin de son désir d'embarquer avec lui, de le suivre partout. Ç'avait été leur première dispute. Selon lui, une femme ne pouvait pas naviguer. C'était contraire à tous les usages, à toutes les lois de la rivière. Elle avait compris qu'elle avait eu tort de le heurter, et que, comme Victorien, elle ne parviendrait à le convaincre que par la patience et la douceur. Ayant appris l'une et l'autre de bonne heure, elle n'avait pas désespéré, étant plusieurs fois revenue à son projet, jusqu'à présent en pure perte. Et voilà qu'aujourd'hui elle attendait un deuxième enfant. Cela signifiait qu'elle allait devoir renoncer à naviguer, sans doute définitivement.

Elle soupira et, tout en s'approchant de la rive, plaqua ses mains sur son ventre, cherchant à sentir cette vie souterraine qui avait déjà commencé à grandir. Parvenue au bord de la Dordogne, elle s'assit sur un talus recouvert d'herbe épaisse. La lumière giclait sur les berges comme des sauterelles. Le ciel émaillé de bleu effleurait la cime pâle des arbres qui se balançaient doucement. Où donc eût-elle pu trouver une telle paix, une telle beauté ? Nulle part ailleurs, elle le savait. Elle songea vaguement à ses rêves d'enfant. Tous s'étaient réalisés. Alors ? Pourquoi cette mélancolie ?

Un parfum de sureau, d'avoines folles, fusa vers elle, et elle inspira profondément, jusqu'au vertige. C'était chaque année à la même époque le même éblouissement, le même miracle, qui lui faisaient ressentir intensément la présence des plantes autour d'elle. Comment tant de force, de patience, d'obstination eussent-elles pu être inutiles ? Marie se sentit tout à coup feuille, herbe et fleur. Naître et renaître malgré les obstacles, les difficultés, étaient le lot des plantes, mais aussi celui des hommes et des femmes. Sans doute l'aventure était-elle la même. Dans quel but, quelle mystérieuse nécessité ? Elle ne le discernait pas clairement, mais elle prenait vaguement conscience d'un accomplissement qui, en la dépassant, la grandissait.

Elle aperçut en baissant la tête une sorte de prêle qui avait soulevé un galet et haussait sa tête fine vers le ciel. Elle y décela la preuve d'une puissance capable de faire jaillir la vie du néant, en conçut l'impression d'avoir trouvé la clef de l'explication du monde, sa grandeur et sa gravité. Il lui sembla alors que son espérance prenait aussi sa part dans la grande explosion de la vie au printemps, songea à son fils, Aubin, qu'elle avait nourri pendant de longs mois, et la naissance à venir de son deuxième enfant lui apparut comme un cadeau dont elle devait se réjouir. Allons ! Il fallait oublier les chimères, les voyages, et se contenter de mettre au monde des enfants, les aimer, les élever, puisqu'il était dans la nature des femmes qu'il en fût ainsi.

Elle se leva, observa un moment la Dordogne qui fuyait en glissades furtives et en chuchotements espiègles, tandis que derrière elle les prairies respiraient doucement, calmement, avec de brefs soupirs. Un homme chantait sur la rive opposée, sous le château de Cieurac. L'air sentait maintenant la jonquille et le laurier. Marie revint sans se presser vers le port où des garçons se disputaient sur une barque de pêche. « Si c'est un fils, se dit-elle, je l'appellerai Emilien. »

Avec la marée basse, le vent était complètement tombé et l'eau de la Garonne, presque étale, paraissait maintenant sans danger. Les cinq hommes mangeaient face à face, assis sur le merrain. Outre Jean et Benjamin se trouvaient là Ferdinand Roussel, un grand gars brun, longiligne, âgé d'une trentaine d'années ; Martin Vidal, plus trapu, plus âgé, tout aussi brun mais frisé, qui avait longtemps navigué sur la gabare de Vincent Paradou ; et le petit mousse, Jacques Mourgue, dont c'était le premier passage. Les yeux émerveillés du garçon, dont le visage était à peine entré dans l'adolescence, ne quittaient pas Benjamin qui expliquait :

— Il faut bien calculer l'heure où l'on arrive, comprends-tu ? Si c'est trop tard, le vent de la marée montante se lève et, comme le jusant s'est tari, on ne peut plus traverser.

Le mousse buvait ces paroles, en oubliait de manger. Les autres mâchaient le pain et le lard avec application, une légère ivresse en eux. Même Jean, qui, d'ordinaire, manifestait peu ses émotions, s'animait toujours à cet endroit, et ses yeux brillaient d'une émotion qu'il ne songeait pas à dissimuler.

— Le plus dangereux, reprit Benjamin, ce sont les marées d'équinoxe. Alors, les coups de vent peuvent précipiter les bateaux sur les bancs de sable, surtout si l'on n'affale pas les voiles assez tôt. Les bancs d'Ambès et de Macau sont envahis par les carcasses échouées. Regarde-les, là-bas !

Il ajouta, pour ne pas effrayer le mousse :

— Rassure-toi ; ce ne sera pas pour aujourd'hui.

Sur l'île, les arbres, immobiles, attendaient on ne savait quel signal de la terre ou de l'eau. Sur le fleuve, pas la moindre brise. Même les grands oiseaux blancs semblaient dormir, là-haut, contre le ciel. Face à la gabare, le coteau du Pain-de-Sucre, où foisonnaient les vignes et les belles demeures, veillait sur le confluent d'un œil distrait, comme assoupi dans la lumière. Benjamin, maintenant silencieux, savourait pleinement ces moments de calme avant le départ. Ces minutes-là lui appartenaient. Elles étaient sa fierté, sa victoire, car il avait rêvé du bec d'Ambès toute sa vie.

La première risée fit claquer les drisses sur le mât de l'*Elina* (Benjamin et Victorien avaient baptisé ainsi la gabare en témoignage d'affection pour celle qui, de loin, veillait sur eux depuis toujours). La Garonne se rida puis se mit à trembler, d'abord imperceptiblement, ensuite de plus en plus vite, comme une eau qui commence à bouillir. Benjamin ferma la lame de son couteau, se leva, vérifia une drisse, rencontra le regard du mousse qui demanda :

— C'est loin, Bordeaux ?

— Nous y serons bien avant la nuit.

La confiance qu'il lut dans les yeux du garçon lui fit comprendre que, s'il l'avait voulu, il aurait pu l'emmener jusqu'au bout du monde.

Des voiles se déployèrent dans un claquement de drap sec. Une première barque s'engagea dans la Garonne à petite vitesse, puis une deuxième. Les cargos et les terre-neuvas arriveraient plus tard, quand la force du vent et du mascaret serait devenue suffisante. Elle l'était déjà pour les bagariers dont l'embarcation était moins lourde que les bateaux de mer. L'*Elina* mesurait deux mètres de plus que la capitane, était construite en chêne, elle aussi, et son mât portait drisses et haubans. Sa petite voile, hissée sur une vergue unique, bourdonnait maintenant dans le vent qui forcissait de seconde en seconde.

— Parez à lever l'ancre ! ordonna Benjamin qui n'aimait pas partir le premier, la précipitation ayant plusieurs fois provoqué des accidents.

Ses matelots s'affairèrent, amorcèrent la manœuvre. Jean avait pris son poste à la proue, et le mousse s'était placé sur bâbord, côté fleuve, pour ne rien perdre du spectacle. L'*Elina* vibra, parut hésiter, puis, portée par le montant et le souffle du vent, s'engagea à son tour dans la Garonne.

Sur tribord apparut le village de Macau, là-bas, passé la pointe de l'île Cazeau, tandis que sur bâbord les marais semblèrent à Benjamin encore plus désolés que ceux qu'il avait aperçus depuis la Dordogne. Mais ce qui le frappait le plus, lors de chaque passage, c'était l'immensité du fleuve et des terres qui le bordaient, cet horizon infini que rien ne limitait, sinon par beau temps, très loin, droit devant, le clocher des églises de la grande cité. L'*Elina,* elle, paraissait minuscule entre ces étendues où d'innombrables oiseaux venaient s'échouer (sarcelles, avocettes, hérons cendrés) ou prenaient leur essor dans un silence stupéfié. L'air, que l'on avait l'impression de pouvoir gratter du bout de l'ongle, sentait le palus et la boue. Cette odeur, mêlée à celle de l'eau, voyageait sur les ailes du vent et s'abattait sur les bateaux au gré des rafales, comme si elle était portée par des vagues.

Benjamin gouvernait sans difficulté car les bateaux avançaient tous, ou presque, à la même vitesse, et il n'y avait évidemment aucune circulation en sens inverse, excepté quelques morutiers ancrés le long des rives, qui attendaient le jusant. Au fur et à mesure que l'*Elina* se rapprochait de Bordeaux, des vignes apparaissaient sur tribord, rompant délicatement la monotonie de la plaine. La lumière, elle, avait baissé d'intensité, car le vent de la mer apportait avec lui des continents de nuages, qui paraissaient courir plus vite que les bateaux.

— Regarde ! dit Benjamin au mousse qui rêvait.

Passé Saint-Louis-de-Montferrand, on apercevait Bassens sur bâbord et, plus loin, là-bas, la colline qui dominait les quais de la Bastide. Plus loin encore, ce fut Lormont, un grand cingle, et puis, à droite, les premières maisons de Bordeaux, le quai de Bacalan, les Chartrons, au-delà desquels le fin clocher de l'église Saint-Michel semblait désigner un point mystérieux du ciel. Il fallut alors couper la Garonne pour accoster au quai de la Bastide où l'on entreposait le bois. Ce ne fut pas facile, car de nombreux bateaux étaient ancrés au milieu du fleuve où ils attendaient leurs marchandises. Mais Benjamin avait appris à manœuvrer dans les pires conditions, et il réussit à se glisser entre deux gabares bordelaises, à proximité des entrepôts où vivaient les marchands de bois, les tonneliers et les hommes qui étaient employés dans les chantiers de construction de bateaux.

C'était là un monde à part, différent de celui de l'autre rive, et qui tenait à son autonomie. « Passer l'eau » signifiait déjà quitter Bordeaux, cela malgré les facilités offertes par le pont et les nombreuses barques affectées à la traversée du grand fleuve. Les hommes que Benjamin fréquentait là ne ressemblaient pas à ceux des Salinières ou des Chartrons. Ici, point de riches négociants, de courtiers, d'agents de commerce, mais seulement des artisans, des petits marchands, des ouvriers qui travaillaient dans un univers plus chaleureux, où Benjamin et les siens se sentaient chez eux.

Dès que son équipage eut commencé à décharger le bois, Benjamin se dirigea vers l'entrepôt d'Hippolyte Barcos, l'homme avec qui il avait conclu un marché lors de ses premiers voyages. Née d'une sincérité et d'un respect réciproques, une véritable amitié existait entre eux. Aussi, dès que Barcos aperçut Benjamin sur le quai, il vint à sa rencontre en souriant. C'était un homme d'une cinquantaine d'années, originaire du Pays basque, aux cheveux ondulés ramenés vers l'arrière, au nez osseux, aux yeux noirs et vifs, une sorte d'empereur romain égaré sur les rives de la Garonne. Il serra fermement la main de Benjamin en disant :

— Viens t'asseoir, Donadieu, on va en profiter pour boire un petit verre.

Ils réglèrent leurs affaires, discutèrent un moment du commerce du bois et de l'activité du port, se donnèrent des nouvelles de leur famille, burent un deuxième petit verre d'une délicieuse liqueur de genièvre, puis Benjamin prit congé de Barcos et repartit vers le quai. Là, il traversa sur une barque de louage pour se rendre aux Salinières où il devait passer sa commande pour le lendemain. Il accosta quai de la douane et, pris d'une soudaine envie de marcher, il se dirigea vers la rue Sainte-Catherine où il allait flâner, parfois, quand il avait le temps. S'il s'était senti pitoyable lors de ses retrouvailles avec Marie, cinq ans auparavant, il ne ressentait plus aujourd'hui la moindre honte à côtoyer la foule bordelaise pourtant toujours aussi distante et élégante. Mais ces cinq années de travail et de réussite lui avaient donné l'assurance nécessaire au contact avec les gens des villes, et il se sentait désormais sûr de lui en tout lieu.

Il s'engagea dans la rue Saint-Rémi, parcourut une cinquantaine de mètres en regardant les échoppes et les vitrines des grands magasins, puis il tourna la tête vers l'autre côté de la rue, comme attiré par une présence. Là, une femme, immobile, croisa son regard et ne le lâcha plus. Cette femme, il l'aurait reconnue entre mille, et pourtant cela faisait onze années qu'il ne l'avait pas vue. Elle n'avait pas changé, cependant, ou à peine. Ses traits s'étaient un peu creusés, mais sa beauté sombre et farouche demeurait la même. Elle l'avait reconnu, bien sûr, puisqu'elle le dévisageait sans bouger, une main légèrement dressée devant elle, comme pour l'appeler. Ses longs cheveux coulaient en boucles sous son chapeau noir, elle portait un pantalon de linon blanc sous un gilet bleu et une chemise à dentelles qui lui donnaient une allure garçonne sans altérer son charme naturel. Ses yeux ne cillaient pas. Et c'était bien les mêmes yeux, la même lueur ardente, le même défi. C'était elle : Emeline. Celle qui l'avait condamné à six ans d'exil, celle par qui il avait failli tout perdre. Il fit un effort sur lui-même pour détourner la tête, échappa au sortilège, se remit en marche, bien décidé à l'éviter. Ce fut elle qui traversa et, l'arrêtant par le bras, murmura :

— Demain, dix heures. 42, rue Sainte-Catherine.

Il ne répondit pas, se dégagea violemment du bras.

— S'il te plaît, reprit-elle, tu n'as rien à craindre de moi.

— Non ! dit-il, et il la repoussa de nouveau, s'éloigna d'un pas pressé, furieux du trouble qui l'avait envahi, de toutes ces années de jeunesse qui, brusquement, avaient surgi dans sa mémoire, sans qu'il pût s'en défendre.

Il se hâta vers les Salinières, négocia rapidement la livraison de sel, puis il regagna la Bastide aussitôt, comme si le fait de traverser la Garonne pouvait le délivrer d'un maléfice. Il retrouva ses hommes à l'auberge alors que la nuit commençait à tomber, s'assit à table sans parler. Jean, qui s'aperçut du changement d'humeur de son capitaine, lui demanda si quelque chose n'allait pas.

— Tout va bien, répondit Benjamin. Nous pourrons charger le sel demain à partir de huit heures.

Ils dînèrent d'aloses cuites sur le gril, puis, tandis que les hommes d'équipage passaient dans l'arrière-salle pour jouer aux cartes, Benjamin s'en fut dans la chambre qu'il partageait avec Jean. Là, il s'étendit sur le dos et, les mains croisées derrière la tête, il songea à celle qui l'avait surpris rue Saint-Rémi. C'étaient dix-huit ans de sa vie qui avaient surgi en un instant dans son esprit. C'étaient les prairies de son enfance, les rêves de son adolescence, c'était le même sortilège qui, de nouveau, l'envoûtait malgré le temps passé, malgré le danger de cette rencontre qui lui avait fait retrouver Emeline plus belle que jamais. Il était furieux de cet élan qui, avant même qu'elle n'ait parlé, l'avait porté vers elle. Il savait à quels risques il s'exposait s'il acceptait de la revoir, et pourtant il n'était pas certain de ne pas céder à cette tentation.

Quand son second entra dans la chambre, il feignit de dormir, mais le sommeil persista à le fuir une grande partie de la nuit. Le visage souriant d'Emeline passa et repassa devant ses yeux sans qu'il parvienne à faire surgir d'autres images qui, elles, auraient pu l'apaiser. Après le visage, ce fut la voix qui vint susurrer des mots étranges contre ses oreilles. Aussi se leva-t-il de bonne heure et de fort mauvaise humeur, pressé qu'il était de quitter cette chambre où errait un fantôme à qui il ne pouvait décidément pas échapper.

Dès que son équipage eut gagné le quai des Salinières, il aida au chargement de l'*Elina* afin d'en finir au plus vite et, sans même traverser pour aller saluer Hippolyte Barcos comme il en avait l'habitude, il donna l'ordre d'appareiller, se faufila entre les bateaux ancrés au milieu de la Garonne, s'engagea aussitôt dans la remonte sous le regard inquiet de Jean qui ne comprenait rien à cette hâte inhabituelle.

La remonte dura dix jours et s'effectua sans encombre. Elle fut même l'une des plus magnifiques en raison de la hauteur idéale des eaux et de la beauté des rives épanouies dans la lumière du printemps. C'était chaque année à la même époque le même enchantement. La luxuriance des arbres, des champs et des prairies, que lustraient de petites pluies tièdes, faisait penser à ces givres d'hiver qui vernissent la terre jusqu'au milieu du jour. De partout affluaient des parfums dont Benjamin était incapable de deviner la source, mais qui ressuscitaient autant de sensations, d'émotions, enfouies au plus profond de sa mémoire.

L'*Elina* avait retrouvé le convoi de la capitane à Libourne. Benjamin et Vincent avaient amorcé l'un derrière l'autre la remonte, pour la première fois sans Victorien dont l'absence pesait étrangement sur eux, les rendait orphelins. Car, même si Victorien ne dirigeait plus vraiment les affaires depuis quelques mois, Benjamin le tenait au courant de toutes les tractations qu'il menait à Bordeaux. Et il était habitué, en levant la tête, à apercevoir la silhouette de son père sur la capitane, sentinelle aussi précieuse qu'un fanal dans la tempête. Ils parlaient au demeurant assez peu ensemble, comme si la complicité extraordinaire qui les portait l'un vers l'autre avait quelque chose de sacré, en tout cas d'indicible. Benjamin n'avait pas oublié le voyage de son père à l'hôpital de Bordeaux et les mots prononcés par Victorien, ce jour-là. Ces mots vivaient encore en lui, lui tenaient chaud, et il se les remémorait souvent, tandis qu'il observait son père au travail, sur le port, ses gestes mesurés, ses mains sculptées par le froid, ses épaules sans une once de graisse, l'éclat métallique de ses yeux où passaient parfois, aujourd'hui, quelques ombres de fatigue. C'est à lui qu'il pensait en doublant le pas du Raysse et en découvrant ses collines qui avaient retrouvé leurs couleurs pendant son absence.

Il engagea l'*Elina* dans le canal qui avait été creusé parallèlement à la Dordogne pour servir de port abrité, accosta au plus près de l'entrepôt de sel, descendit le premier pour payer le bouvier, aperçut Aubin, son fils, qui accourait, précédant de peu Marie qui venait d'apparaître au bout du chemin. Benjamin souleva son fils dans ses bras, le projeta en l'air à deux ou trois reprises, le fit retomber sur ses pieds en demandant :

— Alors, tu as été sage ?

Aubin était un garçon déjà robuste pour son âge, aux cheveux bouclés, et dont les yeux gris-bleu avaient le même éclat métallique que ceux de son grand-père Victorien. Il ne répondit pas à la question, mais considéra Benjamin avec une expression bizarre dans le regard. Celui-ci releva la tête, aperçut Marie qui approchait. Benjamin eut l'impression d'avoir vécu cet instant des milliers de fois, tant il y avait eu de retours et tellement les années semblaient n'avoir aucune prise sur elle. Il la retrouvait chaque fois semblable à la jeune fille qu'il avait connue, semblable aussi à celle qui l'accompagnait si souvent dans les prairies, au fond de la Dordogne, pendant leur adolescence. A peine avait-elle un peu grossi, mais son corps gardait la grâce de la jeunesse, car ses fréquentes baignades l'avaient polie comme un galet. Ses cheveux tiraient maintenant davantage sur le roux et mettaient en valeur ses grands yeux verts que soulignaient délicatement deux fines rides creusées par le soleil.

Benjamin l'attira un bref instant contre lui, sentit comme une retenue, posa néanmoins la question traditionnelle, mais avec, déjà, la conviction qu'il s'était passé quelque chose en son absence.

— Tout va bien ?

Elle ne répondit pas tout de suite, évita son regard, puis, enfin, murmura :

— Ton père...

Benjamin sentit le quai se dérober sous lui, demanda doucement :

— Il est mort ?

— Non. Il est tombé voilà deux jours, et depuis il nous inquiète beaucoup.

— Qu'est-ce qu'il a ? demanda Benjamin avec une voix qu'il ne reconnut pas.

Marie le prit par le bras, répondit en l'entraînant vers la maison :

— C'est le cœur.

Et elle ajouta tout bas, comme si elle espérait que Benjamin ne pourrait pas l'entendre :

— Le médecin ne sait pas s'il va se remettre.

Benjamin hocha la tête et ne répondit rien. C'était comme si une vague glacée l'avait recouvert et roulé sur une centaine de mètres. Lorsqu'il pensait à son père, il lui arrivait d'imaginer un accident, une grave blessure, mais jamais, comme aujourd'hui, il n'avait senti combien l'idée de la disparition de Victorien lui était intolérable. Il marchait près de Marie qui ne parlait plus, tandis qu'Aubin trottinait derrière eux et que, sur leur passage, les gens du port s'écartaient avec respect, et comme avec une sorte de crainte.

Elina les accueillit sur le seuil, silhouette vigilante et, lui sembla-t-il, éternelle.

— Il t'attend, dit-elle, mais ne reste pas trop longtemps.

Benjamin monta sans bruit l'escalier, frappa doucement, entra. Victorien reposait sur le dos, la tête soutenue par deux oreillers, ses longs bras étendus de chaque côté de son corps, les yeux clos. Benjamin s'assit près du lit, demeura un instant silencieux, accablé. Sous cet homme aux cheveux blancs et aux traits creusés par les ans, il revoyait celui avec lequel il avait embarqué à treize ans et qui lui avait tout appris. Il se souvenait de sa force, de son courage, et de le voir ainsi anéanti lui donnait l'impression d'une chute inadmissible. C'était un peu comme si Victorien était tombé à l'eau et comme si, lui, Benjamin, ne pouvait pas plonger pour le secourir. Il allongea son bras, posa sa main sur le poignet où couraient de grosses veines bleues, murmura :

— Père, je suis là.

Et, comme Victorien semblait ne pas l'entendre :

— C'est moi. Je suis rentré.

La tête de Victorien pivota doucement, ses yeux s'ouvrirent, un faible sourire naquit sur ses lèvres.

— Tu es là, petit, fit-il tout bas.

— Oui, c'est moi. Tout ira bien, maintenant.

Victorien eut de nouveau un pâle sourire qui s'effaça rapidement. Il esquissa un geste de la main gauche, souffla :

— Approche-toi un peu.

Benjamin se pencha vers son père qui murmura :

— Tu te souviens, petit, de ce naufrage de la seconde, il y a longtemps... Tu étais avec moi, je crois... Ce devait être en 1833 ou 34... Tu te rappelles cette brèche dans son corps... Cette blessure... Eh bien, aujourd'hui, vois-tu, la seconde, c'est moi.

— Que dites-vous là ? fit Benjamin. Ne savez-vous pas que c'est dans le vieux bois que l'on fait les meilleurs bateaux ?

Victorien leva une main, la laissa retomber avec lassitude.

— J'arrive au port, petit, dit-il.

— Mais vous repartirez, fit Benjamin. Rappelez-vous ! nous sommes toujours repartis, vous et moi, même dans les pires tempêtes.

— Oui, dit Victorien, tu as raison.

Puis, fermant de nouveau les yeux :

— Tu sais, garçon, je suis content que tu sois là. J'ai eu peur de... de...

Il buta sur les mots, reprit :

— Il me tardait que tu reviennes.

— A mon prochain départ, je vous emmène avec moi, dit Benjamin, feignant de ne pas avoir compris. C'est la belle saison pour le voyage. Le bas pays a reverdi. Le printemps est partout. Au bec d'Ambès, c'est vous qui tiendrez le gouvernail.

— Oui, fit Victorien, tu as raison.

Il ajouta, après un soupir qui parut lui dérober ses dernières forces :

— Mon gouvernail, j'ai bien peur de l'avoir lâché il y a deux jours.

— Mais non, voyons ! Ne me suis-je pas relevé de mes blessures, moi, après l'explosion du canon ?

— Quel âge avais-tu ?

— L'âge n'a rien à voir là-dedans, vous le savez bien.

Seule la volonté compte. C'est vous qui me l'avez appris.

Victorien soupira, parut se détendre.

— C'est vrai, souffla-t-il. Ça me fait du bien de t'entendre.

— Je sais, dit Benjamin. Mais maintenant, il faut vous reposer.

Victorien semblait un peu mieux, soudain, comme si, de nouveau, il croyait en lui-même. Benjamin en profita pour se lever, sortit sur le palier, s'y arrêta un instant. Il revoyait distinctement le visage de Victorien dont le regard ne brillait plus avec la même flamme. Quelque chose d'essentiel s'était brisé en lui. L'intuition que rien ne serait jamais plus comme avant s'imposa à Benjamin. Il soupira, serra les poings, cogna plusieurs fois de la tête contre le mur, incapable d'accepter cette défaite de l'homme qui, pour lui, comptait le plus au monde. Il chassa la vision du visage vaincu qui errait devant ses yeux, descendit.

Elina et Marie étaient assises face à face, de chaque côté de la table. Elles n'osèrent pas le regarder, ne lui posèrent aucune question. Il hésita une seconde, ne sachant que dire, lui aussi, et, sans vraiment penser à ce qu'il faisait, marcha vers le port. Là, il monta dans sa barque de pêche, traversa la Dordogne, et, de l'autre côté, pénétra dans les bois de Cieurac qu'il escalada en courant, sans reprendre son souffle. Une fois en haut, juste au-dessus du château, il s'arrêta, puis, se saisissant d'une grosse branche cassée, il se mit à cogner contre le tronc d'un chêne avec une violence décuplée par la douleur. Enfin, après plusieurs minutes de folie furieuse, couvert de sueur, il se laissa glisser sur la mousse et ferma les yeux.

Le lendemain matin, il partit à la pêche avec Marie qui prenait plaisir à ces moments de solitude à deux. La Dordogne charriait des eaux de neige peu propices à de bonnes captures, mais Benjamin avait besoin, lors de chaque retour, de partir à l'aube pour redécouvrir son domaine. Le vent du nord s'était levé pendant la nuit et poursuivait quelques rares nuages dans un ciel de faïence. Marie ne parlait pas. Pelotonnée dans sa pèlerine de laine, elle observait Benjamin et sentait qu'il souffrait. Elle savait depuis toujours ce qu'il ressentait à ses attitudes, à ses silences, à la manière qu'il avait, souvent, d'éviter son regard où elle lisait à livre ouvert.

Ils remontèrent vers les bras morts de Lanzac, car Benjamin pensait que les poissons s'étaient réfugiés dans les eaux dormantes, pour échapper au froid des courants. Marie était assise à l'avant, Benjamin ramaït à l'arrière, longeant la rive emprisonnée sous une coquille de silence. C'était un matin comme ils les aimaient, l'un de ceux que le printemps réveille doucement après le long sommeil de l'hiver. Dans la phosphorescence de l'air, des nappes de brume s'accrochaient à la cime des arbres, abandonnant des lambeaux qui fondaient comme du givre sous le soleil.

Benjamin coupa le courant au niveau du gué qui avait changé pendant l'hiver mais qu'il retrouvait toujours avec la même sûreté instinctive. Dès l'entrée du bras mort, il déploya son filet, le fixa à deux baliveaux gluants de sève, puis il dirigea la barque vers l'extrémité de la retenue où, aidé par Marie, il frappa violemment l'eau avec sa rame, de manière à faire fuir le poisson. Ils ne parlaient pas, ayant l'habitude de pêcher ainsi depuis de longues années, recherchant la meilleure efficacité en enfonçant les rames bien à fond, jusque dans la vase et les herbes. Quand ils atteignirent le filet, ils attendirent quelques minutes avant de le relever, silencieux, face à face. Leurs regards se croisèrent.

— Il s'en remettra, dit Marie, tu le sais bien.

Benjamin hocha la tête, sourit.

— Il est encore jeune, reprit-elle, qu'est-ce que c'est que cinquante-sept ans ?

Il sentit à la lueur ardente de ses prunelles qu'elle pensait vraiment ce qu'elle disait.

— Il a toujours été fort, ajouta-t-elle, plus fort que n'importe qui.

« C'est vrai », songea-t-il, et cette idée d'une force extraordinaire, jamais domptée, le rassura. Il lui sembla que la loi commune ne s'appliquerait jamais à son père. Il sourit, demanda :

— On y va ?

— Allons-y ! dit Marie.

Benjamin dénoua l'une des extrémités du filet, commença à le haler doucement par-dessus bord, comprit rapidement que leur pêche serait médiocre.

— Ils sont encore dans les grands fonds, dit-il, l'eau n'a pas eu le temps de se réchauffer.

Ils prirent cependant deux grosses perches et une truite que Benjamin assomma avec le fer saumonier, puis, sachant qu'il était inutile d'insister, ils redescendirent en longeant les prairies.

— Arrêtons-nous, dit-elle, il fait si bon.

Le soleil avait bondi au-dessus des collines, lançant dans l'air frais des flèches blondes qui couraient au ras de l'eau et transperçaient les frondaisons des rives. Benjamin accosta, descendit, noua la cordelle au tronc d'un érable nain, tendit la main à Marie. Il se sentait mieux, à présent, et comme rasséréné après ses rêves noirs de la nuit, dans lesquels il s'était débattu vainement. Ils traversèrent la prairie, montèrent jusqu'à l'orée du bois, marchèrent en direction du port.

— Je ne sais pas si c'est bien le moment, fit Marie en se décidant brusquement, mais il faut bien que je te le dise : j'attends un enfant.

Benjamin s'arrêta, lui fit face, fronça les sourcils comme si les mots prononcés par Marie se frayaient difficilement un chemin dans sa tête, puis son visage, tout à coup, s'éclaira.

— Tu en es sûre ?

— Dame ! dit-elle, ça m'est déjà arrivé, figure-toi.

Il lui sembla alors qu'en l'attirant contre lui il tremblait un peu, soudain, lui qui ne tremblait jamais, qui avait l'habitude de plier le monde à sa volonté. Elle en fut si touchée qu'elle demeura suspendue au bord des larmes, mais il ne s'en aperçut pas.

— Merci, dit-il.

Elle redressa la tête, soutint son regard dans lequel brillait la flamme chaude de ses yeux d'or.

— C'est moi qui dois te dire merci, fit-elle. Merci

pour ça (et elle montra la prairie, la rivière, les arbres de la rive), merci pour ces cinq années, pour Aubin...

Et elle ajouta, tout bas :

— Et merci d'être là aujourd'hui après avoir été si loin.

— Tu es trop bête, dit-il en accentuant son sourire.

La serrant plus fort contre lui, il pensa à sa patience, à ce long chemin parcouru côte à côte, à leurs deux vies qui, pour s'être rejointes et calquées l'une sur l'autre dès l'enfance, n'en faisaient plus qu'une aujourd'hui.

— Nous l'appellerons Emilien, dit Marie.

Il rit.

— Et si c'est une fille ?

— Emilienne, peut-être, qu'en dis-tu ?

— Je dis que l'essentiel est qu'il ou elle nous arrive bien vivant.

— Il n'y a pas de raison, fit Marie.

Ils continuèrent à marcher quelques minutes le long du bois, puis ils retournèrent vers la rive. Benjamin pensait à son père et à la naissance qui s'annonçait, se demandait si seulement Victorien la verrait. La vie, la mort ; la mort, la vie. Il fallait bien se soumettre à la loi, mais ce matin, dans la luminosité extraordinaire de l'air qui dansait sous un ciel bleu d'iris, il lui semblait que cette loi était inacceptable. Allons ! Seule la vie importait. Bientôt Victorien serait debout et tiendrait le gouvernail de la capitane, il ne pouvait pas en être autrement.

Ils embarquèrent et se laissèrent glisser au gré du courant à la surface duquel les truites mouchaient sur une éclosion d'éphémères.

— J'espère bien qu'on n'en restera pas là, dit brusquement Benjamin ; il me faut au moins un fils par bateau.

Elle le reconnut bien à cette remarque qui renouvelait les préceptes de la vallée : les hommes sur l'eau, les femmes dans les maisons. Mais, curieusement, elle n'en conçut pas d'amertume. Il lui semblait maintenant que c'était lui qui avait raison, et elle se disait que les neuf mois à venir compteraient sûrement parmi les meilleurs de sa vie.

2

Autant le printemps, cette année-là, avait été précoce et ensoleillé, autant l'été fut chargé de pluies et d'orages. En septembre, il n'y eut pas davantage de soleil et, au contraire, les pluies redoublèrent, rendant l'eau marchande plus tôt que prévu. C'est la raison pour laquelle les bateaux des Donadieu avaient appareillé le 25 à l'aube, sans Victorien, toutefois, qui tardait à se remettre et demeurait affaibli. Cela avait été un déchirement pour Benjamin que de s'éloigner sur l'*Elina* en apercevant la silhouette de son père debout, sur le port, dans la grisaille du matin. Aussi, depuis l'instant où il avait vu sa mère le prendre par le bras pour l'entraîner vers la maison, Benjamin sentait une colère douloureuse bouillonner en lui, et il ne parvenait pas à oublier l'image de ces deux êtres qui semblaient entrer côte à côte dans la vieillesse. Depuis le départ, malgré le danger que représentaient les eaux vigoureuses de la Dordogne, il contrôlait mal ses gestes, agissait avec une nervosité et une précipitation inhabituelles.

Précédant de peu la capitane, l'*Elina* avait passé Groléjac, Domme, Beynac, et arrivait en vue de Siorac, quand la brume tomba sur la vallée, apportant avec elle une pluie fine mais têtue qui noya en quelques minutes la rivière et ses alentours. Le convoi ne se trouvait qu'à quelques centaines de mètres du pont qu'il fallait franchir sous la troisième arche afin d'aborder dans les meilleures conditions les remous du cingle qui suivait. C'était l'usage, l'expérience des bateliers ayant démontré que la voie la plus favorable se situait là, et nul n'aurait songé à en utiliser une autre sans mettre son équipage en danger.

Ce jour-là, pourtant, il semblait à Benjamin que la crue avait modifié le lit de la rivière et, faute de repères sur les rives, il s'inquiétait pour Vincent qui conduisait la capitane, et pour Fernand Maset qui menait toujours la seconde à laquelle était attaché le gabarot d'allège. La sagesse commandait de s'arrêter avant le pont pour donner de nouvelles directives, mais le convoi avait pris du retard au départ de Souillac, et Benjamin désirait à tout prix arriver à Mauzac avant la nuit. Il n'avait d'ailleurs pas l'esprit assez libre pour prendre des décisions, car il était obsédé par le souvenir du jour où il était remonté avec Victorien aux sources de la Dordogne. Il n'avait rien oublié de cette complicité rare, de cette communion entre un père et son fils qui lui avaient paru devoir durer toujours. Or, ce matin, il était reparti seul pour une nouvelle campagne, et Victorien était resté au port. Le visage du vieux qui, sur les quais d'Argentat, regardait couler la Dordogne en pleurant surgit devant Benjamin. Et voilà que ce vieil homme, aujourd'hui, avait le visage de Victorien. A cinquante-sept ans ! C'était trop injuste ! Benjamin ferma un instant les yeux, s'essuya d'un revers de manche, les rouvrit sur les eaux qui roulaient comme des charrois fous, sautant par-dessus les obstacles avec des galops de troupeau furieux.

— La barre à tribord ! cria Jean qui faisait office de prouvier.

Benjamin rectifia aussitôt. Pourtant son instinct l'avertissait que la crue, dans les fonds, avait changé le chenal et que le passage idéal se situait aujourd'hui davantage sur bâbord, près de l'arche centrale. Il vérifia que le fanal de l'*Elina* demeurait bien allumé malgré le mauvais temps, obliqua légèrement vers bâbord.

— La barre à tribord ! cria de nouveau le prouvier.

Benjamin ne voulut pas l'écouter. Ses yeux grands ouverts fouillaient la brume et la pluie, tandis qu'il se demandait si Vincent apercevait bien son fanal. La règle était que les bateaux d'amont devaient toujours suivre celui qui ouvrait la route, à plus forte raison si c'était celui de Benjamin. Il se rendit compte combien sa manœuvre avait été tardive quand le pont surgit devant lui. Il le croyait encore à cent mètres et il n'était qu'à vingt. Il manœuvra très vite pour s'engager sous l'arche centrale qui apparaissait face à lui, comme il l'avait souhaité. A cet instant, un remous s'empara de l'*Elina,* la fit pivoter dangereusement sur elle-même, et Benjamin dut user de toute son expérience pour la rétablir dans le bon axe pour passer le pont. Debout à l'avant du bateau, contraint de faire confiance à son capitaine, Jean se taisait malgré le danger. Les piles de l'arche semblèrent se précipiter sur l'*Elina* qui, pourtant, glissa entre elles légèrement de biais, frôla celle de gauche par la poupe et sortit du piège dans une gerbe d'écume.

Benjamin se rendit compte de son imprudence en entendant crier le prouvier de Vincent, puis Vincent lui-même qui cherchait à prévenir Fernand, sur la seconde. Le temps parut s'arrêter. Benjamin se demanda ce qui lui avait pris de changer de route, ainsi, au dernier moment, s'injuria mentalement et, d'instinct, rentra légèrement la tête dans les épaules en attendant le pire. Ces quelques secondes d'inattention suffirent à la rivière pour reprendre l'*Elina* dans ses bras musculeux et la faire tourner deux fois sur elle-même au risque de chavirer. Deuxième faute grave pour Benjamin, qui rectifia très vite, respira bien à fond, s'essuya le visage. Enfin, le prouvier de Vincent annonça que la capitane était passée sans encombre. Benjamin frissonna. Restaient la seconde et le gabarot arrimé à elle par dix mètres de corde. On n'eut pas à attendre longtemps. A peine quinze secondes, puis le prouvier de Fernand cria et son cri précéda de peu le craquement sinistre d'une coque qui se fracasse. Le cœur de Benjamin s'emballa, mais il n'hésita pas : prenant tous les risques, il s'approcha de la rive droite pour tenter de freiner l'*Elina* et porter secours aux hommes qui avaient dû tomber à l'eau. L'*Elina* faillit verser plusieurs fois avant de ralentir sa course dans une meilhe abritée du vent. Quelques secondes plus tard, la capitane apparut, Vincent ayant tenté la même manœuvre que Benjamin. Elle frôla l'*Elina*, s'immobilisa un peu plus loin. De nouveau, le prouvier de Fernand cria, mais on ne le comprit pas, sa voix étant emportée par la pluie et le vent. Les équipages, penchés sur bâbord, guettaient l'arrivée des hommes dans l'eau tandis que les deux bateaux, ne pouvant se maintenir longtemps immobiles, dérivaient peu à peu vers le courant. Ce fut au moment où Benjamin donnait un brusque coup de gouvernail pour regagner le milieu de la rivière qu'il distingua enfin la voix du prouvier :

— Gabarot perdu !

Il poussa un soupir de soulagement : il n'y avait aucun homme sur le gabarot, et Fernand, sur la seconde, avait réussi à passer. D'ailleurs, celle-ci apparut, lancée à vive allure et traînant derrière elle l'ossature du gabarot disloqué qui la gênait dans ses manœuvres.

— Coupe ! cria Benjamin à Fernand.

Le capitaine de la seconde obéit aussitôt. Les restes du gabarot tournoyèrent dans les eaux déchaînées et bientôt disparurent. Le convoi se reforma rapidement, et Benjamin reprit la tête avec la sensation aiguë de ne pas mériter cette place. Quelle faute il avait commise ! Il s'en voulait d'autant plus qu'il faudrait que la seconde serve de bateau d'allège lors de la remonte. Cela signifiait qu'on ne pourrait pas rapporter tout le sel qu'il avait promis aux grossistes. Quel regard ses hommes allaient-ils porter sur lui, à l'escale ? Comment allait-il pouvoir maintenir son autorité s'il commettait de telles fautes ? Il s'en voulait de n'avoir pas pu surmonter sa nervosité, de ne pas s'être maîtrisé comme l'aurait fait Victorien s'il avait pu naviguer.

Il réussit néanmoins à retrouver son calme avant Limeuil et négocia au mieux la crue de la Vézère. Puis ce furent les falaises de Sors, le cingle de Trémolat, et Mauzac, enfin, dans la nuit qui tombait, lourde de brumes et de pluies. Alors, dès qu'il eut donné ses ordres, il gagna l'auberge, rejoint par Vincent qui le prit par le bras, et, sachant ce qui se passait en lui, affirma :

— Je suis sûr que tu avais raison. Si on était passés sur tribord, on y aurait laissé tous les bateaux.

Benjamin se dégagea, répondit :

— C'est la vérité qu'on est en droit d'attendre d'un ami. Et moi, cette vérité, je la connais. Ni toi ni personne ne pourra me faire oublier qu'aujourd'hui mon père aurait eu honte de moi.

Comme à son habitude, Elina faisait front. Dès que Victorien disparaissait, elle partait à sa recherche, ne mettait guère de temps à le retrouver, lui parlait doucement, patiemment, de cette voix chaude dont elle usait pour réconforter celles ou ceux qu'elle savait en difficulté. Pourtant, sans que nul ne pût s'en apercevoir, elle souffrait autant que lui de ce qu'il vivait, peut-être plus que lui. Car il ne pouvait pas lire sur son visage les stigmates de la maladie ; elle, si. Et elle avait peur. Non pas d'une mort subite — elle sentait confusément que l'heure n'était pas venue — mais d'un moment de désespoir qui eût décidé Victorien à quelque geste fou. Aussi le suivait-elle de loin sans qu'il s'en doute, veillant à ne rien laisser transparaître de ses craintes et, au contraire, le poussant à s'occuper comme si sa santé était restée la même. Elle ne redoutait donc pas les heures qu'il passait à la pêche ou au travail dans son jardin, mais les moments où il demeurait seul sur le quai, le regard perdu sur la Dordogne qui déroulait interminablement ses rêves de voyage.

Ce matin-là, il faisait un de ces temps lourds et tièdes de septembre qui apportent avec eux des parfums de fougères, de champignons et de grasses prairies. Les pluies des jours précédents s'étaient épuisées à lessiver la terre et le ciel que les nuages avaient enfin déserté. Victorien en avait profité pour sortir de bonne heure, sans rien dire à Elina qui s'en aperçut quelques minutes plus tard. Abandonnant son ouvrage, elle se dirigea vers le port où l'on n'attendait pas les bateaux avant trois jours, mais où, cependant, son instinct lui soufflait qu'elle retrouverait Victorien. Il y était, en effet, assis sur le petit banc qu'il avait lui-même construit, face à la rivière dont les eaux lourdes charriaient des branches et des feuillages déchus. Elle l'observa un moment sans oser s'approcher, mais la fixité de son regard et ses lèvres qui, lui sembla-t-il, remuaient toutes seules la décidèrent à le rejoindre. Elle s'assit sur une caisse laissée à l'abandon, demeura un instant sans parler, murmura en se penchant vers lui :

— Bientôt.

Il ne répondit pas, ne tourna pas la tête vers elle, et elle se demanda si, du fond de ses rêves, il l'avait entendue. Elle répéta, usant de ce vouvoiement que les années vécues côte à côte n'avaient pas réussi à effacer :

— Vous le savez bien que vous repartirez bientôt.

Les traits de Victorien s'animèrent, mais il garda le silence. Cet homme qui avait été roi sur sa rivière ne pouvait pas accepter la moindre pitié, elle le savait. Cet homme — son homme, et le seul qu'elle eût jamais aimé autant qu'elle le craignait — était issu d'une race qui ne tolérait pas la défaite. Inconsciemment, elle savait qu'il repartirait bientôt, même s'il devait mourir sur son bateau — surtout s'il devait mourir sur son bateau. Cette idée, pourtant cruelle, apaisa curieusement Elina. Elle se dit qu'elle s'inquiétait trop. Le danger n'était pas immédiat. Sans doute valait-il mieux le laisser seul dans le combat qu'il menait avant qu'un soupçon ne l'éloigne d'elle irrémédiablement. Elle s'apprêtait à le quitter, quand il demanda brusquement :

— Dans combien de temps revient Vivien ?

Elle compta mentalement les années, répondit :

— Dans vingt mois, ou presque.

— Il faut que je tienne jusque-là, dit-il.

Puis, comme s'il s'agissait d'une décision mûrement réfléchie :

— Je repartirai au prochain voyage.

Il tourna vers elle son regard d'acier brut, cherchant dans ses yeux l'approbation dont il avait besoin.

— Vous avez raison, dit-elle ; il vous suffira d'être prudent, de ne pas trop vous fatiguer.

L'acier des prunelles parut jeter des éclairs.

— A cinquante-sept ans, je préférerais être mort que prudent.

Elle baissa les yeux, sourit, murmura :

— N'est-ce pas oublier un peu vite ceux qui restent ?

Comme chaque fois qu'il était ébranlé par la douceur de sa femme, il s'obstina un peu plus dans son hostilité :

— Pourquoi me suivre comme ça, si souvent ? demanda-t-il d'une voix qui avait retrouvé toute sa vigueur.

— Je ne vous suis pas, je vous tiens compagnie. Quoi de plus naturel ?

La flamme ardente du regard vacilla, puis, tout de suite après, se raviva.

— Vous savez bien que je ne mourrai pas dans mon lit, dit-il, mais debout sur la capitane.

Elle ne sut que répondre, mais se sentit soulagée de le retrouver tel qu'il était avant son accident : un homme de courage et de défi.

— Mes forces sont revenues, dit-il, je le sens. D'ailleurs, comment aurait-il pu en être autrement ?

— C'était juste une question de temps, fit-elle.

Des enfants passèrent en courant sur le quai. Une barque apparut, conduite par une femme qui rentrait de la pêche.

— Allons ! dit Victorien.

Ils partirent vers la maison de l'octroi près de laquelle il trouva un roulier qui travaillait depuis toujours pour les Donadieu, et il lia conversation avec lui. Elina s'éloigna, persuadée que les heures les plus difficiles étaient passées. Pour l'avenir, elle s'en remettait, comme à son habitude, à la providence.

Marie sortit de la maison d'Angéline à qui elle était allée rendre visite avant de passer au marché. Il faisait beau, ce matin-là, et on avait l'impression que les nuages étaient partis pour toujours. C'est du moins ce que pensait Marie en pénétrant sous la vieille halle où s'affairaient les gens du bourg et les paysans, séparés par des étals rudimentaires qui ne nuisaient en rien à la chaleur des conversations. Marie aimait cette agitation heureuse qui lui rappelait son enfance, se revoyait à la place où elle vendait ses truites, fermait les yeux le temps de retrouver ses dix ans, son frère, sa mère, mais aussi Emeline, dont la menace, aujourd'hui, lui paraissait dérisoire.

Autour d'elle ce n'étaient que piaillements de volailles, saluts, cris, discussions, marchandages, mais elle se sentait bien au milieu de ce monde coloré et vivant. D'ailleurs, depuis qu'elle côtoyait les parents des enfants à qui elle apprenait à lire, elle avait l'impression de posséder deux familles : celle du port et celle du bourg. L'abbé, qui approchait des soixante-dix ans, lui avait appris la patience et l'indulgence. Elle ne ressentait plus aucune animosité envers les marchands ou les artisans. Comment eût-il pu en être autrement, puisqu'elle n'avait rien aujourd'hui à leur envier, étant elle-même mariée à un marchand et disposant elle aussi du savoir ? Le souvenir du panier de truites posé à ses pieds ne provoquait en elle aucune amertume, mais simplement la nostalgie d'une époque de sa vie dont elle n'avait conservé que le suc.

Ses achats terminés, elle rencontra Fantille qui la retint un moment au milieu de la halle pour lui demander des nouvelles de Victorien. C'est là qu'une rumeur vint la frapper au cœur et la fit chanceler : un enfant, disait-on, s'était noyé au port. Elle avait confié Aubin à Elina, était partie heureuse, marchant dans l'herbe humide qui lui fouettait délicieusement les jambes, ne songeant qu'au plaisir de traverser ses prairies familières. D'ailleurs, le malheur paraissait bien lointain en ce matin lourd de parfums de treilles et de regain, tandis que les arbres, les rives, le village, la vallée tout entière profitaient des derniers feux de l'automne avec de longs soupirs. Que s'était-il donc passé ? Incrédule, elle écouta autour d'elle les conversations qui confirmaient la terrible nouvelle.

— N'aie pas peur, dit Fantille, Elina a l'habitude.

L'habitude ! N'avait-elle pas elle-même laissé fuir Aubin à deux reprises depuis qu'il marchait ? Pour lui, ses escapades étaient un jeu, alors que, pour toutes les mères d'enfants en bas âge, la Dordogne représentait le pire des dangers. Elle les attirait, les ensorcelait. Aubin plus que n'importe quel enfant, qui ne pensait qu'à elle, ne vivait que pour elle, ne cessait de parler de son père, attendait le retour des bateaux comme on attend une récompense promise depuis longtemps.

— N'aie pas peur, répéta Fantille, ça ne peut pas être Aubin.

Marie la regardait fixement mais ne la voyait pas. Ce pouvait être n'importe quel enfant, elle le savait, et déjà elle imaginait les stratagèmes inventés par son fils pour s'échapper. Alors, brusquement, sans même emporter ses achats, elle s'élança vers le port comme s'il était encore en son pouvoir de sauver qui que ce soit.

Etant enceinte de cinq mois, elle ne pouvait pas courir, mais elle marchait d'un pas vif et nerveux, rythmant sa course avec le prénom de son fils, l'appelant pour le retenir, même s'il était trop tard, même si elle était certaine d'avoir failli à son devoir de mère. Des gens la croisaient et la dévisageaient bizarrement, comme si elle avait été la « ravie » du village. Elle ne s'en apercevait pas, ne songeait même pas à se renseigner auprès d'eux, continuait d'avancer en parlant à la manière de ces sorcières que l'on croisait, parfois, sur les chemins, jetant des sorts ou déroulant des litanies à l'adresse du diable ou du bon Dieu. Elle était épuisée en arrivant sur la route de Sarlat, et sa poitrine lui semblait s'être embrasée. Elle traversa pourtant et s'engagea dans les prairies sans songer à se reposer, fût-ce quelques secondes. Mon Dieu ! Aubin ! L'image des noyés que l'on retirait de la Dordogne (trois ou quatre chaque année) erra devant ses yeux. Elle la repoussa farouchement, tout en se demandant quel était cet obscur besoin qui faisait se pencher les vivants sur les morts. La nécessité de comprendre, de savoir en quelle région de l'univers ils avaient trouvé refuge ? Pourquoi de si funestes pensées, ce matin ? Aubin ! Aubin ! Elle n'avait jamais osé avouer à Benjamin qu'elle avait laissé s'échapper leur fils à deux reprises. Elle était coupable. Elle allait expier. Elle tomba, resta un moment immobile dans l'herbe fraîche, ressentit douloureusement à quel point elle aimait son enfant et consentit l'une de ces promesses que l'on adresse à Dieu les jours de péril imminent : « Rendez-moi mon fils et je promets de renoncer à naviguer. »

Elle se releva, s'appuya au tronc d'un frêne, laissa son cœur se calmer, repartit. Aubin ! Aubin ! Elle ne sentait ni ses jambes ni son corps, il lui semblait que l'eau de la rivière la submergeait, elle aussi, qu'elle finissait par ne plus respirer. Elle détestait la Dordogne. Elle allait partir loin d'elle pour ne plus revivre ce qu'elle vivait aujourd'hui, ne jamais revenir sur ses rives maudites. C'est à peine si elle aperçut les jardins qu'elle traversait maintenant, avant de tourner à droite. L'ombre des frênes et des trembles lui fit du bien. Sous leur couvert, pendant quelques secondes, elle se sentit protégée. Mais cela dura peu, car le port apparut, là-bas, au bout, à moins d'un kilomètre. Aucun son ne sortait maintenant de sa bouche : elle n'en avait plus la force. Elle avançait en comprimant son ventre, s'arrêtait, repartait, imaginant des femmes en pleurs dans sa propre maison, un corps inerte sur un drap, Elina et Victorien écrasés de chagrin.

Un peu plus loin, elle s'approcha de la Dordogne, observa les eaux tumultueuses, cherchant à se rassurer au murmure familier. Des cris, sur le port, la firent frissonner. Elle se remit en route, mais plus lentement, comme si elle eût soudain préféré ne rien savoir, ne rien entendre, oublier où elle se trouvait et pourquoi. En approchant du port, cependant, elle devina un attroupement sur le quai, perçut des cris de femmes, mais n'osa pas s'avancer. A l'entrée du village, les ruelles étaient désertes, les maisons vides. C'était donc sûr : quelqu'un s'était noyé. Aubin ! gémit-elle, et tout à coup le besoin de savoir fut le plus fort : malgré la peur panique qui la faisait trembler, elle courut jusqu'à la maison d'Elina, s'arrêta sur le seuil, puis poussa la porte d'un élan désespéré. Elle eut juste le temps d'apercevoir Aubin sur les genoux d'Elina qui lui racontait paisiblement une histoire, avant de tomber violemment, heurtant le plancher de la tête, emportant dans son évanouissement la vision des grands yeux étonnés de son fils souriant.

Elle revint à elle dans les bras d'Elina qui s'était précipitée pour la ranimer, mais il lui fallut plusieurs secondes avant de comprendre ce qu'elle faisait là, allongée sur le sol. C'est en apercevant Aubin près d'elle qu'elle se souvint de sa course affolée depuis Souillac. Alors elle l'attira contre elle et le serra violemment, murmurant son nom sans parvenir à se calmer, retrouvant l'angoisse qui l'avait étreinte sous la halle, dans les prairies et jusque sur le port. Elina avait compris ce qui s'était passé, car elle était bien sûr au courant de la noyade survenue au début de la matinée. Elle aida Marie à s'asseoir, lui expliqua que le fils de Martin Vidal, âgé de douze ans, avait disparu dans les remous en pêchant à la fouenne, sous les yeux de deux camarades.

— Quand ils ne l'ont pas vu remonter, ils ont bien plongé, les pauvres, mais l'eau l'avait emporté cinq cents mètres plus loin. Un pêcheur l'a retrouvé un peu avant Cazoulès.

Elina soupira, ajouta :

— On leur avait pourtant interdit de plonger là, à ces garnements !

Interdire ! Interdire ! N'interdisait-on pas aussi à Benjamin lorsqu'il était enfant ? Et elle, Marie, ne l'avait-elle pas sauvé, un jour, en l'aidant à dégager son pied pris par les racines ?

— J'ai eu si peur, murmura-t-elle.

— Et tu as couru, bien sûr, au risque de perdre l'enfant que tu portes.

— Non, fit Marie, ne dis pas une chose pareille.

— Tiens ! bois !

Elina lui tendit un verre contenant un fond d'eau-de-vie, que Marie avala en toussant et sans lâcher Aubin qu'elle avait fait asseoir près d'elle, sur le banc. Très vite, une agréable chaleur coula dans ses membres.

— Viens, mon petit, dit-elle en prenant son fils dans ses bras.

En le sentant respirer contre elle, elle consentit enfin à sourire.

Chaque fois que Pierre Bourdelle plaidait à Bordeaux, il laissait un message chez Hippolyte Barcos, invitant Benjamin à le rejoindre à l'auberge, quai des Salinières. Cela faisait deux jours que celui-ci tentait d'oublier à l'écart de ses hommes la perte de son bateau, cherchant le moindre prétexte pour ne pas prendre ses repas avec eux. Pas un, pourtant, n'aurait songé à lui reprocher quoi que ce soit, au contraire : le respect qu'ils lui portaient se situait bien au-delà d'un accident toujours possible. Mais Benjamin, qui s'en voulait, ne pouvait oublier que, pour la première fois de sa vie, il avait mis son équipage en péril.

Ce fut donc avec satisfaction qu'il partit ce soir-là vers les quais où il retrouvait Pierre à l'auberge de la Garonne : un endroit fréquenté par les sacquiers, les débardeurs, les pêcheurs et les dockers. Bien que possédant les moyens de dîner ailleurs, l'avocat aimait cet établissement où, prétendait-il, il côtoyait l' « âme du peuple ». Cela faisait sourire Benjamin qui voyait arriver son ami dans un costume de drap fin et un col anglais amidonné peu en rapport avec les blouses des hommes qui fréquentaient ces lieux, mais personne n'accordait d'attention particulière à eux, si ce n'était le patron, un gros homme chauve natif de Bergerac, qui connaissait la famille Bourdelle depuis longtemps. Il installait ses deux amis à l'écart, tout près de sa cuisine qui fumait comme un linge mouillé dans une cheminée, et il leur servait des morceaux de choix, ce qui n'était pour déplaire ni à Pierre ni à Benjamin.

Ce soir-là, dès qu'ils furent assis face à face et eurent trinqué à leur amitié, Benjamin se rendit compte que Pierre était préoccupé. Il n'eut pas besoin de le pousser beaucoup pour que celui-ci l'entretienne des événements survenus à Paris depuis l'été, événements qui, selon lui, allaient avoir des conséquences catastrophiques. Il lui rappela d'abord comment la faillite des ateliers nationaux avait jeté dans les rues de la capitale 120 000 chômeurs désœuvrés, découragés, qui, à l'annonce de la fermeture définitive décidée par Falloux, avaient dressé des barricades le 23 juin. Cavaignac avait alors fait donner la troupe et vaincu l'insurrection en quelques jours. 15 000 Parisiens avaient été arrêtés et 4 000 d'entre eux avaient été déportés en Algérie.

— Cavaignac a laissé volontairement l'émeute se développer pour mieux l'anéantir, prétendit Pierre, échauffé, tandis que Benjamin hésitait à le croire. Même Lamartine l'a reconnu. Tous nos rêves sont détruits. La République a massacré ses propres enfants. Ce sont les notables qui gouvernent de nouveau. Encore une révolution qui n'aura servi à rien !

— N'exagère pas, dit Benjamin. Il nous reste tout de même le suffrage universel.

— Pas pour longtemps, fit Pierre après avoir vidé son verre. Tu ne sais peut-être pas qu'ils viennent de supprimer la liberté de la presse, que l'état de siège est maintenu pour favoriser l'épuration, et que la journée de travail est portée à douze heures.

Il ajouta, baissant la voix, comme pour confier un secret :

— Il paraît qu'ils élaborent une constitution qui aura un président de la République élu pour quatre ans et sera tout-puissant.

— Et alors ? fit Benjamin en reprenant de la matelote d'anguille.

Pierre prit le temps d'avaler deux bouchées, but de nouveau du vin, continua de s'enflammer :

— Alors les Orléanistes préparent déjà les élections présidentielles qui sont pour la fin de l'année. Ce roi que nous avons jeté par-dessus les barricades, il va nous revenir par les urnes, avec l'aval des modérés.

Benjamin haussa les épaules, sourit. Pierre découpa une tranche de rôti, servit Benjamin, puis lui-même, reprit avec gravité :

— Il n'y a pas de quoi rire, crois-moi. La nouvelle constitution ne reprendra pas en compte le droit au travail, mais seulement le droit à l'assistance.

— Tu es bien renseigné.

Pierre se pencha par-dessus la table, murmura :

— J'ai un ami parisien qui connaît personnellement Tocqueville.

Ils se turent, mangèrent un moment en silence, réfléchissant l'un et l'autre à ce qu'ils venaient de dire. Autour d'eux, la ronde des servantes portant bonnet blanc et tablier à fanfreluches arrivait à peine à satisfaire tous les appétits. Une épaisse fumée stagnait au-dessus des tables, refluant comme une vague dès que la porte de la cuisine s'ouvrait. Des cris, des rires retentissaient continuellement, tandis que les visages s'épanouissaient dans les odeurs fortes de friture et de rôts. Pierre, qui aimait la bonne chère, parut s'apaiser en savourant la viande et les pommes de terre délicieusement parfumées.

— Enfin ! soupira-t-il, il nous reste l'espoir de pouvoir encore agir sur les événements.

— Personne ne nous volera notre République, dit Benjamin, se voulant rassurant. Tu as beau me dire tout ce que tu voudras, j'en suis absolument persuadé.

— Puisses-tu avoir raison, souffla Pierre.

Et, changeant brusquement de sujet, comme pour conjurer le sort :

— Parle-moi plutôt de Marie. Comment va-t-elle ?

Benjamin sourit, attendit quelques secondes pour répondre, ménageant ses effets :

— Marie va bien. Elle attend un enfant, et moi aussi par la même occasion.

Pierre, qui n'était pas marié, ne vivait que pour son métier et ses idées, enviait parfois Benjamin. Il prit un air enthousiaste qui éclaira soudain son visage et s'exclama :

— Ça alors ! c'est formidable ! Et ce sera pour quand ?

— Janvier, sans doute.

— Je te rappelle que tu m'as promis d'être le parrain de ton second fils.

— Et si c'est une fille ?

— Ça ne fait rien puisqu'elle sera jolie, mais ce ne sera pas grâce à toi.

Ils rirent, heureux de retrouver la complicité qui les avait si étroitement unis dans la marine, puis ils finirent le contenu de leur assiette et Pierre demanda :

— Et toi, comment vas-tu ?

— Moi, j'ai failli tuer mon équipage. A part ça, tout va bien.

Benjamin avait répondu sans réfléchir, comme si le fait de parler de son erreur à un ami allait l'effacer de sa mémoire. Il évita le regard de Pierre, repoussa son assiette, soupira.

— Qu'est-ce que tu racontes ? demanda l'avocat.

— Je raconte que j'ai perdu un bateau par ma faute et que j'aurais pu perdre un équipage entier.

— Allons ! fit Pierre, explique-moi ! Ça vaudra mieux que de dire n'importe quoi.

Benjamin raconta l'incident du pont de Siorac, s'accusa d'avoir gravement failli à sa tâche.

— Arrête ! veux-tu, fit Pierre. Toi et moi, nous ne sommes pas des enfants et nous savons très bien qu'on ne passe pas sa vie sur des bateaux sans commettre d'erreur.

— Le problème est que, pour moi, ça commence tôt.

— Imbécile ! fit Pierre en riant.

Et il ajouta, devinant une blessure plus profonde :

— Dis-moi plutôt ce que tout cela cache.

Benjamin rassembla les miettes de pain avec sa main droite, hésita, se décida enfin :

— Depuis que mon père est resté à quai, j'ai l'impression d'avoir perdu un bras.

— Je savais bien que tu me cachais l'essentiel, fit Pierre avec un sourire satisfait.

Benjamin eut un sursaut, chercha le regard de son ami qui le dévisageait calmement. L'essentiel ? Oui, Pierre avait raison, l'essentiel était bien là, en effet, et il ne servait à rien de vouloir se le cacher : l'image de Victorien immobile sur le quai au matin de l' « eau de voyage » lui était insupportable.

— Il va se remettre, dit Pierre. Tu sais bien qu'il est d'un bois aussi dur que les chênes qu'il transporte.

— Qu'il transportait, rectifia Benjamin.

— Il recommencera. Et, toi aussi, tu recommenceras à donner des coups de gouvernail de travers. Tu te prends pour qui, dis ? Pour le pape ou pour ses ministres ?

Benjamin, enfin, se détendit, comprenant que son

orgueil, parfois, l'entraînait un peu loin. Ils riaient quand le patron apparut, une bouteille de vin à la main.

— Il ferait beau voir que je ne trinque pas avec mes amis, dit-il en s'asseyant, la mine réjouie.

Et, versant le meilleur vin de sa cave dans les verres :

— Goûtez-moi ça, les enfants !

Les deux hommes burent une gorgée, apprécièrent en connaisseurs, commentèrent avec leur hôte la qualité du Grave, puis Pierre interrogea l'aubergiste sur ce qui se passait à Bordeaux. Celui-ci n'ignorait rien de la vie de la grande cité, mais parlait peu, sauf s'il se sentait en confiance, ce qui était le cas avec les deux hommes dont il partageait les idées.

— Pas grand-chose de neuf depuis juin, répondit-il en s'essuyant le front.

Puis, après un court instant de réflexion :

— Il paraît qu'on va supprimer la malle-poste de Lyon le mois prochain. Tout ça à cause du chemin de fer. D'ailleurs la compagnie d'Orléans va construire sa gare à la Bastide.

— A la Bastide ? s'étonna Benjamin.

— Oui, à la Bastide. Et celle de la compagnie du Midi sera construite sur la rive gauche.

— Comment passeront-ils le plateau pour aller à Libourne ? demanda Pierre.

— Je crois qu'ils vont le contourner par Bassens et Saint-Loubès.

Benjamin, qui avait entendu parler pour la première fois du chemin de fer dans cette même salle, s'exclama :

— Ils sont pas arrivés, dites donc !

— Méfie-toi ! dit l'aubergiste, ces gens-là sont puissants et disposent de beaucoup plus de moyens que tu le crois.

— Tu veux parler des Pereire ? demanda Pierre.

— Les Pereire et d'autres ; les Duthil, par exemple. On dit qu'ils sont entrés dans la compagnie du Midi et que l'un des fils s'est installé à Bordeaux pour monter une nouvelle compagnie avec les Pereire.

Benjamin sentit son sang refluer dans ses veines : Duthil ! Le mari d'Emeline ! Voilà pourquoi il l'avait rencontrée au printemps dernier dans la rue Saint-

Rémi ! Il n'écoutait plus ses amis qui discutaient de l'avenir du chemin de fer mais songeait à celle qui surgissait périodiquement dans sa vie et se demandait s'il y avait là un hasard ou si c'était le fruit de son machiavélisme. Il tressaillit, revint à la conversation au moment où l'aubergiste expliquait que la ligne Bordeaux-La Teste fonctionnait très bien et voyait croître chaque jour le nombre de ses usagers.

— De toute façon, leur machine infernale leur explosera un jour à la tête, l'interrompit Benjamin avec une violence qui surprit les deux autres.

Ils le dévisagèrent, stupéfaits.

— Parfaitement ! Dans un an, on n'en entendra plus parler, de leur chaudière ambulante !

— C'est pas si sûr, dit l'aubergiste.

— C'est tout à fait sûr ! s'exclama Benjamin. Aussi sûr que je m'appelle Donadieu et que la Dordogne coule vers la mer.

Il avait haussé le ton d'une manière si agressive que ni Pierre ni l'aubergiste ne relevèrent ses propos. Ils préférèrent changer de sujet et revenir sur les événements de Paris, Pierre pronostiquant la victoire de l'avocat Ledru-Rollin aux élections présidentielles. L'aubergiste, lui, préférait Raspail. Benjamin n'écoutait plus. Il se demandait si ce n'était pas Emeline qui avait poussé son mari à venir s'installer à Bordeaux en espérant le rencontrer plus aisément, lui, Benjamin, plutôt qu'à Libourne où tout le monde les connaissait. Cette idée lui parut à la réflexion un peu folle. Emeline n'avait rien à attendre de lui. Elle possédait ce qu'elle avait toujours souhaité : la beauté, la richesse et la vie facile. Leur rencontre ne pouvait être qu'une coïncidence.

Renonçant à cerner les vrais motifs de cette installation bordelaise, il aida ses amis à finir la bouteille du Grave mémorable ouverte par l'aubergiste. Après quoi, ils discutèrent encore jusqu'à deux heures du matin avant de se quitter, à regret comme à chacune de leurs rencontres. Ils promirent de se retrouver au moins une fois avant les élections présidentielles qui allaient décider du sort du pays.

L'été, que l'on avait vainement espéré en août et dans les premières semaines de septembre, s'installa soudainement dans les derniers jours du mois. Il y eut sur le port serti dans l'or mat des érables de glorieuses journées qui firent rapidement baisser le niveau des eaux et embrasèrent les prairies ébouriffées par le vent du sud. Les nuits étaient si lourdes du parfum du regain que Marie regretta de ne pouvoir les partager avec Benjamin. Elle ne put toutefois résister au plaisir de sortir sur les sentiers éclairés par la chiche lumière d'une lune qui errait comme un fantôme au milieu des étoiles.

Chaque année, en effet, elle attendait avec impatience la tiédeur qu'en automne la terre insuffle aux rivières, lèvres contre lèvres, bouche contre bouche, dans une ultime étreinte avant l'hiver. Si une année passait sans qu'elle eût ressenti le contact tiède de l'eau contre sa peau, elle éprouvait le sentiment de l'avoir mal vécue. Ce mois de septembre-là, comme il n'était pas question de laisser Aubin seul dans la grande maison, elle le réveilla doucement, le vêtit, le prit par la main et sortit sans bruit. L'enfant se demandait ce qui se passait, mais, malgré l'épaisseur de la nuit, ne manifestait aucune inquiétude. Elle suivit le chemin qui menait dans les prairies, s'enfonça dans la touffeur des plantes qui suaient des gouttes douces comme du lait, prononçant de temps en temps un mot pour rassurer son fils qui semblait trouver plaisante cette fugue et trottinait à côté d'elle avec confiance. Elle marcha longtemps, paisiblement, jusqu'au pont de Lanzac, respirant l'air sucré qui se levait en vagues sous ses pieds, ivre d'herbe, d'étoiles, de terre et d'eau, comme l'avait peut-être été la première femme venue au monde, à l'autre bout du temps.

Elle en avait pourtant vécu, des nuits semblables, dans cet univers qui lui appartenait et qu'elle avait jusqu'alors seulement partagé avec Benjamin. Mais, cette nuit, elle le faisait découvrir à son fils et elle connaissait l'importance des sensations premières chez un enfant, la profondeur du sillon qu'elles creusaient, l'inoubliable empreinte qu'elles laisseraient dans sa mémoire. Aubin, d'ailleurs, paraissait grave et se taisait. Comme sa mère, il essayait d'instinct de se fondre dans ce monde qui n'était pas hostile, mais accueillant, et chaud, et heureux, pour peu qu'on sût l'apprivoiser. Au bout d'une heure, ce fut lui qui entraîna Marie vers la rivière. Elle le suivit d'autant plus facilement que, au fil de leur longue promenade, l'attente de la baignade en avait exacerbé le désir. Elle se laissa guider vers la plage de galets, se déshabilla rapidement, gardant seulement sa chemise, mit Aubin nu, le prit dans ses bras, marcha vers l'eau.

Dès le premier contact, elle sut qu'elle était bien telle qu'elle l'avait espérée : une eau épaisse et tiède de la chaleur que la terre avait emmagasinée pendant l'été, et qu'elle restituait maintenant à la rivière avant le grand sommeil. Marie avança lentement jusqu'à ce que son ventre fût recouvert.

— N'aie pas peur, dit-elle à Aubin.

Mais il n'avait pas peur. Il ne tremblait même pas, malgré le vent léger sur sa peau nue. Marie avait toujours su qu'il aimerait l'eau, mais elle était heureuse de le vérifier, cette nuit, tandis qu'elle avançait vers le milieu de la rivière. Aubin battait des pieds, riait. Elle s'élança doucement sur le dos, les yeux grands ouverts sur les étoiles, s'aidant pour flotter de sa jambe et de son bras droit, tandis qu'elle maintenait son fils sur sa poitrine de sa main gauche. Il avait instinctivement encerclé son cou de ses petits bras, mais il ne la serrait pas plus fort qu'il ne le fallait, lui démontrant ainsi sa confiance.

— C'est bien, dit-elle, laisse-toi aller.

La lanière plus froide du courant qui voyageait au milieu du lit la fouetta brusquement. Elle avança d'une détente plus vive des pieds, puis, renonçant à le franchir, elle se laissa emporter sans lutter, songeant seulement à cette caresse sur sa peau dont elle ne savait plus si c'était celle de son fils ou celle de l'eau. Que c'était bon cette dérive dans laquelle elle s'abandonnait au plaisir qui avait nourri son enfance ! Et le velours de l'eau l'enveloppait tandis que le vent glissait sur son visage et, là-haut, les étoiles semblaient l'accompagner dans sa descente, couler sur elle comme une pluie d'été. Elle dépassa le port éclairé par la lune, se laissa emporter encore et encore jusqu'à ce qu'elle eût pied. Alors, lâchant Aubin, elle recula d'un pas et dit :

— Viens ! viens !

L'enfant, d'abord, eut peur, puis, d'instinct, trouva les gestes qu'il fallait.

— C'est bien ! dit-elle.

Elle recommença plusieurs fois, puis le reprit contre elle et nagea vers une meilhe profonde de trois mètres. Là, elle le rassura en disant :

— N'aie pas peur, je suis là, laisse-toi faire.

Le serrant dans ses bras, elle descendit en apnée jusqu'à deux mètres. Après une brève contraction, Aubin se détendit. Marie demeura immobile pendant quelques secondes, puis, s'aidant de ses jambes, remonta. Ils émergèrent à l'air libre dans un éclaboussement lumineux.

— Encore ! dit Aubin.

Elle redescendit, resta plus longtemps dans les fonds, habituant son fils à ne pas respirer, à ne pas s'affoler, puis, le lâchant doucement, à remonter près d'elle, avec le simple contact d'une main. Elle se rendit compte qu'elle pensait à cette initiation, à ce baptême, depuis le jour où elle avait eu si peur en apprenant la noyade d'un enfant à Souillac. Elle avait attendu cette chaude nuit de septembre pour mettre son projet à exécution, ajoutant à son plaisir de nager en automne celui d'apprendre à Aubin les gestes qu'il n'oublierait jamais. Dans son ventre vibrait une autre présence aussi précieuse, que le contact de l'eau paraissait également séduire, et elle avait l'impression de soustraire définitivement ses enfants aux périls de la rivière. Ces moments étaient rares. Elle le savait. Jamais comme cette nuit elle ne s'était sentie aussi proche, aussi semblable, aussi solidaire de l'eau, de la terre et du ciel.

Aussi se baigna-t-elle longtemps, oubliant les minutes et les heures. A la fin, Aubin barbotait seul, et avançait de quelques mètres. Un souffle de vent plus frais la fit frissonner. Elle revint lentement vers la rive, rhabilla son fils, se vêtit à son tour, l'entraîna vers les prairies où se dressaient des meules de regain. En passant près d'elles, l'envie la prit subitement de s'y coucher comme elle aimait à le faire, seule ou avec Benjamin, il y avait si longtemps. Elle se dit que le jour la réveillerait bien assez tôt et qu'elle pourrait rentrer chez elle sans être vue, puis elle monta sur la meule la plus proche, hissa son fils près d'elle, creusa un trou dans le foin, s'y glissa délicieusement. Aubin manifesta à peine sa surprise. Elle n'eut aucune peine à le rassurer et, dans les secondes qui suivirent, il ne bougea plus. Marie rêva un moment à Benjamin, à sa vie, à son désir de sommeil dans l'odeur poivre et miel de l'herbe coupée. Une grande chaleur l'envahit. Elle songea vaguement qu'elle était heureuse, puis elle s'endormit dans un soupir, comme ces enfants, lovés en chien de fusil, qui poursuivent des rêves d'avant la lumière.

3

Décembre était là, tout poisseux de brumes que dispersait à peine le vent du nord. La neige n'avait pas encore fait son apparition, mais les pluies, elles, ne cessaient de s'acharner sur la terre en rafales furieuses qui cinglaient les visages comme une grêle d'avril. Sur les bateaux, les hommes s'en accommodaient sans se plaindre, préférant cette pluie aux glaces et au gel qui eussent rendu la navigation plus périlleuse encore.

Ce temps humide et froid n'avait pas empêché Victorien d'embarquer de nouveau. Depuis octobre, d'ailleurs, ayant retrouvé un peu de son énergie, il tenait sa place sur le bateau comme il avait toujours fait, sans souci de se ménager. Il cachait soigneusement les moments durant lesquels son cœur s'enflammait dans sa poitrine et feignait d'ignorer qu'un jour il devrait déposer les armes.

A l'auberge de la Garonne, la discussion avait été vive entre Pierre et lui, car Victorien avait décidé de voter pour Louis Napoléon, le neveu du grand homme qu'il avait tant admiré. Pierre lui avait expliqué que le prince était en réalité le candidat des royalistes et que, s'ils étaient vainqueurs, ils auraient tôt fait d'assassiner la République. « Un nigaud que l'on mènera », disait Thiers, que Pierre considérait comme un dangereux intrigant. Selon lui, les démocrates ne pouvaient voter que pour Ledru-Rollin, l'avocat, qui saurait être le garant du droit et des libertés. Quant à Cavaignac, le boucher de juin, les voix de la bourgeoisie ne lui suffiraient pas pour être élu, pas plus d'ailleurs que les voix des ouvriers à Raspail. C'était également l'avis de Benjamin et de l'aubergiste. Pourtant, Victorien n'avait pas voulu se rendre aux arguments invoqués par Pierre : pour lui, le prince était le candidat de l'ordre, de la défense de la propriété, mais aussi des gens simples. Comme son oncle, il saurait récompenser les hommes d'après leurs mérites et non d'après leur fortune. La conversation ayant menacé de s'envenimer, on en était resté là et l'on s'était séparé dans la nuit de décembre avec un peu d'amertume.

Le lendemain, la remonte avait commencé dès l'aube, car il ne fallait pas perdre de temps si l'on voulait arriver à temps pour voter : on était le 2 et les élections étaient fixées au 10. Au début de l'après-midi, l'*Elina* attendait à l'abri de l'île Cazeau les rafales annonciatrices de la renverse pour s'engager dans la Dordogne, et Benjamin s'impatientait, craignant de ne pouvoir arriver à Libourne avant la nuit. Il fut rapidement satisfait, mais au-delà de ce qu'il souhaitait : le vent se leva avec une telle violence que, sur les gabares et les couraux amarrés sous le couvert de l'île, les équipages eurent d'énormes difficultés à hisser les voiles. Benjamin appareilla pourtant sans hésiter et s'engagea dans la perpendiculaire de la Garonne, suivant les bateaux qui, comme le sien, remontaient vers Libourne.

Une rafale d'une violence inouïe faillit coucher l'*Elina* sur tribord et il réussit à grand-peine à la placer dans le vent portant pour la redresser. Aussitôt, elle fusa sur l'eau et partit à vitesse folle vers le bec d'Ambès.

— Affalez la voile ! cria Benjamin.

Victorien et Jean dénouèrent la drisse, et la voile, brusquement libérée, claqua comme un drap, empêchant les deux hommes de la ferler. Benjamin comprit alors qu'ils n'étaient pas pris dans un simple coup de vent, mais dans une véritable tempête dont ils n'essuyaient pour l'instant que les premières brises. Il fallait très vite s'engager dans la Dordogne et remonter le long des rives pour trouver l'abri des collines.

Maintenant, perdue dans la brume, l'*Elina* se trouvait juste à la limite des eaux de la Dordogne et de la Garonne, c'est-à-dire juste en face de la pointe du bec, et elle ne pouvait pas encore bénéficier du courant montant dont les premières vagues mouraient dans l'estuaire. Il fallait remettre la voile, bien que cela fût aussi risqué que d'aller s'échouer sur la pointe d'Ambès. Benjamin hésita quelques secondes, ses yeux fouillant la brume, cherchant à déterminer l'exacte direction du vent, puis il donna ses ordres à Jean tout en recommandant à son père de rester à l'abri. C'était peine perdue, il le savait. Victorien se dressa, manœuvra avec Jean, mais un écart de l'*Elina* les projeta l'un et l'autre contre le mât au pied duquel ils s'écroulèrent, arrachant un cri à Victorien. Jean se releva le premier, lui tendit la main, l'aida à se remettre debout.

— Reste à l'abri ! cria de nouveau Benjamin.

Victorien ne voulut pas entendre. Conjuguant leurs forces, les deux hommes réussirent à hisser la voile dans laquelle, aussitôt, le vent s'engouffra. Une nouvelle fois l'*Elina* fusa sur l'eau, obligeant Benjamin à donner un brusque coup de gouvernail, pour éviter d'être projeté sur la terre ferme.

Dès qu'il lui sembla que l'obstacle était passé et qu'il était entré dans la Dordogne, il obliqua vers tribord pour chercher l'abri de la colline. Le vent prit la gabare par le travers, la rendit ingouvernable. Elle frôla un bateau, en dépassa un autre sans que Benjamin ne puisse la contrôler. Il essaya de changer de direction, mais l'*Elina* faillit chavirer. Il fut contraint de rendre sa liberté au bateau, sachant très bien ce que cela signifiait.

— Attention aux bancs ! cria Jean.

Sa voix se perdit dans la tempête. La pluie transperçait la brume et le vent mugissait, emportant les cris des prouviers.

— Tenez-vous au mât ! hurla Benjamin.

Puis, songeant au mousse qui devait paniquer :

— Jean ! Occupe-toi du gamin !

Toutes ces recommandations étaient inutiles, il le savait. L'*Elina* se précipitait droit vers les bancs de sable, et il ne leur restait plus qu'à espérer que l'eau serait à un niveau suffisamment haut pour atténuer la violence du choc. Les secondes qui passèrent durèrent une éternité. Ils commençaient à relâcher l'air qui était prisonnier dans leurs poumons quand la coque heurta le sable avec une force terrible. L'*Elina* parut se déchirer et s'inclina dangereusement, au point qu'une partie de la cargaison passa par-dessus bord, tandis que les hommes étaient projetés contre le merrain avec une violence qui leur fit lâcher leurs appuis. Le mousse cria, et il sembla à Benjamin que Victorien avait crié aussi. Ensuite, la pluie s'acharna sur le bateau comme pour le détruire, et le vent devint fou.

Benjamin, qui s'était retenu au gouvernail, n'avait pas été gravement touché. Il retrouva le premier ses esprits mais, aveuglé par la pluie, il eut du mal à deviner où se trouvaient ses hommes. Machinalement, il fit passer par-dessus bord des sacs de sel qui demeuraient en équilibre, se dégagea, se releva.

— Père ! cria-t-il.

— Ça va ! répondit Victorien.

— Et les autres ?

— Ça va ! cria Vidal.

— Et le mousse ?

— Il est là, fit Jean, je le tiens.

— Pas trop de casse ?

— Des bosses et un peu de sang. Rien de grave, fit Victorien.

— Alors, faites vite ! Il faut larguer le sel.

Une fois debout, les hommes n'avaient pas attendu ses ordres. Poussés par le même réflexe, ils avaient commencé à jeter des sacs par-dessus bord pour alléger la gabare, dans l'espoir qu'elle se redresserait. Frigorifiés, saignant des mains, des lèvres ou du front, ils agissaient mécaniquement, encore hébétés par le choc, vaguement conscients d'avoir échappé au pire. Autour de l'*Elina,* la tourmente répercutait les ordres vainement lancés par les capitaines et, par moments, des bateaux la frôlaient puis s'évanouissaient dans la brume comme des vaisseaux fantômes.

Benjamin se dit qu'il valait sans doute mieux rester

ensablé le temps que durait la tempête. Avec un peu de chance, si elle s'éteignait avec la marée haute, il suffirait de larguer les derniers sacs pour que l'*Elina* se redresse et se désensable. Jean et Victorien étaient du même avis. Il fallait donc attendre, en priant le ciel qu'aucun bateau ne viendrait pendant ce temps heurter l'*Elina*.

— Tout le monde à l'abri ! cria Benjamin.

L'équipage creusa des caches sous les sacs et s'installa du mieux qu'il put. Benjamin s'inquiéta de savoir si le gouvernail ne s'était pas brisé dans le sable, mais il était impossible de le vérifier pour l'instant. C'était la première fois qu'il se laissait surprendre par la tourmente. Furieux, il songea que la précipitation était toujours la cause des accidents survenus à ses bateaux, et il s'en voulut de ne pas avoir retenu la leçon du pont de Siorac. Il s'abrita à son tour sous des sacs échafaudés en forme de toit, s'enroula dans son manteau de pluie, résigné à subir jusqu'au bout la fureur du fleuve.

Les heures qu'il passa dans cet abri de fortune exposé à tous les dangers comptèrent parmi les plus difficiles de sa vie. Par moments, il lui semblait que le vent allait complètement retourner l'*Elina* ou qu'elle allait s'ouvrir sous le poids des vagues de plus en plus grosses qu'amenait la marée. De temps à autre, il appelait ses hommes, recommandait à Jean de veiller sur le mousse, à Victorien de bien s'abriter. Il actionnait régulièrement une corne de brume pour signaler la présence de son bateau, mais aucun ne passait plus maintenant dans la Dordogne. Ils s'étaient tous mis à la cape ou avaient réussi à fuir la tempête. Il eut la certitude qu'une ou deux gabares s'étaient échouées comme l'*Elina,* mais il ne put les apercevoir.

Enfin, longtemps après le début de la tourmente, les eaux de l'estuaire atteignirent leur niveau maximum. Dans les minutes qui suivirent, le vent faiblit et la pluie diminua de violence.

Benjamin sortit de son abri et cria :

— Allez ! On largue tout !

D'abord la gabare ne bougea pas d'un pouce, puis, au fur et à mesure que les sacs passaient par-dessus bord, elle gémit, vibra, et, alors qu'il restait à bord une trentaine de sacs, elle se redressa d'un seul coup, bougea, et, lentement, se mit à glisser sur l'eau. Benjamin empoigna aussitôt le gouvernail, qui, à son grand soulagement, répondit, bien qu'ayant pris du jeu. L'*Elina* s'engagea dans la Dordogne grâce à la seule force du courant et sans qu'on ait besoin de déployer la voile, au demeurant déchirée par la tempête. Très vite, les collines protégèrent l'*Elina* des derniers assauts du vent. L'équipage et le bateau étaient tirés d'affaire. Benjamin y croyait à peine, tant la tempête hurlait encore à ses oreilles, tandis que le choc de l'*Elina* s'engouffrant dans le sable résonnait toujours en lui. A l'approche de Bourg, la brume s'ouvrit et la pluie s'arrêta. A ce moment-là, seulement, Jean lui fit dire par Victorien qu'il avait un bras cassé et qu'il faudrait chercher un médecin à Libourne.

Le dimanche des élections, le 10 décembre, les hommes étant partis à Souillac, Marie demeura seule avec Elina et Aubin dans la maison des Donadieu. Elina avait fait cuire un gâteau de maïs qu'on mangerait à quatre heures en buvant du vin chaud. Marie, qui arrivait au terme de sa grossesse, se plaisait à paresser pendant ces longs après-midi d'hiver où l'on entendait le vent s'acharner contre les murs, se battre avec les frênes de la rive, remonter sur les collines et redescendre enfin avec plus de colère, plus de violence, inlassablement. Assise devant le feu crépitant du bois de châtaignier, elle délaissait volontiers son ouvrage, posait ses mains sur son ventre, parlait à son enfant qui bougeait au son de sa voix et lui répondait déjà, elle en était sûre, elle en était fière. Ces longues heures vécues dans la maison qui avait abrité son enfance lui donnaient l'impression d'avoir trouvé un refuge, d'éloigner les dangers qui, depuis quelque temps, lui semblait-il, rôdaient autour d'elle.

Elle caressa les cheveux d'Aubin qui jouait avec des bûchettes et une boule de bois, soupira. Elina, face à elle, préparait les châtaignes que les hommes, entre deux voyages, étaient allés chercher dans les forêts du Sarladais.

— Qu'y a-t-il, ma fille ? demanda-t-elle sans lever les yeux du panier posé sur ses genoux. Je te sens inquiète.

Marie ne répondit pas tout de suite, continua d'observer les ailes dorées qui prenaient leur essor dans les flammes.

— Tu sais bien que tu peux tout me dire, murmura Elina.

Cette voix, depuis toujours, était celle de la confiance. Elle savait se frayer un chemin entre les écueils des doutes ou du désespoir, parvenir à cet endroit du cœur où la vie, si souvent, se dilue ou s'embrase. Marie, de nouveau, soupira, puis elle se décida, mais comme à regret :

— Il me semble que Benjamin s'occupe trop de politique, dit-elle. Et je crois bien qu'un jour nous aurons des ennuis.

— C'est vrai, dit Elina, mais que veux-tu ? Les hommes sont ainsi.

— Pas tous.

— Victorien est pareil. Il n'a plus que le nom de Napoléon à la bouche. Comme si toutes nos familles n'avaient pas assez souffert de ses guerres !

— Tout ça finira mal.

— Mais non, dit Elina. Dès que les élections seront passées, la rivière les reprendra et ils oublieront tout.

— Jusqu'à Bordeaux. Or, à Bordeaux, il y a Pierre Bourdelle.

Elina abandonna ses châtaignes, rapprocha sa chaise de celle de Marie.

— Ce Pierre Bourdelle, je le connais, dit-elle. Il est venu ici quand Benjamin était à l'hôpital. Eh bien, il ne m'a pas paru si fou que cela, au contraire : je l'ai trouvé très raisonnable.

— Il parle trop bien, dit Marie, et surtout : il n'a pas de famille à protéger. Si c'était le cas, il s'intéresserait un peu moins à la politique, j'en suis certaine.

— Ça passera, répéta Elina, il ne faut pas t'inquiéter comme ça.

— Espérons, dit Marie, mais quelque chose me dit qu'un jour il faudra payer.

— Payer quoi ? demanda Elina en se levant.

— Un jour, les gendarmes entreront dans cette maison, reprit Marie avec une sorte d'amertume.

— Mais non ! fit Elina en posant une marmite pleine d'eau sur le trépied. Tu ferais mieux de penser à cette naissance qui approche ! Dans un mois, peut-être, ton enfant sera né.

— Non ! Pas avant la fin de janvier.

— En tout cas, si tu te désoles continuellement, tu finiras par lui faire du mal.

Marie caressa la tête d'Aubin qui venait de se blottir contre elle, reprit :

— Je ne me désole pas par plaisir. Ce ne sont pas les raisons qui me manquent.

— Allons, bon ! fit Elina. Qu'est-ce qu'il y a encore ?

Marie haussa les épaules, murmura :

— A quoi bon ?

— Parle ! ma fille, tu sais bien que c'est le seul moyen de te sentir mieux.

— Il y a Jean, dit Marie après une brève hésitation.

— Quoi, Jean ? Son bras s'est bien remis. La fracture était franche, et dans un mois ou deux ce ne sera plus qu'un mauvais souvenir.

— Non, fit Marie, ce n'est pas cela.

— Alors ? dit Elina, qu'est-ce qui te tourmente tellement ?

Marie hésita une nouvelle fois, eut un geste vague de la main comme pour balayer un dernier scrupule, murmura :

— Il veut partir.

Elina, stupéfaite, s'assit de nouveau et demanda :

— Où donc veut-il partir ?

— Là-haut, dans la forêt. Depuis que Benjamin l'a emmené chez Henri Debord, l'été dernier, il ne pense plus qu'à ça.

— Mais pourquoi donc ? A cause de son accident ?

— Non, ça n'a rien à voir. Il m'en a parlé dès qu'ils sont revenus, en juillet. C'est une idée qui le tient et ne le quitte pas. Il veut vivre en forêt, au milieu des arbres.

Il dit qu'il n'a jamais aimé la vallée, la rivière, les voyages ; que la vraie vie, c'est là-haut, dans l'odeur de la mousse et des fougères. Il dit des mots que je ne comprends pas et qui me font peur.

Marie se tut un instant, réfléchit, ajouta :

— Il prétend qu'on ne lui a jamais laissé le choix, mais que maintenant c'est décidé : il veut partir.

— Et Benjamin ?

— Je n'ai pas osé le lui dire. Jean non plus, d'ailleurs.

— Ça alors ! fit Elina. Si je m'attendais...

— Et moi donc ! dit Marie. Quand il m'a parlé, l'été dernier, j'ai d'abord cru à un caprice, à une folie de jeunesse, mais il y revient toujours : dès que nous sommes seuls, il me parle des arbres, de la montagne, et je vois dans ses yeux des nuages au-dessus des forêts et sa voix gronde comme un orage... Il n'en démordra pas. Il va partir.

— Est-ce qu'il en a parlé à Vincent ?

— Il n'en parlera à personne d'autre qu'à moi, mais il partira.

Elina rêva un instant, murmura :

— Qui aurait pensé ça de lui ? Il a toujours été si sage, si soumis.

— Justement ! dit Marie. Aujourd'hui, c'est un homme et il sait ce qu'il veut.

Elina réfléchit, suggéra :

— Il faudrait peut-être en parler à Benjamin.

— Si c'était facile, soupira Marie.

— Il ne te fait pas peur, tout de même ?

— C'est à Jean qu'il fait peur. Ou plutôt : il a peur de le décevoir. Alors il ne parlera pas. Il partira.

Elina versa les châtaignes dans la marmite, proposa :

— Veux-tu que je m'en charge, moi ?

Marie, qui avait entamé cette conversation en espérant qu'Elina lui proposerait son aide, retrouva son sourire.

— Nous lui parlerons toutes les deux, dit-elle.

— Si c'est pas malheureux ! Avoir peur d'un homme, comme ça ! fit Elina d'un air faussement indigné. Et elle ajouta, reprenant aussitôt un ton familier :

— J'espère au moins que tu n'as pas d'autres soucis que ceux-là !

— Non, dit Marie, amusée, c'est tout pour le moment.

— A la bonne heure ! Nous allons pouvoir manger ce gâteau avant qu'il refroidisse.

— Il est déjà quatre heures ?

— Dame ! A trop parler on ne voit pas le temps passer.

Ayant coutume de « faire collation » — comme disait Elina — chaque jour au milieu de l'après-midi, elles s'installèrent à table. L'été, plus que des gâteaux de maïs ou des crêpes, elles mangeaient du pain coupé en morceaux dans du vin sucré. C'était là une habitude à laquelle les hommes et les femmes de la vallée, qui travaillaient depuis l'aube jusqu'à la nuit et dépensaient beaucoup d'énergie, ne dérogeaient guère.

Elina et Marie mangèrent un moment en silence, regardant Aubin qui errait, désœuvré, dans la cuisine, son gâteau à la main. L'une, comme l'autre, songeait à Jean, ce jeune homme qui parlait si peu, paraissait si fragile avec ses cheveux blonds et bouclés, ses yeux clairs, ses membres minces et déliés, que les longues heures de navigation n'avaient pas réussi à nouer. Quelle folie le prenait aujourd'hui ? Marie songeait que, si Vivien ne revenait pas, elle aurait perdu tous ses frères. Cette idée, soudain, lui parut insupportable. Son amertume se raviva, augmentée par la certitude que son fils, lui aussi, un jour, partirait. Elle murmura, d'une voix dans laquelle vibrait une colère mal contenue :

— Je donnerais tout ce que j'ai de plus cher au monde pour que l'enfant que je porte soit une fille.

En arrivant à Bordeaux, ce jour-là, Benjamin n'avait qu'une hâte : se rendre au plus vite chez Hippolyte Barcos, afin de prendre connaissance du billet de Pierre qui l'attendait sûrement. Il avait besoin de parler à son ami des résultats des élections qui n'étaient pas du tout conformes à ce qu'ils espéraient. Le prince Louis Napoléon, en effet, avait recueilli les trois quarts des suffrages, soit 5 400 000 voix; Cavaignac un peu plus d'un million, Ledru-Rollin 370 000, et Raspail 36 000. Mais le plus grave, pour Benjamin, c'était que, le jour du vote, il avait entendu des ouvriers et des paysans crier : « Plus d'impôts ! A bas les riches ! A bas la République ! Vive l'Empereur ! » La grande majorité des campagnes avait voté pour le prince, mais aussi la population ouvrière des villes, ainsi que les royalistes et beaucoup de républicains modérés qui désapprouvaient le zèle de Cavaignac. Benjamin se doutait que Pierre Bourdelle devait être dans les mêmes dispositions d'esprit que lui, mais il pensait qu'il lui communiquerait les dernières nouvelles de Paris et qu'ils trouveraient peut-être dans leur analyse des raisons d'espérer.

Il laissa ses hommes décharger l'*Elina*, partit chez Barcos, qui ne se trouvait pas dans son entrepôt. Le premier commis lui donna néanmoins le billet qui lui était destiné et dans lequel Pierre avait écrit que, toutes ses soirées étant prises, ils pourraient seulement se voir au palais entre 18 et 19 heures. Il était justement 17 heures. Il faisait un temps gris et froid de décembre, mais il ne pleuvait pas. Benjamin traversa sur une barque de louage et, à partir de la porte des Salinières, monta tout droit vers la rue de Cursol, coupant la rue Sainte-Catherine à l'endroit exact où, il y avait longtemps, il était arrivé, venant de l'hôpital, pour retrouver Marie. Le palais se situait plus haut encore. C'était loin du port, mais marcher réchauffait Benjamin qui ne songeait pas à emprunter un fiacre. Au contraire, revenir en ces lieux lui était agréable, et il allait lentement, dans la nuit qui tombait, comme ces hommes harassés dont les trajets de retour sont autant de répit après une journée de travail.

Une fois au palais, il hésita un moment à monter les marches que, dans l'esprit des humbles, on escaladait inévitablement la honte au front. C'était plus fort que lui : chaque fois il butait sur la première et, malgré l'ami qui l'attendait là-haut, il avait la sensation de franchir une frontière au-delà de laquelle la foudre allait s'abattre sur lui. Pierre se moquait de cette appréhension, mais il la comprenait. Aussi s'efforçait-il de venir à sa rencontre dès qu'il le pouvait. Ce fut le cas ce soir-là, au grand soulagement de Benjamin dont la présence intriguait les agents de ville en patrouille autour du palais.

Pierre l'entraîna aussitôt vers un estaminet dont les quinquets jetaient une faible lueur dans la brume qui tombait. Là, ils trouvèrent à s'asseoir dans un angle de la petite pièce enfumée et, face à face, se dévisagèrent un instant sans parler. Ce fut Benjamin, impatient, qui mit un terme à ce silence dans lequel pesaient la déception et l'amertume.

— Alors ? fit-il.

— Alors le pire est arrivé, répondit Pierre. La République est condamnée. C'est une question de mois, peut-être seulement de jours.

Benjamin soupira.

— Toi aussi tu as entendu crier « Vive l'Empereur » ?

— S'il n'y avait que cela, dit Pierre.

— Qu'y a-t-il encore ?

Pierre hésita, reprit en baissant la voix :

— Je suis surveillé par la police. J'ai de plus en plus de difficultés à plaider. L'épuration est déjà commencée.

Benjamin, stupéfait, murmura :

— Qu'allons-nous faire ?

— Il faut résister partout où nous le pourrons, continuer de répandre nos idées, songer qu'il nous faudra du temps mais qu'un jour la liberté triomphera.

Pierre but son verre de vin chaud, poussa un long soupir, reprit :

— Il ne faut pas qu'on reste ensemble trop longtemps. Je reviendrai dans un mois. Je te ferai signe.

Benjamin ne parvenait pas à croire ce qu'il venait d'entendre. Il était venu chercher du réconfort auprès de son ami, et voilà qu'ils ne pouvaient même pas discuter à leur guise, comme ils en avaient l'habitude. Quelle était cette ombre noire qui s'était mise à planer, soudain, au-dessus d'eux ?

— Fais attention, dit Pierre en se levant. Il va

sûrement y avoir des règlements de comptes. Pense à ta famille. Sois prudent.

Benjamin se leva pour lui donner l'accolade fraternelle dont ils étaient coutumiers, mais Pierre le repoussa de la main en disant :

— Reste assis. Ne me suis pas... A bientôt.

Et il ajouta, juste avant de se retourner :

— Ne perds pas espoir. Un jour, tu le sais, nous gagnerons.

Benjamin le regarda s'éloigner avec l'impression qu'ils avaient changé de monde. Il attendit une dizaine de minutes avant de sortir à son tour, et il s'enfonça dans la nuit que la brume rendait lourde d'une menace précise et immédiate.

Il sursauta quand le bras de l'homme qui le suivait se posa sur son épaule. Se retournant brusquement, il fut surpris de reconnaître un cocher de maître à son carrick cintré, son chapeau de feutre, ses bottes à revers et ses gants de peau.

— On veut vous parler, dit l'homme. La voiture est derrière vous, dans la rue. Si vous voulez bien me suivre.

Le premier réflexe de Benjamin fut de se dégager, mais il n'y avait aucune menace dans la voix. Il en fut étonné, car il s'attendait à se trouver face à un agent de la police. Le cocher, d'ailleurs, paraissait très calme et persuadé que Benjamin allait le suivre sans difficulté. Ce fut cette assurance paisible qui convainquit Benjamin de l'absence de danger. Il emboîta le pas du cocher qui s'était mis en route sans l'attendre, tourna à l'angle d'une ruelle derrière la chapelle de la Madeleine, aperçut la berline à laquelle étaient attelés deux chevaux dont les harnais, les gourmettes et les anneaux d'argent trahissaient un luxe de bon goût.

Quand le cocher ouvrit la porte, le fanal éclaira un visage que Benjamin reconnut tout de suite. Il n'en fut pas surpris : ne se trouvait-il pas à quelques centaines de mètres de la rue Sainte-Catherine ? Il eut pourtant un mouvement de retrait, comme à l'approche d'un foyer ardent.

— S'il te plaît ! dit Emeline.

Est-ce le « s'il te plaît » qui le décida, ou bien la lueur d'humilité — bien surprenante — qui avait illuminé les yeux noirs ?

— Je monte à condition que ton cocher nous emmène sur le port, dit-il d'une voix qu'il voulut froide mais qu'il contrôla mal.

Elle hocha la tête, fit un signe de sa main gantée de blanc et dit :

— Quai des Salinières !

Le cocher referma la porte et Benjamin se retrouva dans une demi-obscurité, la lumière du fanal éclairant seulement la banquette sur laquelle était assise Emeline. A moins d'un mètre d'elle, il sentait ce parfum de violette qu'il n'avait jamais oublié et grâce auquel, lui semblait-il, il l'aurait reconnue n'importe où. Ses boucles noires s'échappaient d'une capeline à franges rose et s'évasaient sur un manteau de velours qui jetait des éclats glacés. Benjamin, immobile, entendait Emeline respirer doucement et s'en voulait d'être monté, maintenant, tandis que la voiture roulait sur les pavés en direction du port, du moins l'espérait-il.

— Qu'est-ce que tu veux ? demanda-t-il d'une voix où il mit toute la froideur dont il était capable.

Elle ne répondit pas à sa question et dit simplement, d'un ton où il devina une blessure :

— Je ne suis pas heureuse, Benjamin.

— Tiens, donc ! fit-il avec acidité. Et tu crois que j'ai été heureux, moi, pendant six ans loin des miens ?

Elle laissa passer quelques secondes, murmura :

— J'espérais qu'avec le temps tu m'aurais pardonnée.

— On n'oublie pas six ans de malheur si facilement.

— Je le sais. J'en fais l'expérience tous les jours.

— Même en fréquentant les Pereire, les Sursol, tous les grands messieurs de la ville ?

Un silence tomba. Il entendit Emeline respirer plus vite, comprit qu'elle était touchée.

— Comme tu me connais mal, fit-elle avec une amertume où perçait une véritable détresse. Depuis que mon père et ma mère sont morts, je vis pour ainsi dire seule.

— Et ton mari ?

— Mon mari n'est jamais là. Il ne s'occupe que de ses affaires.

— Oui, je sais. La politique et le chemin de fer.

— Tu oublies la banque, ajouta-t-elle avec lassitude.

— J'espère que malgré ses nombreuses occupations il a trouvé le temps de te donner un enfant.

— Même pas, souffla Emeline. Je n'ai pas eu la même chance que toi.

Il sursauta, se demandant comment elle avait pu apprendre cela. Elle le devina, reprit :

— J'ai beaucoup d'argent. Il me suffit de payer pour envoyer des gens. Je sais tout ce qui se passe à Souillac. Je sais même que Marie va accoucher bientôt.

— Ah non ! fit-il, pas Marie !

Emeline hocha la tête, reprit :

— Je sais aussi que ton père a été bien malade.

— Tu n'y es pas pour rien. Ces six ans durant lesquels j'étais loin par ta faute l'ont rongé, affaibli, brisé à tout jamais.

Un long silence s'installa, puis :

— Comme tu m'en veux ! murmura-t-elle enfin.

Et, avec une sorte de plainte :

— Pourquoi t'acharner ? Pourquoi me rendre tout le mal que je t'ai fait ?

Il ne répondit pas tout de suite, observa ce visage qui lui paraissait tellement changé. Elle retira le gant de sa main droite, la tendit vers lui, mais il ne la prit pas.

— Qu'est-ce que tu veux ? demanda-t-il de nouveau, mais sans l'agressivité qu'il avait placée dans ces mots la première fois.

— Mes seize ans, fit-elle tout bas, si bas qu'il crut avoir mal entendu.

Il la dévisagea, aperçut nettement deux larmes au bord de ses paupières, se sentit foudroyé, soudain, tandis qu'elle ajoutait :

— Prends-moi quelques secondes dans tes bras et tu me les rendras.

Et, le sentant touché au cœur, comme elle, par le

souvenir de ce qui avait été et qui, plus jamais, ne serait :

— Quelques secondes, est-ce vraiment trop te demander ? S'il te plaît, Benjamin, donne-les-moi, ça ne te coûte rien. Rappelle-toi ces sentiers, ce soleil, ces prairies de notre jeunesse. Rends-les-moi, une seconde, un instant...

Elle ajouta, comme il ne bougeait ni ne répondait :

— Après tu pourras partir, je te le promets.

Il lui sembla que le sortilège était le même, qu'elle avait, en parlant, aboli les années. Il lui vint dans le corps cette tiède langueur qui accompagne la découverte d'un jouet cassé au fond d'un grenier. Emeline se laissa glisser à genoux devant lui et, sans qu'il songe à le lui interdire, elle posa sa tête sur ses genoux qu'elle enserra de ses bras. Alors il glissa sa main dans les cheveux, les caressa un instant, puis, lentement, la retira. Enfin, s'apercevant que la voiture s'était arrêtée, il la repoussa doucement, ouvrit la portière et partit en courant dans la nuit.

La neige avait fait son apparition le 22 décembre au soir et, depuis, tombait en averses qui rapiéçaient la pelisse blanche des prairies trouée par les furtives apparitions du soleil. Benjamin avait deviné que ce serait un Noël blanc et il n'était pas reparti, ne voulant pas risquer de n'être pas rentré pour la veillée. D'ailleurs, depuis l'accident du début du mois et la perte d'une cargaison entière de sel, il était bien décidé à tenir davantage compte du mauvais temps. Il lui arrivait de se réveiller la nuit et, les yeux grands ouverts dans l'obscurité, d'apercevoir ses hommes pleins de sang, comme Jean, ce jour-là, qui n'avait même pas crié malgré sa blessure.

Le 22 au début de l'après-midi, tandis que Victorien était allé retrouver Vincent chez lui, Marie retint Benjamin au moment où il sortait et lui demanda s'il ne voulait pas l'aider à pétrir la pâte des gâteaux de fête. Il s'en étonna d'autant plus qu'Elina, d'ordinaire chargée de cette tâche, feignait d'être occupée auprès d'Aubin. Il songea que les deux femmes avaient sans doute quelques projets en tête et attendit que Marie fût prête, pas fâché de rester au chaud au lieu de sortir dans la neige.

Dès que Benjamin commença à battre la pâte, Marie fit signe à Jean, assis près de la cheminée : il fallait profiter de l'occasion pour parler. Celui-ci se réfugia dans un mutisme d'où rien ni personne, sembla-t-il à Marie, ne parviendrait à le tirer. Elle implora des yeux l'aide d'Elina qui n'hésita que quelques secondes avant de déclarer, abandonnant brusquement Aubin à ses dominos :

— Jean veut partir, mais il ne sait pas comment vous le dire.

Elle était venue face à Benjamin qui avait relevé la tête et la dévisageait comme si elle avait proféré un blasphème :

— C'est vrai, dit Marie, volant au secours de son frère et d'Elina.

Benjamin blêmit, demanda :

— Qu'est-ce que c'est que cette histoire ?

— Ce n'est pas une histoire, fit Elina de sa voix la plus douce qui, souvent, désarmait Benjamin. C'est la vérité : il veut nous quitter.

Benjamin se tourna vers son beau-frère, regarda Elina, puis Marie, et, de nouveau, son beau-frère qui semblait vouloir disparaître sous terre. Un long silence tomba, lourd de menace. Les muscles de ses mâchoires jouaient sous les joues de Benjamin qui, ayant baissé la tête, s'essuyait les mains à un torchon blanc de farine. La lenteur de ses gestes trahissait la réflexion dans laquelle il s'abîmait, tout en s'efforçant de refouler la vague de colère qui montait en lui. Il quitta la table, alla lentement s'asseoir face à Jean qui respirait à peine.

— C'est vrai que tu veux partir ? demanda-t-il d'une voix blanche.

— Oui, je veux m'en aller, fit Jean sans le regarder.

— Je peux savoir pourquoi ?

Fouetté par le ton employé par Benjamin, Jean se redressa et dit précipitamment, comme pour s'engager sur une voie de non-retour :

— Je veux vivre en forêt !

Et, comme Benjamin le dévisageait sans comprendre, cherchant dans sa mémoire un mot, un geste qui l'eût alerté sur cette envie soudaine :

— J'aime les arbres et la montagne. Je n'ai jamais aimé la rivière !

Il jeta vers les deux femmes qui s'étaient approchées un regard qui était un appel à l'aide, puis il reprit sa position première, tourné vers le feu, hostile à tout ce qui se passait dans son dos. Benjamin, immobile, un peu penché vers l'avant, observait ses mains comme si elles eussent constitué les preuves vivantes d'une faute ignorée. Il faisait manifestement un effort sur lui-même pour conserver son calme.

— C'est ton bras cassé qui t'a donné cette idée ?

— Non, fit Jean avec une évidente sincérité. C'est la forêt. Elle est entrée en moi. Depuis que j'ai vu ces arbres, ces fougères, cette mousse, ces montagnes, j'ai jamais pu les oublier. C'est là-haut que je veux vivre... Je veux partir !

Benjamin réfléchit un instant, parut se détendre. Le fait que Jean n'eût rien à lui reprocher l'inclinait à la compréhension et le rendait perméable à la volonté, pourtant si surprenante, de son homme de confiance.

— Pourquoi ne m'en avoir pas parlé plus tôt ? demanda-t-il doucement.

Un silence embarrassé lui répondit.

— Tu crois que c'est facile ? dit Marie.

— Qu'est-ce que ça veut dire ? s'emporta-t-il. On dirait que je terrorise tout le monde dans cette maison !

— Pas tout le monde, dit Elina en souriant.

Benjamin, désarmé, se tourna de nouveau vers Jean, demanda :

— Tu voudrais partir quand ?

— Dès qu'il n'y aura plus de neige, dit Jean. Mon bras est presque guéri.

Benjamin le considéra un long moment en silence, lança :

— C'est entendu. Je te donnerai une lettre pour Henri Debord. Il te prendra avec lui.

— Merci ! dit Jean, stupéfait d'avoir si facilement obtenu satisfaction.

Elina et Marie n'étaient pas moins étonnées que lui. Elles s'étaient attendues à l'une de ces violentes colères, qui, parfois, embrasaient Benjamin, et, au contraire, il paraissait très calme, à présent, bien qu'il observât son beau-frère avec une lueur étonnée dans les yeux. Elles ne pouvaient pas savoir que, depuis son premier voyage avec Victorien dans la montagne, il gardait lui aussi une sorte de fascination pour les forêts du haut pays et attendait impatiemment l'été, chaque année, pour remonter et conclure les marchés de bois avec Henri Debord. Elles furent encore plus étonnées quand Benjamin invita Jean à le suivre au-dehors, en disant d'une voix décidée :

— Viens donc ! Laissons les femmes à leurs gâteaux et allons parler de la forêt, puisque tu l'aimes tant !

Et, devant Elina et Marie stupéfaites, Jean le suivit après les avoir rapidement remerciées d'un sourire.

Elles ne s'en formalisèrent pas, heureuses qu'elles étaient d'avoir évité une querelle entre les hommes en ce 24 décembre, et elles travaillèrent à leur cuisine tout l'après-midi, en attendant leur retour. Ils ne tardèrent pas à rentrer, car la nuit tombait tôt. Ils portaient la souche de chêne qui devait « tenir le feu » jusqu'au lendemain matin. Ce fut Victorien qui l'alluma, après que Marie eut fait goutter au-dessus d'elle le cierge de la Chandeleur. Enfin, ils s'installèrent pour prendre leur meilleur repas de l'année : soupe, graillons, poule farcie, confit d'oie, pommes de terre aux cèpes, galettes et tartes qu'ils savourèrent avec la lenteur et le recueillement de ceux qui connaissent le prix du pain gagné dans la peine et le danger.

A onze heures, après qu'Elina eut dit des contes et chanté au milieu des hommes rassemblés autour du feu, les femmes se préparèrent pour la messe de minuit. Il avait été décidé que Benjamin les accompagnerait. Chaque année, à tour de rôle, un homme les suivait, car il fallait porter Aubin qui ne résistait pas au sommeil au retour. Et puis, cet hiver-là, Marie en était à son huitième mois de grossesse et Benjamin ne pouvait pas la laisser s'en aller seule sur les chemins enneigés.

Chaudement vêtus de manteaux et de houppelandes

dc laine, ils sortirent dans la nuit d'une étrange clarté. Benjamin portait la lanterne. Marie lui avait pris le bras. Derrière eux, Elina donnait la main à Aubin. Dans les prairies, la neige niellait les creux d'herbe et réverbérait la lueur des étoiles qui pétillaient dans le ciel battu par le vent du nord. Sous leurs pieds, la neige se tassait avec un bruit de feutre. Marie se sentait bien. Heureuse comme elle ne l'avait pas été depuis longtemps. Car il y avait longtemps que Benjamin ne l'avait pas accompagnée au bourg pour la messe de minuit. Elle se serra contre lui, murmura :

— L'année prochaine, nous serons quatre.

— Pourquoi pas cinq ? fit-il sans ralentir le pas.

Elle le força à s'arrêter, le regarda. Il partit d'un rire clair, insouciant, de ce rire d'enfant qu'elle n'avait pas entendu depuis des années. Aussi, à partir de cet instant-là, la soirée, la messe, le réveillon, furent-ils illuminés pour Marie par le souvenir de ce rire qu'elle garda en elle précieusement, jusque dans le sommeil.

Quelques jours plus tard, une fois que la neige eut fondu et que les bateaux furent repartis, Jean, un matin, annonça son départ.

— Ce sera plus facile tant qu'ils ne sont pas là, dit-il.

— Attends un peu, dit Marie, il fait si froid, là-haut, en cette saison. Tu es donc si pressé de me quitter ?

Le visage de son frère se ferma, et elle comprit à une crispation de ses traits que pour lui aussi, malgré tout, c'était difficile.

— Te quitter, Marie, dit-il après un instant, c'est ce que j'ai toujours refusé. Et c'est aussi pour cette raison que j'ai attendu si longtemps.

Elle fut touchée par cet aveu, chercha son regard, y trouva une immense tendresse, frissonna.

— J'aime le froid, dit-il, ça ne m'a jamais fait peur.

Elle le dévisagea un moment, songea qu'elle ne le connaissait pas vraiment. Elle se haussa vers lui, l'embrassa furtivement, s'écarta, comme pour lui ouvrir la route. « Puisqu'il le veut, songea-t-elle, puisque c'est sa vie... » Elle l'accompagna sur le chemin des prairies, s'arrêta, eut un vague geste de la main pour le retenir, mais elle la laissa retomber sans un mot. Jean s'éloigna rapidement, ne se retourna pas. Il disparut bientôt derrière la haie d'où s'envola une grive des bois.

— Voilà, murmura-t-elle, je n'ai plus de frère.

Deux minutes passèrent sans qu'elle ne bouge, puis une main se posa sur son épaule. C'était celle d'Elina, qui dit en lui prenant le bras :

— Console-toi : dans quelques jours, tu auras une fille.

4

L'été s'était fait attendre, mais il s'était installé brusquement en deux jours et deux nuits grâce au vent du sud. Comme il avait beaucoup plu en mai, les eaux étaient encore marchandes, mais pour peu de temps. Benjamin, dont les bateaux étaient à la remonte en amont de Limeuil, s'inquiétait du niveau qui baissait de jour en jour. Mais ce n'était pas là son seul souci : l'assiduité d'Emeline, à Bordeaux, qui le traquait lors de chaque voyage jusque chez Hippolyte Barcos, l'inquiétait également. Au début, il avait plusieurs fois accepté de la retrouver dans sa voiture pour une promenade sur les quais en direction de Bacalan, mais il mesurait aujourd'hui son imprudence à la manière dont les mailles du filet, qu'elle savait si bien tresser, se refermaient sur lui. Aussi était-ce avec satisfaction qu'il envisageait la venue de l'été et l'arrêt des voyages. Une semaine ou deux dans les forêts d'Henri Debord lui permettraient d'échapper au sortilège et de retrouver son équilibre. Il le souhaitait vraiment. Il en avait besoin.

A dix heures, ce matin-là, le convoi se trouvait entre Beynac et la Roque-Gageac sous le soleil déjà chaud. La vallée, enfermée dans une coquille de silence, respirait doucement. Les arbres, sur les rives, égouttaient leur rosée avec de brefs soupirs. L'*Elina* arrivant à l'extrémité d'un tire, on allait devoir traverser. Benjamin se renseigna sur la hauteur de la rivière auprès du passeur, et celui-ci assura que le niveau de l'eau était suffisant.

— Tu en es sûr ? demanda Benjamin.

— Vous pensez ! J'ai fait traverser dix bateaux, depuis ce matin, répondit le passeur, un homme jeune, brun et frisé, dont le sourire creusait deux fossettes espiègles.

— Alors, allons-y !

Benjamin attacha au mât l'extrémité de la cordelle, et l'homme emporta l'autre vers la rive où l'attendaient les bouviers. Quand ceux-ci l'eurent fixée à l'arbre le plus robuste, Benjamin dénoua l'amarre de l'*Elina* qui, aussitôt, partit à la perpendiculaire du courant à grande vitesse. Il sut d'un regard que son bateau ne risquait pas de racler les graviers, du moins à cet endroit de la Dordogne. Il en fut rassuré, se dit qu'il aviserait plus loin en fonction des difficultés que le convoi rencontrerait.

Au moment précis où il releva la tête, il y eut un claquement de fouet d'une extrême violence, qui rebondit d'écho en écho le long de la vallée. La cordelle venait de se rompre. Déséquilibrée, l'*Elina* s'inclina vers tribord, projetant quelques sacs dans la rivière. Benjamin jura, mais ses réflexes jouèrent aussitôt et il replaça son bateau dans le fil du courant. Sur les berges, des hommes crièrent. Il distingua parmi leurs voix celle du passeur et se promit de régler ses comptes avec lui, dès que l'*Elina* serait hors de danger. Pour l'heure, il avait mieux à faire, car son bateau reculait, la proue vers l'amont, entraîné par le courant peu profond, mais vif, qui, en aval du passage, crêtait la Dordogne. Benjamin se retourna rapidement pour juger de l'état des rives près desquelles des arbres et des rochers affleuraient çà et là.

— Droit sur tribord ! cria Vidal qui, depuis le départ de Jean, faisait office de prouvier.

C'était en effet la direction qui paraissait la moins périlleuse à Benjamin. Il donna un brusque coup de gouvernail, et la gabare pivota lentement pour se retrouver enfin parallèle au courant, au beau milieu de l'eau. Cette première manœuvre ayant réussi, Benjamin tenta de rejoindre la berge où se tenaient les bouviers, déjà à plus de trois cents mètres du bateau. L'*Elina* obéit, se rapprocha du bord beaucoup trop vite au gré de Benjamin qui n'aperçut le tronc immergé qu'en arrivant sur lui. Il réussit pourtant à l'éviter, cria :

— Martin ! Guide-moi !

Au fur et à mesure que la distance diminuait entre la rive et l'*Elina,* les obstacles se multipliaient du fait des basses eaux. Benjamin parvint à passer entre les troncs, les rochers, mais ne put éviter ceux qui, à l'endroit où par force il allait accoster, égratignaient le fond de la rivière. Quand il entendit un craquement de coque éventrée, il était bien trop tard pour changer de cap. La gabare ralentit, gémit de toutes ses membrures, puis, continuant sur sa lancée, alla s'échouer contre la berge haute plantée de saules. Roussel sauta vivement sur la terre ferme, réussit à nouer une cordelle et à immobiliser le bateau qui, déjà, commençait à gîter.

— Vite ! Les sacs ! cria Benjamin.

L'équipage se mit à décharger la cargaison de sel dans une petite clairière cernée par des trembles et des frênes. Bientôt apparurent les bouviers et le passeur qui les aidèrent en silence, conscients de la menace qui planait. Aussi ne fallut-il pas longtemps pour libérer totalement l'*Elina* de son chargement et découvrir la brèche, au centre de la gabare, par laquelle l'eau entrait à flots. L'équipage se précipita pour la colmater, y parvint après bien des difficultés. Puis les hommes durent écoper un long moment et calfater de nouveau l'ouverture qui laissait encore entrer l'eau. Enfin, quand il fut certain que son bateau ne sombrerait pas, Benjamin remonta sur la berge et s'approcha du passeur qui, discutant à l'écart avec un bouvier, tentait de se faire oublier.

— Tu ne peux pas vérifier tes cordelles ? fit-il, mâchoires crispées, furieux à l'idée d'avoir failli perdre son bateau.

Le passeur recula d'un pas, tenta maladroitement de se défendre, ce qui exaspéra Benjamin.

— Moi, je vérifie mes cordes avant chaque voyage,

reprit-il en avançant toujours vers l'homme qui, lui, continuait de reculer.

— Moi, je suis sur l'eau tous les jours, répondit le passeur, et je n'ai pas le temps de veiller à tout.

Il ajouta, en une ultime défense, comprenant que rien n'arrêterait Benjamin :

— D'ailleurs, avec vous, ça ne va jamais bien. Même vos hommes le disent. C'est pour ça qu'ils vous quittent !

Le coup partit dans un réflexe. Le passeur poussa un cri, tomba sur le dos, ne bougea plus. Les bouviers s'approchèrent, menaçants, mais les hommes de Benjamin s'interposèrent. Celui-ci, toujours aussi furieux, hésitait. Les derniers mots lancés par le passeur creusaient une brèche en lui, lui faisaient mal. Depuis que Jean l'avait quitté, il s'était demandé plusieurs fois s'il n'avait vraiment aucune part de responsabilité dans ce départ. Mais non ! Elina et Marie avaient été catégoriques : il voulait vivre en forêt, et c'était tout. Alors pourquoi ces accusations ? Pourquoi ces mots terribles ?

Le passeur s'ébroua, puis, aidé par les bouviers, se releva. Cependant Benjamin ne décolérait pas et avançait encore vers lui, malgré Roussel et Vidal qui tentaient de faire barrage.

— Mes hommes, au moins, ils savent que mes cordelles ne cassent pas ! lança-t-il d'une voix cinglante.

Le passeur voulut répondre, mais les bouviers l'en empêchèrent. C'est alors que Benjamin vit le sang qui coulait derrière l'oreille et dans le cou du passeur. La vague de colère qui avait déferlé en lui reflua brusquement. Il regarda ses mains, fit demi-tour et s'éloigna sur le chemin de rive où arrivait Vincent, qui avait réussi à traverser sans que l'on sût comment.

Vincent avait assisté à la scène de loin. Il prit Benjamin par le bras, le ramena vers l'*Elina* où ils examinèrent ensemble les dégâts. Après de longues réflexions, ils décidèrent d'envoyer le mousse chercher des charpentiers à Vézac, d'attendre les réparations avec un équipage, tandis que la capitane et la seconde remonteraient à Souillac, afin de ne pas retarder la livraison de sel. Les hommes retournèrent à leur travail, les bouviers et le passeur s'éloignèrent, et Benjamin, accompagné par Vincent, se dirigea vers la capitane.

— J'aurais pu le tuer, dit-il, s'arrêtant brusquement.

— Mais non, dit Vincent, il est solide.

— Depuis que Jean nous a quittés, reprit Benjamin, je ne suis plus le même. Je me demande s'il n'est pas parti à cause de moi.

— Qu'est-ce que tu vas chercher ? fit Vincent. Ce n'est pas depuis le départ de Jean que tu n'es plus le même, c'est depuis les élections.

Benjamin eut un sursaut étonné, planta son regard dans celui de Vincent, demanda :

— Tu crois vraiment ?

— Je crois pas ; j'en suis sûr. Allez ! Viens vite au relais ! Il est grand temps d'aller payer un verre à tout le monde, à commencer par ce pauvre passeur.

En ce jour de la Fête-Dieu, toutes les maisons du port étaient pavoisées de draps ornés de bouquets, tandis que les rues étaient tapissées de fleurs des champs dont les couleurs éclataient au soleil. En attendant la procession, Marie, debout sur le pas de la porte, berçait son fils Emilien dans ses bras. Déjà presque six mois qu'elle avait accouché ! Le temps avait passé si vite avec ce petit homme à la maison ! Elle avait attendu impatiemment les beaux jours et profitait de ses premières sorties avec un plaisir ineffable, comme si elle avait tout oublié des étés précédents.

Les bateaux étaient entrés au port et n'en ressortiraient pas jusqu'à l'automne. Le temps était venu, pour Benjamin, de partir dans le haut pays pour acheter du bois. Il avait proposé à Marie de l'accompagner, afin qu'elle puisse voir son frère. Ne pouvant se séparer d'Emilien, elle avait décidé de l'emmener avec eux, puisqu'en cette saison on ne risquait pas de trouver du froid. Quant à Aubin, elle le confierait à Elina. Il savait nager, désormais, et elle pouvait s'en aller sans crainte. Cette décision étant prise, il lui tardait maintenant de partir et elle pensait sans cesse à ce voyage.

A trois heures précises, le prêtre et les enfants de

chœur arrivèrent, précédant l'ostensoir éclatant de tous ses ors sous un dais majestueux. La procession passa devant la maison des Donadieu lentement, solennellement. Elina et Marie profitèrent d'une halte pour y prendre leur place et se rendre sur le port où le prêtre allait bénir les bateaux. Les hommes attendaient sur leur gabare ou leur barque de pêche, silencieux, recueillis. Quand la procession s'arrêta face au premier bateau, il y eut un long silence, puis le prêtre commença son office et les chants s'élevèrent vers le ciel. Benjamin et son équipage se trouvaient sur l'*Elina*, Vincent et le sien sur la capitane, Maset et son aide sur la seconde. Tous inclinèrent la tête et se signèrent à l'instant de la bénédiction, puis la procession revint vers les maisons qui, elles aussi, furent bénies selon les liturgies traditionnelles. Ensuite, elle s'éloigna vers les prairies, mais Marie et Elina, au lieu de la suivre, retournèrent vers le port. Là, elles retrouvèrent Benjamin et Vincent qui prenaient congé de leurs équipages.

— Viens ! dit Benjamin à Marie dès qu'il fut seul.

— Donne-moi le petit, fit Elina, en voyant que Marie hésitait.

Et elle ajouta, prenant Emilien dans ses bras :

— Va donc te promener, ça te fera du bien.

Emilien se raidit, pleura durant quelques secondes, mais il se calma dès qu'il ne vit plus sa mère que Benjamin aidait à monter dans sa barque de pêche, à l'extrémité du quai.

Une rame dans chaque main, il traversa la Dordogne et prit la direction de Lanzac en longeant la rive, sous Cieurac. On entendait les chants de la procession qui s'attardait dans les prairies en remontant lentement vers Souillac. Marie songeait que cette première promenade sur l'eau était comme une nouvelle naissance. Elle avait été tellement privée de grand air et de lumière depuis le début de l'année qu'il lui semblait que cet après-midi d'été ne ressemblait à aucun autre. Il y avait encore des andains dans les prés et leur parfum poivré se mêlait à celui des feuilles qui craquaient sous la chaleur avec un bruit de cosse écrasée. La Dordogne avait repris sa vraie couleur d'un vert sombre et parfois lumineux.

Marie se pencha sur le côté, plongea sa main dans l'eau et dit :

— Elle est presque tiède.

— Pourquoi crois-tu que je t'ai emmenée ? demanda Benjamin. Je veux savoir si tu sais toujours nager.

Elle rit, humecta son front, ses joues, rejeta la tête en arrière, et l'éclat de ses cheveux éclaboussa l'air autour d'elle.

— Qui tiendra le plus longtemps dans les fonds ? demanda Benjamin avec une lueur amusée dans le regard.

Elle l'observa sans répondre, heureuse de retrouver leurs jeux et, surtout, de le retrouver, lui, tel qu'il était vraiment, tel qu'elle l'aimait. Elle ferma les yeux, le revit à quinze ans, sauvage et provocant, toujours prêt au défi, au danger. Elle les rouvrit brusquement, sourit. Non, il n'avait pas tellement changé : c'était bien les mêmes yeux, les mêmes boucles châtain, la même fierté farouche, la même force et aussi, parfois, fugitivement, la même fragilité. Qu'aurait été sa vie sans cette présence ? Aurait-elle pu vivre sans lui ?

— A quoi penses-tu ? demanda-t-il soudain.

— Je pense à toi.

Une ombre de gravité passa dans les yeux de Benjamin, qui, sous l'acuité du regard de Marie, se sentit transpercé. Il eut un geste de refus qu'elle ne remarqua même pas, car le bonheur de vivre, en cet après-midi d'été, provoquait en elle comme un début d'ivresse. Il lui semblait que tous les parfums, tous les bruits, toute la lumière de la vallée avaient pris une intensité qu'elle ne leur avait jamais connue, et sur ses tempes glissait une légère brise qui lui paraissait avoir parcouru des terres inexplorées.

Longeant toujours la rive sur laquelle les bois jetaient leur ombre fraîche, ils passèrent sous le pont, remontèrent vers les meilhes où l'eau était profonde, au pied des rochers. Ils s'arrêtèrent un peu plus loin, dans une anse verte, attachèrent la barque à un baliveau, retournèrent vers les rochers, plongèrent dans l'eau sombre où le soleil n'entrait jamais. Benjamin prit la main de Marie et l'entraîna au fond, à cinq ou six mètres de profondeur, à l'endroit où dormaient de grands poissons, assoupis sur le sable. Elle connaissait le jeu : s'embrasser éperdument, loin de tout, seuls au monde, et faire durer le plaisir jusqu'au moment où le sang bourdonnerait à ses oreilles, où ses yeux deviendraient rouges, où son cœur serait sur le point d'exploser. Il n'y avait que Benjamin pour inventer ce genre de jeu. Pourquoi avait-elle accepté la première fois de le suivre jusqu'à ces lisières où la vie n'est presque plus la vie, où l'on a l'impression de passer à travers le miroir ? Elle ne s'était pas vraiment posé la question. Elle savait seulement qu'elle l'accompagnait ainsi dans un lieu où personne ne le suivrait jamais et que le pacte scellé à cette frontière était inaccessible aux autres. Aussi ne s'était-elle jamais refusée à ces descentes en eau profonde et au vertige qui lui succédait.

Ce jour-là, pourtant, passé vingt secondes, un épais nuage passa devant ses yeux et il lui sembla qu'un vent glacé l'emportait. Elle n'eut même pas le temps de réagir, perdit conscience en un instant. Benjamin se rendit compte très vite qu'il se passait quelque chose d'anormal, au poids qu'elle pesait dans ses bras. Il la prit sous les épaules, tapa du pied pour remonter, mais ce ne fut pas facile car elle était très lourde, soudain, si lourde que la peur le priva d'une partie de ses forces. Il y réussit après plusieurs secondes d'effort dans lesquelles il laissa toute son énergie. Une fois à l'air libre, comme il ne pouvait pas se hisser sur la berge hérissée de rochers, il se laissa entraîner par le courant en maintenant la tête de Marie hors de l'eau et en demandant :

— Tu m'entends ? Tu m'entends ?

Elle ne répondait pas, gardait les yeux clos, pesait de plus en plus dans ses bras. Deux cents mètres en aval, il put enfin monter sur la berge en pente douce et allonger Marie sur l'herbe. Il tapota ses joues à plusieurs reprises, commença même un bouche-à-bouche. Elle finit par ouvrir les yeux, le reconnut, demanda :

— Où sommes-nous ?

La mémoire lui revint dans le même temps, et ce fut comme si l'ombre immense qui s'était posée sur elle la quittait.

— Ça va ? demanda Benjamin.

Elle hocha la tête.

— Tu en es sûre ?

— Oui, dit-elle.

Et, après un soupir qui parut lui redonner vie :

— On n'aurait pas dû descendre si vite.

Cependant, devant la lueur égarée qui flottait dans ses yeux, il ne se sentait toujours pas rassuré.

— C'est fini ? C'est bien vrai ? demanda-t-il.

Elle lui sourit, chercha à se redresser, mais il l'obligea à rester allongée.

— J'ai eu si peur, dit-il, j'ai cru que...

Il se tut, n'osa pas achever.

Elle lut dans son regard une telle sincérité, une telle angoisse de la perdre, qu'elle fut persuadée de ne jamais oublier la chaleur de sa voix, cet après-midi-là.

Benjamin avait loué le cheval et le cabriolet d'un roulier, et ils étaient partis vers le haut pays par Vayrac, Puybrun, Beaulieu, et de là, longeant la Dordogne, vers Argentat où ils avaient passé la première nuit dans une auberge, sur le port. Le lendemain, dès la sortie du village, la route avait commencé de monter, dominant la vallée qui dormait sous des écharpes de brume où le soleil creusait çà et là des ruisseaux d'huile blonde. Plus ils montaient, plus l'air avait le poli et l'éclat d'un lustre. Marie, qui venait de donner le sein à Emilien, était frappée par une sensation de distance entre le monde et elle. Les arbres, le ciel, la vallée, lui paraissaient soudain inaccessibles, pareils à ces torrents de montagne qu'on voit couler sans les entendre.

— Tu n'as pas froid ? demanda Benjamin.

— Non ! Le soleil commence à chauffer.

La route montait toujours, et le cheval allait au pas. Plus ils avançaient et plus la forêt se refermait sur eux. Des sapins et des mélèzes apparaissaient maintenant entre les feuillus, formant un dôme d'un vert profond, presque noir, que trouaient parfois les toits gris d'un hameau perdu.

Passé Saint-Privat (un village d'une trentaine de maisons couvertes de lauzes), ils firent une halte pour manger le pain, le lard et le fromage dont ils s'étaient munis à l'auberge. Quelques kilomètres plus loin, ils quittèrent la grand-route et s'engagèrent sur leur gauche vers le hameau de La Besse d'où, selon le patron de l'auberge, ils pourraient gagner Auriac en peu de temps. Une impression de profonde solitude les assaillit alors. Car, s'ils avaient le matin croisé des voitures sur la grand-route, il leur semblait maintenant que toute vie avait disparu, qu'ils pénétraient le monde du commencement des temps. Autour d'eux, il n'y avait que la forêt. Epaisse. Enorme. Où le soleil n'entrait jamais. Et pas le moindre hameau ni la moindre fumée. Benjamin mit le cheval au trot, mais il leur fallut encore une heure pour arriver à Auriac et retrouver la vie paisible d'un village.

Là, Benjamin laissa Marie et Emilien à l'auberge, sur la place, face à l'église, et il se rendit chez Henri Debord, de l'autre côté du village, à la lisière du coteau qui s'inclinait presque à la verticale vers la Dordogne. Il revint une heure plus tard, expliqua à Marie que Jean couchait dans la forêt et redescendait seulement le samedi soir à Spontour. Henri Debord s'était néanmoins engagé à le faire prévenir. Bien que l'on fût mercredi, ils pourraient le retrouver le lendemain soir à l'auberge où il prenait pension.

Ils décidèrent de passer la nuit à Auriac, afin que Benjamin puisse régler ses affaires avec Henri Debord pendant la matinée. Ils ne descendirent donc à Spontour que dans l'après-midi, par une route étroite et en lacet qui serpentait dans la forêt. C'est avec plaisir que Marie aperçut la Dordogne en débouchant des bois, même si elle lui parut différente, moins profonde et plus capricieuse que dans la basse vallée. Ils la traversèrent sur le pont de bois, non sans songer à celui, en pierre et majestueux, de Lanzac, où l'on se sentait davantage en sécurité. De l'autre côté, Marie fut surprise par l'activité heureuse qui régnait sur les chantiers, ceux des constructions de gabares ou ceux des merrandiers. On entendait des cris, des rires, des appels que la sonorité de l'air répercutait sur les coteaux où de longues saignées lardaient la verdure de failles rousses, dont la profondeur révélait la hauteur étonnante des arbres.

Ils trouvèrent une chambre à l'auberge du pont et, tandis que Benjamin allait rendre visite à Eusèbe Cueille, le gabarier qui descendait le bois à Souillac, Marie se promena dans le village où des femmes vêtues de noir travaillaient devant leur maison, dans de petits jardins, ou au bord de l'eau, lavant leur linge en s'interpellant joyeusement. Malgré les bruits des travaux et des hommes, une grande paix habitait cette vallée du bout du monde. Tandis qu'elle marchait sans se presser, Emilien dans ses bras, il semblait à Marie qu'elle se trouvait dans un univers protégé, à l'écart des dangers. Elle songea que Jean, d'une nature rebelle et silencieuse, était sans doute heureux, ici, et elle eut hâte de le retrouver.

Elle dut attendre huit heures du soir pour pouvoir enfin l'embrasser, souriant, métamorphosé, le corps musclé par le travail en forêt. Il paraissait calme et serein. Il amenait avec lui une jeune fille qui semblait se cacher derrière lui. Ce fut seulement à l'instant où Jean la prit par la main, pour la faire venir à sa hauteur, que Marie la vit vraiment. Autant Jean était blond, autant elle était brune, avec de grands yeux verts, si timides qu'ils osaient à peine rencontrer d'autres yeux.

— Voici Rose, ma promise, dit Jean. Je voulais que vous fassiez connaissance.

La jeune fille salua d'un petit signe de tête, bredouilla quelques mots, et Marie, qui la sentait embarrassée, l'embrassa. Benjamin lui serra la main et invita tout le monde à s'asseoir à une petite table, au fond de l'auberge. Aussitôt, Jean, qui restait souvent muet à Souillac, se mit à parler et ne s'arrêta plus. Il expliqua que le père de Rose possédait quelques terres sur la route de Soursac, mais faisait aussi le gabarier de l'automne au printemps. Bien que veuf, il était d'accord pour donner sa fille à Jean, à condition qu'ils habitent avec lui.

— Le mariage est prévu pour la fin de l'année, dit-il ; j'espère bien que vous viendrez !

— Bien sûr ! dit Marie qui avait du mal à reconnaître son frère dans cet homme si jovial, si heureux.

Ils parlèrent de la famille, du port, de la vallée, du commerce, et Rose consentit à prononcer quelques mots. Au moment de passer à table, pourtant, elle demanda à Jean de la raccompagner chez elle : comme ils n'étaient pas mariés, les convenances l'obligeaient à rentrer avant la nuit. Marie l'embrassa de nouveau, murmura :

— A bientôt, donc, puisque nous viendrons, c'est promis.

Elle se retrouva seule avec Benjamin, se demandant comment on pouvait changer à ce point en si peu de temps. Benjamin, lui, en comprenant qu'il n'avait aucune responsabilité dans le départ de son beau-frère, se sentait rassuré : les mots prononcés par le passeur, le jour du bris de la cordelle, aujourd'hui s'effaçaient. Cette impression de retrouver un homme heureux augmenta encore au retour de Jean, dès qu'il raconta sa vie dans la forêt. Les coupes, l'ébranchage, le flottage jusqu'à Spontour l'occupèrent pendant de longues minutes. Ensuite, il expliqua qu'il dormait dans des huttes de feuillage, sur des lits de fougères, protégé du froid par une houppelande en peau de mouton. Puis il parla des arbres avec passion, de ce fameux cœur de chêne si cher à Henri Debord, des hêtres, des érables, des charmes, des mélèzes, des frênes, des châtaigniers, des aulnes, des ormes, des sapins, des bouleaux, de l'odeur propre à chacun d'entre eux, de leur langage dans le vent. La forêt ! La forêt ! Ce mot prenait dans sa bouche des intonations suaves, mystérieuses, coulait avec un goût de sève, de bonheur sans égal.

— Et quand tu seras marié, demanda Marie, comment feras-tu ?

— On ne va dans les coupes qu'à la belle saison. L'hiver, on taille le merrain et la carassonne ici, sur les chantiers.

Il ajouta, souriant :

— Quand les journées sont longues, rien ne m'empêche de descendre tous les soirs et de repartir à l'aube.

Marie songea qu'il avait pensé à tout et remarqua qu'il portait sur lui un parfum de feuilles et de mousse semblable à celui des rives de la Dordogne en automne. Elle remarqua aussi combien il semblait loin en feignant d'écouter Benjamin qui racontait ses dernières descentes, et cette constatation la glaça. Jean ne reviendrait plus jamais à Souillac. Il était perdu pour elle. Son regard se voila, s'emplit de tristesse, mais aucun des deux hommes ne s'en aperçut. Elle dévora des yeux ce frère qui était devenu un étranger en quelques mois, ne fut pas surprise quand il se leva en disant :

— C'est vraiment gentil à vous d'être passés me voir. Mais si je veux être à l'heure demain, à la coupe, il faut que je me repose un peu.

Il était deux heures du matin. Emilien dormait sur la banquette entre Marie et Benjamin. L'aubergiste était monté se coucher depuis longtemps. Ils se levèrent, s'embrassèrent. Jean repartit comme il était venu, souriant, et Marie, une fois dans son lit, les yeux grands ouverts dans l'obscurité, se demanda un long moment quel était ce sortilège qui envoûtait si bien les hommes dans les forêts du haut pays.

Ils repartirent le lendemain matin, couchèrent le soir à Argentat, dans la même auberge qu'à l'aller. Avant de reprendre la route, Benjamin, qui se souvenait de son premier voyage avec son père, insista pour qu'ils se promènent un peu sur le port. Il était tôt, mais le soleil embrasait déjà les arbres sur les rives et la fraîcheur de la nuit s'était dissipée. Ils marchèrent le long des quais encombrés de fonçailles et de merrain, admirèrent les maisons à balconnet de bois, leurs escaliers de pierre, puis ils s'engagèrent sous le pont sur lequel passaient des silhouettes pressées, et ils continuèrent sur le chemin de rive.

Une centaine de mètres plus loin, Benjamin sursauta : assis au bord de l'eau, un vieil homme immobile lui rappela celui qu'ils avaient rencontré avec Victorien, il y avait bien longtemps, et qui les avait tant aidés. Emu par cette présence, il s'approcha et demanda :

— Vous ne seriez pas le père Sidoine, par hasard ?

Le vieillard tourna lentement vers lui des yeux étrangement clairs, comme délavés par la pluie.

— Il est mort depuis plus de dix ans, le père Sidoine, dit-il, mais je l'ai bien connu.

Marie s'était approchée, elle aussi, et se demandait si Benjamin avait travaillé avec le vieil homme qui regardait de nouveau droit devant lui, comme s'il les avait oubliés.

— Et vous avez navigué aussi ? demanda Benjamin.

— Oh ! Pour ça, oui, j'ai navigué, et je la connais bien, la Dordogne !

Il ajouta, plus bas, si bas que Benjamin eut du mal à entendre :

— Et je l'ai vue plus d'une fois !

Il leva lentement sa main à la peau transparente, la posa sur le poignet de Benjamin, demanda :

— Tu t'appelles comment ?

— Donadieu. Benjamin Donadieu. Je suis de Souillac.

— Et elle, c'est ta femme ?

— Oui, c'est ma femme, Marie. Elle porte notre fils Emilien.

— Ça, alors ! Emilien, comme moi.

Sa voix trembla un peu lorsqu'il demanda :

— Tu veux pas me le donner une minute, ton petit ?

— Mais si, dit Marie, je vais l'asseoir sur vos genoux, vous allez voir.

Le vieillard reçut Emilien maladroitement, entoura son corps de ses bras, souffla :

— A vous, il faut que je le dise.

— Quoi donc ? demanda Benjamin.

Le vieillard hocha la tête, caressa les jambes d'Emilien qui se demandait ce qui se passait mais ne pleurait pas.

— Je l'ai vue peut-être quatre ou cinq fois, reprit-il tout bas.

— Qu'est-ce que vous avez vu ? fit Benjamin en se penchant vers lui.

— Elle, l'âme, je l'ai vue, répondit le vieux. C'est pas une légende, puisque moi je l'ai vue.

Benjamin et Marie se regardèrent, stupéfaits, mais n'osèrent rien dire.

— Ça se passe le matin, au moment où le soleil touche la rivière de ses premiers rayons. On l'aperçoit derrière la brume : c'est une boule ronde, toute rouge, mais on voit à travers...

Le vieillard soupira, hésita, poursuivit en se tournant brusquement vers Marie :

— Il y a une goutte de sang au milieu, toute petite comme une pointe d'aiguille. Elle monte en se cachant derrière la brume et elle pleure des larmes de sel à cause du mal...

Il soupira, reprit :

— La dernière fois que je l'ai vue, elle m'a parlé.

Le regard du vieillard se voila. Il eut un geste du bras plein de lassitude, se mit à trembler.

— Reprends ton petit, fit-il, c'est pas bon que je le touche pour ce que je vais te dire.

Marie, qui était aussi étonnée que Benjamin mais n'osait pas interrompre le vieil homme, reprit Emilien dans ses bras et se recula d'un pas.

— Si elle te parle, c'est que tu vas mourir. Je le sais, elle me l'a dit. Dans un mois, je ne serai plus là.

Benjamin et Marie, bouleversés par cette voix qui semblait venir de très loin, étaient incapables de prononcer un mot. Le vieillard ne les regardait plus, mais continuait de parler doucement :

— Emilien, qu'elle m'a dit, n'aie pas peur. Toi aussi, tu es l'eau et tu es la lumière, et, si tu as vécu libre, tu monteras comme moi dans la grande vallée où les arbres, les eaux et les étoiles se ressemblent. Et sa voix était tiède, et c'était comme si elle me caressait les cheveux, et elle répétait : N'aie pas peur, n'aie pas peur. Regarde comme je suis belle et vois comme tu es beau ! Qui te voudrait du mal puisque tu es si beau ? Emilien ! qu'elle m'a dit, la grande eau libre, c'est toi.

Il se tut brusquement en entendant claquer une porte

derrière lui. Un chien aboya, puis un coq chanta, à l'autre bout du quai.

— Voilà Marguerite, ma fille, souffla le vieux. Vous allez voir : elle va vous dire que je perds la tête.

Ses yeux se firent suppliants. Il prit la main de Benjamin, la serra, bredouilla :

— Il ne faut pas l'écouter. Je l'ai vue aussi vrai que je vous vois, là, devant moi. Vous me croyez, dites ?

— Bien sûr, dit Benjamin.

Le vieillard parut s'apaiser. Le tremblement qui agitait ses mains s'atténua. Il ne bougea plus jusqu'à ce que sa fille apparaisse. C'était une femme noire peignée en chignon, sans âge, l'air revêche.

— Bonjour, madame, dit Marie. On parlait un peu avec le monsieur.

— Oh ! pour parler, il parle ! fit la femme avec humeur, mais pour travailler, c'est pas la même chose. Vous savez, avoir des vieux à charge, comme ça, c'est un véritable chemin de croix !

Benjamin et Marie se raidirent.

— Il faut bien soigner ceux qui nous ont soignés quand nous étions enfants, dit Benjamin ; c'est la vie.

— Oui, mais quand ils perdent la tête, comme lui, c'est pas de tout repos, croyez-moi !

Marie regarda le vieillard, vit des larmes dans ses yeux, sentit son cœur se serrer.

— En tout cas, dit-elle, à nous il n'a pas dit de bêtises, au contraire.

— C'est vrai, dit Benjamin, on avait plaisir à l'écouter.

Le vieillard leva vers eux des yeux pleins de reconnaissance.

— Il va falloir venir à l'ombre, maintenant, dit la femme sans prêter attention à leur propos. Allez ! Lève-toi !

Le vieil homme essaya mais retomba sur sa chaise. Marie lui tendit la main, l'aida, tandis que la femme emportait la chaise en disant :

— Si on les écoutait, on n'en finirait pas. Surtout lui. Vous savez, il a toujours eu des idées pas ordinaires.

Benjamin avait pris Emilien dans ses bras, tandis que

Marie accompagnait le vieil homme à l'ombre de sa maison.

— Merci, ma fille, chuchota-t-il en s'asseyant de nouveau.

Puis, dans une sorte de sanglot :

— N'oubliez pas.

— Je vous le promets, dit Marie.

La femme hocha la tête d'un air excédé, puis elle attendit sur le pas de sa porte que Benjamin et Marie s'en aillent. Ils s'éloignèrent à règret, se retournèrent pour un dernier signe d'adieu, mais le vieillard regardait la rivière.

Ils revinrent à l'auberge avec, en eux, la désagréable sensation d'un abandon. Ils montèrent sur leur cabriolet sans parler, gardèrent le silence jusqu'à la route de Beaulieu. La Dordogne coulait sur leur gauche, trouant les frondaisons avec de brefs éclairs de vitre. La route serpentait entre rochers et rivière dans une fraîcheur de crypte. De puissantes odeurs de sous-bois erraient au ras du sol, épaisses comme du miel.

— Le pauvre, dit Benjamin ; il n'avait plus toute sa tête.

Marie se tourna brusquement vers lui, planta son regard dans le sien, demanda :

— Est-ce que tu crois vraiment ?

Benjamin la dévisagea avec surprise, hésita, puis :

— Non, fit-il, je ne sais pas.

Ils entrèrent dans une clairière où le soleil perça brusquement la ramure des arbres. Un poudroiement doré tomba des branches, tandis qu'une gerbe de lumière jaillissait devant la charrette, comme si le ciel s'ouvrait devant eux.

DEUXIÈME PARTIE

LES RÊVES DE DÉCEMBRE

5

Deux ans, ou presque, avaient passé depuis ce fabuleux voyage dans le haut pays, dont Marie gardait le souvenir ébloui. Vivien était revenu en bonne santé, encore plus vigoureux que lors de son départ, sept ans auparavant, mais avec la même tendresse vis-à-vis de Marie, la même complicité. Il s'était marié six mois plus tard avec Elise, l'une des filles de Martin Vidal, et tous deux habitaient dans la maison des Paradou. Après avoir un temps redouté cette promiscuité, Marie était maintenant rassurée : Elise était une jeune femme de nature soumise, d'une extrême timidité, et elle s'accommodait fort bien de la place prépondérante occupée depuis toujours par Marie dans la maison.

Jean aussi s'était marié, et avec Rose, comme il le projetait. Un fils, déjà, leur était né. Il s'appelait Louis, et Marie ne le connaissait pas encore. Jean avait promis de descendre à Souillac avec sa femme et son fils en juillet, mais Marie n'y croyait pas trop : il se plaisait tellement, là-haut, dans ses forêts, qu'il aurait du mal à les quitter, fût-ce pour quelques jours.

Si Elina vieillissait bien, Victorien, lui, déclinait de plus en plus. Sa maladie de cœur l'empêchait d'embarquer régulièrement, mais, dès qu'il se sentait mieux après une alerte, il remontait sur les bateaux malgré les réserves émises du bout des lèvres par Elina et Benjamin. Comment pouvait-on interdire de naviguer à un homme qui avait voyagé sur l'eau toute sa vie ? C'eût été le tuer avant l'heure, et tous le savaient. Aussi s'efforçaient-ils de le distraire quand il restait au port, notamment en lui confiant les enfants. En sorte que Victorien emmenait fréquemment Aubin à la pêche et que son plaisir, le soir, était de s'occuper d'Emilien qui, à deux ans et demi, manifestait une intrépidité préoccupante. Depuis qu'il marchait, en effet, il saisissait la moindre occasion pour s'enfuir et se précipitait vers le port pour y chercher son père. Marie était hantée par le danger d'une fuite dont elle ne s'apercevrait pas à temps et se promettait de lui apprendre à nager dès l'arrivée des beaux jours.

A Souillac, l'abbé Orlianges était mort. L'abbé Paret, qui le remplaçait, était un homme brun et rond, d'une cinquantaine d'années, affable et débonnaire. Marie entretenait avec lui des relations aussi fécondes qu'avec son prédécesseur. Un an auparavant, elle avait formulé le désir d'ouvrir une salle de classe sur le port, où les enfants étaient de plus en plus nombreux. Ainsi leur éviterait-on de longs trajets, ce qui avait souvent découragé plus d'un. L'abbé Paret avait repris le projet à son compte. Il le défendait régulièrement auprès de ses supérieurs et laissait espérer une décision favorable. D'ailleurs, en cette mi-avril, elle était imminente.

Ce matin-là, Marie faisait la classe à des filles de neuf et dix ans, et s'efforçait, comme chaque jour, de leur apprendre le français à partir de ce patois mi-aquitain, mi-limousin, que l'on parlait dans la vallée. Il allait être dix heures lorsque l'abbé ouvrit la porte et l'appela. Un peu surprise, elle désigna une élève pour veiller sur la classe et le suivit dans son bureau, au bout du couloir. Dès qu'elle fut assise, elle comprit à son regard qu'il s'agissait d'une mauvaise nouvelle.

— Vous l'ignorez peut-être, Marie, commença-t-il, mais bien que nos prérogatives en matière d'enseignement aient été restaurées par la loi Faloux, ce sont les préfets qui nomment les instituteurs.

Marie hocha la tête, mais ne dit mot, devinant que ce préambule n'augurait rien de bon. L'abbé esquissa un sourire, poursuivit :

— J'ai le regret de vous dire, ma fille, que malgré les interventions de monseigneur et les rapports favorables que nous établissons chaque année à votre sujet, monsieur le préfet ne veut pas vous nommer dans une nouvelle classe sur le port. Il a définitivement repoussé ce projet.

Marie sentit une vague glacée la submerger, ne parvint pas à prononcer les mots qui lui venaient aux lèvres, réussit seulement à demander tout bas :

— Pourquoi ?

L'abbé hésita un long moment à répondre en la dévisageant bizarrement. Il ne s'y décida qu'à regret.

— Hélas, ma fille, fit-il, vous pensez bien que l'hostilité manifestée par Benjamin envers le Prince Président et les idées qu'il propage dans le village ne peuvent guère lui attirer ses faveurs.

L'abbé hésita encore, comme si la confidence qu'il projetait lui coûtait, puis il ajouta :

— Autant vous le dire puisqu'il semble que le temps soit venu : nous avons eu toutes les peines du monde à vous garder ici. Il a fallu que monseigneur s'engage personnellement auprès de monsieur le préfet en octobre dernier.

Il se tut, et, de nouveau, sourit tristement. Marie, qui ne parvenait pas à rassembler ses idées, demanda :

— Ai-je fait ou dit quoi que ce soit qui puisse...

Elle n'eut même pas la force d'achever.

— Non, dit l'abbé, nous n'avons rien à vous reprocher, et c'est pourquoi nous avons tenu à vous garder parmi nous.

Il s'éclaircit la voix, murmura :

— Peut-être pourriez-vous faire comprendre à votre mari que...

Le regard que lui lança Marie le dissuada de poursuivre. Il soupira, eut un geste désolé de la main, hocha la tête avec une sorte de compassion.

— Le combat que mène Benjamin, dit Marie, je l'approuve.

— Certes, ma fille, je comprends cela, mais voyez-vous, il ne faut pas provoquer les puissants. Seul le bon Dieu a le pouvoir de les éclairer ; mais nous, qu'y pouvons-nous ?

S'apercevant que Marie tremblait, il chercha des mots rassurants, reprit :

— Votre mission, chez nous, est exaltante. Les enfants vous aiment. Que pouvez-vous souhaiter de plus ?

Marie n'écoutait plus. Elle qui avait lutté seule souvent, longtemps, se découvrait impuissante et vaincue.

— Ce n'est pas juste, dit-elle.

— Hélas ! Ma fille, qu'est-ce qui est juste en ce bas monde ?

Un brusque mouvement de révolte la fit se redresser soudain, et elle lança :

— Puisque c'est comme ça, je ferai l'école chez moi, gratuitement, à tous les enfants du port.

L'abbé se leva, contourna son bureau, lui prit les mains.

— N'en faites rien, dit-il, je vous en prie. Si vous avez un peu confiance en moi, écoutez-moi : renoncez à ce projet.

— Et pourquoi donc ? Qui pourrait m'en empêcher ?

L'abbé revint s'asseoir, répondit avec gravité :

— Ne vous méprenez pas, ma fille, tant que vous êtes sous notre protection, vous ne risquez rien, vous le savez bien. De même que votre époux et votre famille. Nous connaissons tous votre dévouement et votre honnêteté, mais, de grâce, c'est moi qui vous le demande : n'enfreignez pas la loi !

— La belle loi qui permet de régler ses comptes entre adultes sur le dos des enfants !

— On ne vous privera pas de vos enfants puisque nous sommes là.

Un long silence s'installa. Marie, alors, songea à tout ce que lui avait dit Benjamin et qu'elle n'avait pas voulu croire : trois millions d'électeurs écartés des urnes par la loi sur le travail et la résidence, la presse réduite au silence, l'autorité renforcée des préfets, les arrestations au petit matin... Tous ceux qui osaient manifester la moindre opposition au Prince Président devaient en payer le prix. Non, elle n'avait pas voulu le croire, car elle vivait loin des préoccupations des puissants et s'en était toujours crue hors de portée. Et voilà qu'aujourd'hui elle était frappée pour la seule raison qu'elle était mariée avec Benjamin.

— Je m'en vais, dit-elle, je ne veux plus rester ici.

L'abbé essaya de la retenir en disant :

— Je vous en prie, ne décidez rien sous l'empire de la colère. Réfléchissez ! Ce n'est pas si grave !

Mais une immense révolte dévastait Marie. Elle sortit du bureau sans un regard pour l'abbé qui tendait les mains vers elle, alla chercher Aubin dans sa classe et partit en traînant son fils, stupéfait, derrière elle.

Elle ne lui lâcha la main qu'après avoir traversé la route de Sarlat et être entrée dans les prairies. Alors elle marcha devant lui d'un pas vif pour lui cacher les larmes qui montaient dans ses yeux, l'aveuglaient. Aubin, qui ne comprenait rien à ce qui se passait, trottait sans un mot sur ses talons, n'osant pas poser de questions. Une telle colère embrasait Marie qu'elle croisa plusieurs personnes de sa connaissance sans les voir. Elle ne remarquait même pas la luxuriance des arbres et des feuilles dans la lumière d'avril. Elle se sentait humiliée comme si on l'avait exhibée comme une criminelle sur une place publique. Une seule pensée la poussait : se réfugier chez Elina, lui parler, se libérer de cette flétrissure honteuse qu'elle n'avait pas méritée.

Vivien avait remplacé Jean comme second sur l'*Elina* qui, ce matin-là, remontant la Garonne, approchait de Bordeaux dans un flamboiement heureux de la terre et de l'eau. Il y avait une telle allégresse dans l'air que Benjamin se demandait pourquoi il demeurait aujourd'hui étranger à cet univers qui, d'ordinaire, l'envoûtait. On eût dit qu'il s'était absenté. Qu'il n'était pas sur l'*Elina*. Car il ne cessait de penser à ce qui s'était passé la veille du départ, sur le quai où, avec son père, il vérifiait l'arrimage du bois : Victorien, tout à coup, portant la main sur sa poitrine, s'était effondré, la bouche grande ouverte sur un cri muet. Accouru près de lui, Benjamin avait lu dans ses yeux ce que jamais, auparavant, il n'avait décelé : une immense faiblesse et, plus cruelle encore chez un homme qui avait toujours vécu dans le danger et le courage, une peur folle, atroce, une grande peur d'enfant. Cela avait duré longtemps, très longtemps, sous le regard impuissant de Benjamin qui sentait sur son poignet les doigts qui serraient, serraient à lui rompre les os. Puis la douleur avait reflué et les yeux de Victorien avaient retrouvé leur éclat. Mais comment oublier ce regard implorant, cet appel au secours d'un homme qui avait si longtemps incarné la force et le pouvoir ? Il était évident que Benjamin ne pouvait plus rien pour son père. Cette pensée l'obsédait et ruinait le plaisir qu'il ressentait d'ordinaire sur l'immensité du fleuve à la belle saison. Il lui tardait de retrouver l'amitié d'Hippolyte Barcos, d'oublier la débâcle dans laquelle sombrait Victorien sans pouvoir s'en défendre.

Cinq minutes après que l'*Elina* eut accosté au quai de la Bastide, il s'empressa d'aller serrer la main de son ami qui lui proposa une chaise et lui dit :

— Assieds-toi ! Donadieu, ne t'en prive pas, parce que c'est la dernière fois !

Benjamin, surpris, se demanda si par hasard il avait failli dans l'amitié qui le liait au marchand, mais celui-ci poursuivit, sans lui laisser le temps de répondre :

— Envolé tout ça ! Fini ! Terminé !

Le ton de bonne humeur cachait une blessure.

— Qu'est-ce que ça veut dire ? demanda Benjamin, à la fois surpris et inquiet.

Barcos laissa passer quelques secondes avant de répondre, comme s'il ne croyait pas tout à fait aux mots qu'il allait prononcer.

— Ça veut dire qu'il faut que je déménage, mon vieux ! On me fout dehors ! On me chasse !

Benjamin ne comprenait pas. Il ne reconnaissait plus son ami.

— Enfin, Hippolyte, qu'est-ce que tu me racontes ? fit-il d'une voix qu'il voulut la plus calme possible.

Barcos hochait la tête, accablé, ne se décidait pas à poursuivre. Il s'y résolut brusquement, comme pour se libérer de la colère qui l'étouffait :

— Le chemin de fer, t'as entendu parler ?

Benjamin fut soulagé. Il avait cru à un accident imprévu, un drame de la famille, à une sorte de catastrophe naturelle, et ce n'était qu'une histoire sans la moindre gravité.

— La machine infernale qui explose tous les deux kilomètres et empoisonne les gens ? fit-il en riant.

— Ne ris pas, Donadieu, dit Barcos d'une voix blanche, nous en crèverons tous !

Il y eut un silence durant lequel les deux hommes ne se lâchèrent pas du regard, puis :

— Mais qu'est-ce que tu me racontes ? demanda Benjamin. Et que vient faire ton entrepôt, là-dedans ?

— Le rapport, Donadieu, c'est qu'ils vont construire ici la gare de la compagnie d'Orléans. Alors, ils me chassent. Et bientôt toutes les rives seront couvertes de rails, et les rails remplaceront les bateaux, et vous en crèverez tous, que vous le vouliez ou non !

Benjamin ressentit une sorte de crispation dans son ventre, une sensation de menace imprécise mais terrible. Ils en parlaient, certes, du chemin de fer, avec Pierre et l'aubergiste, mais il n'avait jamais considéré comme une menace cette machine qui crachait des flammes et de la fumée pour mieux étouffer les hommes et les bêtes. Le pessimisme de Barcos lui parut risible, tout à coup, et seulement explicable par son amertume d'avoir à déménager.

— Personne ne peut t'obliger à partir, dit-il.

Barcos hocha la tête d'un air affligé, répondit :

— Si tu les connaissais, tu n'aurais pas envie de rire.

Benjamin haussa les épaules, se demanda ce qu'était devenu l'homme qui, d'ordinaire, savait si bien se faire respecter.

— J'ai un ami avocat, dit-il, si tu veux...

— J'ai déjà un avocat, dit Barcos. Il me conseille de partir, sinon j'aurai les pires ennuis.

Benjamin haussa les épaules.

— Les banquiers et les politiciens qui travaillent pour eux sont tout-puissants. Ils me proposent un emplacement sous Lormont. C'est ça ou rien. Ils ne me laissent même pas le choix.

— Enfin ! Hippolyte, murmura Benjamin, tu ne vas pas me dire que tu as peur ?... Non ! pas toi.

Barcos leva vers lui des yeux bouleversés.

— Ecoute ! Donadieu, dit-il.

— Non ! Toi, écoute-moi ! l'arrêta Benjamin. Tu vas cesser de dire des sottises et venir voir le beau merrain que je t'ai apporté ! Après, tu te sentiras mieux !

Le marchand se redressa, mais ne bougea pas de sa chaise.

— Alors, tu ne veux rien comprendre ? fit-il avec amertume.

— Il n'y a rien à comprendre, Hippolyte, nous en reparlerons dans quelques jours.

Barcos eut un geste désabusé de la main, souffla :

— Alors, toi non plus tu ne veux rien savoir.

— Non ! fit Benjamin en riant, je crois seulement que tu as dû boire un peu trop ces temps derniers. Et puisque tu ne veux pas en convenir, je vais aller m'occuper de mon sel. Allez ! A plus tard !

Sur ces mots, il quitta le marchand de bois, sortit, surveilla de loin le déchargement de l'*Elina,* puis il emprunta une barque pour se rendre aux Salinières. Là, il négocia sa livraison de sel pour le lendemain, et, encore sous l'effet de sa désagréable conversation avec Barcos, il se rendit à l'auberge où, maintenant, Pierre Bourdelle laissait ses messages. Il n'y en avait pas. L'aubergiste lui expliqua que l'avocat avait des ennuis et qu'il évitait de venir à Bordeaux où, du reste, il plaidait de moins en moins. Déçu, Benjamin flâna un moment sur le port sans parvenir à se défaire de sa sensation de malaise. Il eut beau s'intéresser aux cargos et aux morutiers, à l'activité inlassable des portefaix et des dockers, les propos désespérés du marchand continuaient de le hanter. Ce qui le surprenait le plus, c'était qu'un homme aussi avisé, aussi énergique que Barcos, pût ainsi capituler sans songer à combattre. Il lui semblait deviner derrière cette défaite une présence occulte et maléfique contre laquelle il devrait lui aussi, un jour, prendre les armes.

Il s'arrêta, se rendit compte qu'il se trouvait à l'endroit exact où il avait vu Emeline pour la dernière fois, dix-huit mois auparavant. Il se remit à marcher le long du quai pour essayer de fuir ce souvenir, mais les mots qu'elle avait prononcés à l'instant où il lui avait dit qu'il ne voulait plus la revoir lui revinrent brutalement à la mémoire : « Où que tu ailles, quoi que tu fasses, tu me trouveras devant toi, avait-elle lancé d'une voix farouche. Tu es à moi, Benjamin, que tu le veuilles ou non. Je ne m'éloignerai jamais de toi. J'attendrai le jour où tu auras besoin de moi. Ce jour viendra, j'en suis certaine. Avec le chemin que tu as pris, les gens que tu fréquentes, un jour, je le sais, tu devras faire appel à moi. Je répondrai à cet appel. Alors tu ne pourras plus rien me refuser et je te reprendrai pour toujours. »

Sautant hors de la voiture, il avait fui sans répondre, effrayé par cette passion folle, cette détermination qui brillait dans les yeux noirs et menaçait d'embraser son existence. Depuis, il ne l'avait jamais revue, mais il devinait partout sa présence, se sentait surveillé par ses gens, et il avait fini, malgré tout, par s'y habituer. Or, ce soir, le fait de penser à elle ne faisait que multiplier les nuages qui, depuis plusieurs jours, lui semblait-il, s'accumulaient au-dessus de sa tête. C'était un peu comme si le monde auquel il était accoutumé devenait tout à coup incertain, le trahissait. Jusqu'à Pierre Bourdelle — le seul ami à être d'un soutien précieux dans les épreuves — qui l'abandonnait. Pourtant, ce soir, le printemps éclatait sur les quais où les hommes, malgré le travail, riaient, plaisantaient, chantaient. Benjamin s'assit sur un tas de bois, se laissa envahir par l'atmosphère heureuse qui régnait en ces lieux. Regardant sans les voir les hommes et les bateaux, il songea vaguement que la Garonne, comme la Dordogne, servait au transport des marchandises depuis des siècles. Comment le chemin de fer pouvait-il les menacer au point de tant inquiéter Hippolyte Barcos ? Plus les minutes passaient dans cet univers qui, par sa force et sa permanence, lui apparaissait maintenant indestructible, et plus les propos du marchand lui semblaient dérisoires. Il demeura longtemps assis sur son tas de bois, observa, écouta, s'imprégna de la beauté de ce monde ouvert sur le grand large, finit par oublier tout ce qui en altérait la beauté. La nuit tombait quand il traversa la Garonne pour rejoindre ses hommes à l'auberge, et il la trouva belle.

A son retour à Souillac, Marie lui avait appris ce qui s'était passé à l'école. Ce dimanche-là, ils avaient longtemps parlé du combat que Benjamin menait, des risques qu'il courait. Marie n'avait pas émis le moindre reproche, pas la moindre plainte. Pourtant il la sentait beaucoup plus ébranlée qu'elle ne l'avouait. Aussi, après lui avoir demandé de ne pas renoncer à son travail, il lui avait promis de l'emmener avec lui lors du prochain départ, pensant qu'un voyage à Bordeaux lui ferait oublier les récents événements. Elle avait hésité, puis, finalement, avait accepté, après avoir obtenu sans difficulté l'autorisation de l'abbé qui était soucieux de la ménager. Dès lors, elle avait attendu le départ avec une impatience seulement tempérée par l'idée de laisser ses deux fils à Elina pour une dizaine de jours. Elle avait embarqué un mercredi du mois de mai, heureuse de pouvoir vivre ce que vivait Benjamin depuis toujours, sans qu'elle en connût rien.

Les deux premiers jours de voyage avaient été un enchantement. Domme, Beynac, Siorac, Limeuil, Lalinde, Bergerac n'avaient pas changé malgré les huit ans passés depuis la remonte effectuée avec Benjamin après leurs retrouvailles de Bordeaux. N'avaient pas changé non plus les couleurs, la lumière, l'ambre des soirs et l'argent des matins, les dômes verts des bois, le cristal des aubes, l'éblouissement violent des midis, et, quelque part tapie sur les rives, la vie primitive, lente et sereine, des lieux où l'homme, depuis la nuit des temps, se regarde sans crainte dans le miroir des eaux.

Ce matin-là, les bateaux de Donadieu venaient de quitter Sainte-Foy-la-Grande et descendaient lentement le long de la rive gauche dominée par des escarpements boisés. Une mince route courait à travers la pente en direction de quelques toits.

— Saint-Avit-de-Soulège, dit Benjamin, en désignant un village à moitié enfoui dans la verdure.

Marie l'observa un moment puis se retourna. Pilotée par Vincent, la capitane suivait l'*Elina* à une centaine de mètres, et là-bas, tout au fond, comme surgie de la brume qui montait doucement, la seconde arrivait dans la paix, le silence. Marie se tenait adossée au chargement de bois et ne perdait pas un geste de Benjamin. Depuis le temps qu'elle n'avait pas descendu la Dordogne, elle avait oublié la magie des voyages. Le glissement de l'eau sur la coque faisait penser à la caresse d'une peau sur une autre peau, et le ciel, tout là-haut, roulait ses vagues sur le vert des collines qu'il finissait par entamer, parfois, quand la plaine creusait des brèches dans le moutonnement des chênes. Plus bas, la lumière ruisselait jusqu'à l'eau, paraissait l'enrichir d'un éclat plus intense, comme ces poignées de sel qu'on jette dans les feux pour mieux les ranimer.

L'*Elina* dépassa Pessac, son église romane et son cimetière peuplé de cyprès, puis, sur la rive droite, Sainte-Aulaye-de-Breuilh et sa madone qui veille sur le fleuve.

— Récite un Ave et fais un vœu, dit Benjamin à Marie.

Elle se signa, récita une courte prière, se rapprocha de lui.

— Alors, ce vœu ? fit-il.

— C'est un secret, dit-elle.

Il sourit, n'insista pas. Maintenant, les brumes achevaient de se lever, laissant le soleil lécher les frondaisons humides. Puis, soudain, ce fut comme si la paille d'un grenier s'embrasait, projetant sur le fleuve des flammes dorées qui se mirent à danser. Benjamin attira Marie contre lui, prit ses mains, les posa sur le gouvernail, les retint dans les siennes.

— Regarde mon royaume, dit-il. Le seul au monde qui mérite d'être défendu.

Il manœuvra le gouvernail et Marie sentit dans ses mains, dans ses bras, ses épaules, la puissance de l'eau.

— Tu sais pourquoi ? demanda Benjamin.

Elle sourit, amusée, fit un signe négatif de la tête.

— Parce que, dans ce royaume-là, tous les hommes peuvent devenir rois.

Il ajouta, avec un rien de gravité dans la voix :

— Il leur suffit d'avoir deux mains, deux yeux et deux oreilles.

Elle le considéra un moment en silence, demanda :

— Et les femmes ?

— Seulement celles qui savent tenir un gouvernail, fit-il en riant.

— Alors, laisse-moi essayer.

Il s'écarta, l'aida à placer la barre sous son épaule droite, à disposer convenablement ses mains pour bien la maîtriser. Dès lors, ce fut pour elle une illumination : la vie du fleuve lui sembla se mêler à ses veines, à son sang, et, à cette seconde précise, quand la force du fleuve bougea dans ses bras, dans son cœur, elle sut qu'elle ne pourrait plus se passer de cette présence, de cette alliance subtile entre elle et lui, de ce pouls qui s'était mis à battre elle ne savait où, mais réveillait en elle un écho venu de très loin. Benjamin devina son émotion et lui abandonna le gouvernail pendant quelques minutes. Elle tremblait un peu malgré la chaleur montante, se laissait délicieusement envahir par l'ivresse d'une grandeur mystérieuse. Maintenant, les mots prononcés par Benjamin avaient un sens : elle comprenait qu'au milieu de tant de puissance et tant de beauté l'on pût se sentir, soi-même, reine ou roi. Cette sensation fut si violente qu'elle lâcha brusquement le gouvernail, comme s'il la brûlait. Benjamin le reprit sans un mot, invita Marie à s'écarter, et redevint attentif à la navigation.

L'*Elina* longea les ruines du château de La Mothe-Montravel, puis, sur la rive droite, des coteaux aux lignes douces, couverts de vignes. Bientôt, là-bas, dans une buée bleue, apparurent les toits de Castillon qui semblait surveiller la vallée. Là, il fallut attendre la renverse pendant plus d'une heure, ce dont profita l'équipage pour manger. Marie s'assit entre Vivien et Benjamin, se laissa bercer par la sensation d'un étrange bonheur. Enfin, elle partageait leur vie ; enfin, elle découvrait leurs secrets. Le rêve qu'elle avait abandonné à l'époque de sa deuxième grossesse devenait aujourd'hui réalité, et elle mesurait combien elle avait eu raison de ne pas désespérer. Elle avait forcé les portes de leur univers, et rien ne serait jamais plus comme avant.

Le convoi repartit sur de superbes coulées qui caressaient des îles plantées de saules. Le lit du fleuve paraissait s'élargir de plus en plus à mesure que les bateaux avançaient dans la plaine. Passé le village de Saint-Jean-de-Blaignac, des peupliers sentinelles escortèrent un moment l'*Elina* qui descendait lentement, portée par la seule force du jusant. Plus loin, ce fut le tertre de Cabara et, sur la rive opposée, Sainte-Terre où s'arrêtaient les « Argentats ». Dans cette grande plaine rapiécée de champs, de vignes et de prairies, Marie devinait des existences heureuses. Cette impression était accentuée par la paix de cet après-midi qui exaspérait dans la chaleur d'innombrables parfums. Chaque fois qu'ils giclaient sous le soleil, Marie s'efforçait de deviner leur provenance : lilas, chèvrefeuille, treilles, vergers, saules, violettes, sable, lauriers ; et déferlait en elle, à chaque lampée d'air, le flux délicat de ces vagues qui traversent les territoires les plus secrets de la mémoire.

Plus loin, ce fut Génissac et ses bateaux de pêche, bientôt les coteaux de Saint-Emilion, puis les toits de Libourne apparurent dans le soleil couchant. L'*Elina* se fraya un chemin entre les bateaux de mer et les couraux, doubla les quais couverts de barriques, les chais, pour aller accoster, juste avant le pont, à l'endroit où les tonneliers travaillaient le merrain et entassaient les futailles des vendanges à venir. Pendant que ses hommes déchargeaient le bois, Benjamin emmena Marie dans une auberge située près de l'église Saint-Jean, puis il revint aider son équipage. Marie se promena seule dans les ruelles remplies d'échoppes aux odeurs d'épices et de poisson séché, tourna un moment sur la place de l'Hôtel de Ville, revint vers l'auberge où l'attendait Benjamin. Le soir, ils dînèrent avec Vivien d'une délicieuse matelote d'anguilles, puis, tandis qu'il rentrait retrouver l'équipage, Benjamin et Marie allèrent marcher sur les quais, le long de l'Isle. Là, Benjamin se souvint du jour où, grâce à Vincent, il avait découvert les bateaux de mer lors de son premier voyage. Il y avait combien de temps de cela ?

— Presque vingt ans, fit-il à mi-voix.

Comme Marie l'interrogeait sur ces vingt ans, il lui expliqua ce qu'il avait vécu à cet endroit et lui raconta également la promesse faite à Victorien, dans une rue voisine, de s'établir marchand.

— Quel homme c'était alors ! murmura Benjamin.

Elle comprit que ces souvenirs l'empêchaient de savourer avec elle ces moments de complicité, l'entraîna en disant :

— Viens ! Marchons un peu.

Ils se dirigèrent vers le pont qui supportait la grand-route de Bordeaux à Lyon, s'y arrêtèrent pour contempler, en bas, les quais qui brillaient sous la lune en exhalant une odeur humide de moût et de goudron. Ils descendirent par le chemin pavé dont l'accès s'ouvrait à l'extrémité du pont, allèrent jusqu'au bout des chais, retournèrent, s'assirent sur un banc. Benjamin prit Marie contre lui et ils écoutèrent le cliquetis des drisses contre les mâts, le murmure de la Dordogne qui semblait endormie. Marie pensa au soleil qui, ce matin, avait embrasé le fleuve comme un gigantesque incendie, à la force de l'eau dans ses bras, et à cette sensation merveilleuse de puissance et de vie qui l'avait assaillie.

— Merci, dit-elle.

Etonné, il ne répondit pas, mais se tourna vers elle et comprit combien, ce soir, elle était proche de lui. Alors, il se leva brusquement et il l'entraîna vers l'auberge, persuadé qu'ils n'oublieraient jamais cette nuit de printemps.

Alors qu'elle avait cru tout connaître du fleuve, Marie comprit le lendemain, dès le tertre de Fronsac, que l'univers dans lequel elle pénétrait était plus envoûtant encore que celui de la veille. Après un grand cingle, la Dordogne s'épanouissait dans la plaine dont les coteaux s'écartaient comme pour lui témoigner leur respect. Dans cette immensité lumineuse, l'*Elina* paraissait minuscule, surtout lorsqu'elle passait à proximité des bateaux de mer qui remontaient vers Libourne ou, comme elle, descendaient vers la mer bordelaise. Pour Marie, cette impression de fragilité ne fit qu'augmenter à mesure que l'*Elina* approcha du bec d'Ambès. Benjamin lui désigna les clochers des églises de Saint-Germain, de Lugon, de La Lande-Fronsac et d'Asques; tous émergeant d'une verdure tendre qui semblait, sur la rive droite, escorter le fleuve, en s'y mêlant parfois. A gauche, au contraire, s'étendait la désolation des palus d'où surgirent le hameau de Caverne et ses barques de pêche. Puis ce furent Saint-André-de-Cubzac, de nombreux petits ports que Benjamin nomma un à un, et, plus loin, Bourg, sentinelle de la mer bordelaise.

A l'approche du bec, Marie sentit une grande exaltation l'envahir. Elle, qui n'était jamais venue en ces lieux, sentait confusément que le fleuve, ici, donnait aux hommes un peu de sa dimension. A commencer par Benjamin qui tenait le gouvernail avec encore plus de fermeté, tête haute dans le vent, jetant à droite et à gauche de rapides regards pour juger de la distance qui le séparait des bateaux, rectifiant la direction de l'*Elina* d'une impulsion précise, donnant d'un signe ses instructions à l'équipage.

Cette impression de grandeur lumineuse persista pendant l'heure où ils attendirent la renverse à l'abri de l'île Cazeau. Puis, dès que l'*Elina* s'engagea dans la Garonne, l'émotion de Marie fut telle qu'elle eut de nouveau envie de tenir le gouvernail. Le frôlement d'une filadière, qui faillit heurter l'*Elina,* l'en dissuada. Maintenant, toutes les collines avaient disparu. Il ne restait plus devant l'*Elina* que le fleuve et le ciel qui semblaient se fondre à l'horizon dans une même lumière. Ivre d'espace et de vent, ses cheveux rejetés vers l'arrière, Marie avait l'impression de partir sur la mer dans l'un de ces bateaux qui l'avaient tant fait rêver, à Bordeaux, sur les quais.

Elle fut un peu déçue d'apercevoir au loin les clochers de la ville, mais cette déception fut rapidement effacée par l'envie de retrouver les lieux où elle avait vécu : le port, la rue Sainte-Catherine et le Jardin des plantes. Aussi le temps lui parut-il passer très vite —

trop vite — et elle se laissa doucement envahir par une sensation de bonheur un peu vague, comme celui que procure la chaleur du réveil, après un dernier rêve. Une fois sur le quai de la Bastide, elle n'eut de cesse que de traverser. Benjamin abandonna ses hommes à leur travail, loua une barque et accosta au quai de la douane après avoir manœuvré avec sa dextérité coutumière entre les grands voiliers. Il entraîna Marie vers les Quinconces, s'éloignant de la rue Sainte-Catherine où rôdait une menace. Elle l'accompagna un moment sans rien dire, puis ce fut elle qui le guida vers l'immeuble qui avait abrité plusieurs années de sa vie. Il s'y résigna, espérant seulement qu'Emeline n'oserait pas se montrer. Il avait tort. A peine eurent-ils franchi une centaine de mètres en direction du centre qu'une silhouette familière surgit devant eux, sur le même trottoir. Benjamin songea qu'elle avait dû être prévenue par ses gens et qu'elle les avait sans doute suivis, puis dépassés, avant de faire demi-tour pour se retrouver face à eux. Il pensa également qu'elle allait lui faire payer cher les longs mois durant lesquels il s'était évertué à la fuir. Il voulut alors changer de trottoir, mais il était trop tard. Marie s'était arrêtée, ayant tout de suite reconnu celle qui leur faisait face, la tête haute, les yeux brillants d'une jubilation évidente. Tenant Marie par le bras, Benjamin la sentit trembler. Il voulut l'entraîner vers le milieu de la chaussée, mais c'était comme si elle était paralysée.

— Emeline, dit-elle, dans un souffle.

Celle-ci se tenait immobile à moins d'un mètre, comme pour leur interdire le passage. Un grand sourire éclairait son visage qui avait pris une expression redoutable.

— Marie ! fit-elle avec une voix de surprise feinte. Mais tu n'as pas changé ! Tu es toujours la même !

Et, se tournant brusquement vers Benjamin :

— Quelle chance as-tu là !

— Oui, répondit-il avec une agressivité à peine dissimulée, j'ai toujours eu de la chance, même dans la marine, et ça a duré six ans !

Le visage d'Emeline se crispa. Elle avait compris

qu'il était déterminé à l'affrontement. Elle parut hésiter, rompit le contact, demanda, s'adressant à Marie :

— Et toi ? Est-ce que tu m'as reconnue ?

— Tu n'as pas changé non plus, répondit Marie qui sentait son sang refluer dans ses veines.

— Merci. Tu es gentille.

Et, avec un naturel d'une extrême perfidie :

— J'habite au 42 de la rue Sainte-Catherine ; c'est tout à côté. Venez donc chez moi, je vous invite.

— C'est pas possible, intervint sèchement Benjamin. On nous attend.

— On attendra une heure de plus, ce n'est pas si grave.

— Non ! dit Benjamin violemment. On n'a pas le temps.

— Comme c'est dommage ! Nous aurions parlé de Souillac, des prairies, des jardins, des...

Elle se rendit compte que Benjamin était sur le point de la bousculer. Elle se tut, soupira, reprit en s'écartant légèrement :

— La prochaine fois, j'espère. Cela me ferait tellement plaisir. N'oubliez pas ! 42, rue Sainte-Catherine. Faites-moi signe !

Elle avait prononcé les derniers mots en défiant Benjamin du regard. Il avait relevé ce défi en avançant vers elle, la contraignant à leur ouvrir le passage. Sans se retourner, il entraîna Marie vers l'angle d'une ruelle, tourna à droite, puis ils continuèrent au hasard, encore sous le coup de cette apparition qui avait fait surgir, chez Marie, des ombres dont elle avait cru être délivrée pour toujours. Marchant rapidement au bras de Benjamin comme pour s'éloigner d'un danger, elle songeait avec amertume que son voyage venait d'être gâché.

Au fil des minutes, pourtant, tandis qu'elle avait retrouvé d'instinct le trajet qu'elle effectuait entre la rue Sainte-Catherine et le Jardin des plantes en compagnie des filles de Mme Lassale, une douce émotion vint se substituer à celle, si désagréable, de sa rencontre avec Emeline. Elle pesa un peu moins au bras de Benjamin, repartit dans ces années de sa vie dont, au bout du compte, elle gardait un bon souvenir. Puis, dès l'entrée du jardin, ses retrouvailles avec Benjamin, huit ans auparavant, lui devinrent étrangement présentes. Il lui sembla que le même bonheur la touchait, et ce fut sans la moindre souffrance qu'elle put lui dire enfin :

— Je l'aurais reconnue entre mille.

Il ne répondit pas tout de suite, se demandant si elle parlait bien d'Emeline — mais de qui d'autre eût-elle parlé ? Même s'il ne la voyait plus, il se reprochait (et plus encore ici, dans ce jardin, qu'ailleurs) de l'avoir retrouvée plusieurs fois dans sa voiture, et il hésitait à en parler à Marie. Mais à quoi aurait servi de la faire souffrir inutilement, puisque cela n'arriverait plus jamais ?

— Je savais qu'elle était à Bordeaux, dit-il. L'aubergiste m'a parlé de son mari qui est venu travailler avec les Pereire. Quelle importance ? Viens ! Marchons !

Ce fut tout. Ils mirent leurs pas dans ceux qu'ils avaient faits ensemble il y avait si longtemps, se promenèrent jusqu'à la nuit, le plus souvent en silence, avant de retourner vers l'auberge de la Garonne où Vivien les attendait depuis une heure. Là, parmi la multitude bruyante de la grande salle, Marie, devant ses lamproyons aux poireaux, ne parvint pas à s'intéresser à la conversation qui occupa Vivien, Benjamin et l'aubergiste. Que lui importaient aujourd'hui la politique, les difficultés de Pierre Bourdelle, les préfets du Prince Président ? Elle songeait qu'elle allait retrouver le fleuve dès le lendemain, tenir le gouvernail, ressentir de nouveau cette ivresse de vent et de lumière dont elle savait maintenant, de façon aiguë, qu'elle ne pourrait plus se passer. Ce fut là, dans la fumée des pipes et les odeurs de poisson, qu'elle prit la décision de naviguer quoi qu'il lui en coûtât, dès qu'Emilien pourrait se passer d'elle.

La remonte avait été aussi somptueuse que la descente. Comment aurait-il pu en être autrement dans la splendeur de ce mois de mai que se disputaient la rosée des matins et le soleil des midis ? Marie, qui avait souhaité ne jamais la voir finir, se résigna à quitter le pont de l'*Elina,* un samedi soir, à la tombée de la nuit, tandis qu'une ombre tiède descendait doucement sur la vallée sur le point de s'endormir. L'air était sans épaisseur et plein d'échos fragiles, où l'on sentait s'insinuer l'été.

Benjamin lança la cordelle à Vivien qui venait de sauter sur le quai, puis il noua la barre du gouvernail à un anneau, pour l'empêcher de battre. En relevant la tête, il aperçut Marie près d'Elina qui tenait Emilien par la main. Les deux femmes, tournant le dos au bateau, parlaient à voix basse. Emilien appela Benjamin. Celui-ci donna rapidement ses ordres pour le déchargement du sel, sauta sur le quai. A son approche, les femmes se tournèrent vers lui. C'est alors qu'il aperçut les larmes dans les yeux de Marie, et que le monde chavira autour de lui.

— Il est mort, dit Elina doucement en lui prenant les mains. Cela fait deux nuits... Il dormait... Je suis sûre qu'il n'a pas souffert.

D'abord Benjamin dévisagea sa mère comme s'il n'avait pas compris, puis il sentit une mâchoire de fer se refermer sur son ventre et le serrer si fort qu'il retint un cri. Il regardait Marie, puis Elina, sentait battre son cœur follement. Un grand froid l'envahit. Il eut la sensation que le monde, la rivière, les prairies venaient de changer de couleur. Il ferma les yeux. La main de Marie se posa sur son bras.

— Viens ! dit-elle.

Il la suivit sans parvenir à définir ce qu'il y avait de terriblement nouveau dans cette vallée, ces maisons. « Il est mort, il est mort », se disait-il, et pourtant cette pensée demeurait vague, ne recouvrait pas encore toute la gravité de ce qui allait suivre. Il pénétra dans la chambre de son père sans avoir accordé la moindre attention aux amis rencontrés en chemin. Des femmes veillaient Victorien qui reposait sur le dos, un chapelet glissé entre les doigts. Benjamin fit un geste de la main qui signifiait qu'il voulait rester seul.

— Moi aussi ? demanda Marie.

Il hocha la tête. Marie et les femmes sortirent. Il s'approcha lentement de son père et fut surpris de cette sorte de sérénité qui s'était posée sur son visage.

Quelque chose, pourtant, « n'allait pas ». Il comprit que c'était le regard, ou plutôt l'absence de regard, ce vide à la place des yeux gris acier qui se levaient sur lui à l'autre bout de la table, lorsqu'il était enfant. Un seul regard de ces yeux-là lui avait toujours donné la certitude que le monde avait été créé pour lui. Et de comprendre qu'il ne sentirait jamais plus posés sur lui ces yeux de la bonté, de la force et de la confiance, le foudroya debout. Il lui sembla qu'il s'ouvrait comme un arbre sous un orage, appela des larmes qui, elles au moins, auraient le goût, la saveur du temps où Victorien était le maître du bonheur. Mais elles s'étaient taries depuis longtemps, et il le regretta. Puis, s'approchant, il posa ses mains sur celles de son père, et le froid le glaça.

— Je suis là, dit-il.

Oh ! Sentir la chaleur de cette grande main enveloppant la sienne, entendre une dernière fois les pas dans l'escalier, et la voix qui disait : « Réveille-toi, c'est l'heure ! » Victorien s'asseyait sur le lit dont les fanes craquaient doucement, une peau rude frôlait celle de Benjamin : avait-il jamais connu de bonheur plus puissant que celui-là ? Non, il le savait bien. Et plus jamais ils ne partiraient à la pêche dans les matins frileux, plus jamais ils ne descendraient face à face la Dordogne, plus jamais il ne sentirait le poids de cette grande main sur son épaule. C'était des années de sa vie qui s'en allaient avec Victorien, creusant un gouffre qu'il ne pourrait pas franchir sans souffrance. Alors le saisit le besoin de toucher les bras, les épaules, le visage qui allaient disparaître eux aussi dans ce gouffre. Il voulut compenser cette perte terrible par la parole, se mit à parler à son père à voix basse. Il lui dit doucement ce qu'il avait été pour lui, ce qu'il n'avait jamais osé lui confier. Mais il ne put continuer longtemps, car sa voix s'éteignit, mourant sur ses lèvres comme était morte celle de Victorien.

Un peu plus tard, un pas, dans son dos, le fit se retourner. C'était Marie.

— Tu étais là ? fit-il.

— Je viens d'arriver. Tu devrais descendre et manger un peu. Il est déjà dix heures.

Dix heures! Aucune lumière ne filtrait entre les volets clos et, en bas, on avait arrêté l'horloge. Benjamin se sentait vide, maintenant, et comme absent de cette pièce où il s'était passé quelque chose qu'il ne comprenait pas. Il descendit avec Marie, salua celles et ceux qui venaient veiller le défunt, répondit vaguement à leurs condoléances, ne put réussir à manger. Il demeura un long moment face à Elina qui, depuis deux jours, avait eu le temps de se faire à l'idée de cette disparition et paraissait étrangement résignée. Pourtant sa voix trembla quand elle lui dit que l'enterrement était prévu pour le lendemain.

— On ne pouvait pas attendre un peu? demanda-t-il.

— Non. Il fait trop chaud en cette saison.

Il voulut remonter pour veiller, jugeant qu'il restait peu de temps avant... avant... Il se refusa à prononcer dans sa tête le mot qu'il redoutait, se leva, regagna la chambre, s'assit près du lit, indifférent aux femmes qui priaient à mi-voix. Il s'assoupit un peu, fut réveillé par la sensation d'un danger immédiat, reprit conscience du lieu où il se trouvait. La même poigne d'acier qui l'avait fouaillé sur le port, de nouveau, se referma sur son ventre. Il s'aperçut qu'il était seul, maintenant, avec Elina et Marie. Il se pencha une nouvelle fois sur le visage tant aimé qu'éclairait la chiche lueur de la bougie.

— Tu devrais aller dormir un peu, dit Marie.

Il fit un signe négatif de la tête. Quelque chose en lui s'y refusait. Il lui semblait que la fragilité de Victorien nécessitait sa présence. Son père avait besoin de lui. Il ne devait pas l'abandonner, mais plutôt l'accompagner dans ce nouveau voyage. Il revécut sa première descente sur la capitane, entendit la voix de son père qui disait :

— Regarde bien comment il faut tenir le gouvernail.

Et aussi, à Libourne, près du port :

— Dès que tu seras grand, nous nous établirons marchands.

Quelque chose en lui se révulsa : comment, après tant de pas effectués ensemble, leurs routes pouvaient-elles se séparer ? Il eut une sorte de plainte, posa sa tête sur l'épaule de son père et finit par s'endormir, épuisé.

Le lendemain, pendant la matinée, il alla couper un morceau de gouvernail de l'*Elina*, le posa près du corps, dans le cercueil. A midi, il mangea à peine, soucieux de rester le moins de temps possible éloigné de son père. Au début de l'après-midi, avant que ne se referme le couvercle, il demanda à demeurer seul quelques minutes avec lui pour lui parler une dernière fois, mais il ne put murmurer que ces quelques mots :

— Ne m'oubliez pas.

Il l'embrassa et ne put se résoudre à descendre. Marie dut venir le chercher, afin qu'il s'habille avant la cérémonie.

— Il m'aurait jamais laissé seul, lui ! cria-t-il, fou de douleur, tandis qu'elle essayait de l'entraîner maladroitement dans l'escalier.

Il ne s'aperçut pas combien il faisait beau, cet après-midi-là, dans la vallée. Il marcha derrière le corbillard au bras d'Elina avec, toujours ancrée au fond de lui, la sensation d'une lâcheté, d'un abandon. Quand tout fut terminé, il voulut rentrer seul le long de la rivière. L'eau était grise, les arbres d'un vert sombre, le ciel d'un bleu délavé. C'était bien ce qu'il avait pressenti dans la chambre, là-haut, près de Victorien endormi : le monde, désormais, ne serait plus jamais ce qu'il avait été.

6

Ce mois de décembre était lourd de brumes et de pluies. Le froid n'avait pas encore planté ses dents d'acier dans la terre qui sentait toujours les feuillages déchus. Le soir du 3, en rentrant au port, Benjamin avait appris de la bouche même de Marie le coup d'Etat de Louis Napoléon. Refusant d'y croire, il s'était rendu à Souillac, à la nuit, pour y lire l'affiche où figurait le décret du Prince. Il dut se rendre à l'évidence : ce qu'il redoutait depuis longtemps était arrivé : l'Assemblée nationale était dissoute, l'état de siège était proclamé, tous les pouvoirs étaient confiés aux préfets qui devaient assurer le maintien de l'ordre. Le décret était daté du 2 décembre.

Benjamin n'était pas seul à trembler de rage dans cette nuit froide et funeste : Vivien, converti par Pierre Bourdelle, à Bordeaux, aux idées républicaines, se tenait à ses côtés. Au retour, incapables d'aller se coucher, ils avaient discuté toute la nuit, se demandant si les campagnes allaient se révolter, s'interrogeant sur les moyens d'agir. Le lendemain, ils avaient testé les hommes sur le port, mais ils avaient compris que la peur régnait dans les cœurs et dans les foyers. Deux gendarmes ne cessaient de patrouiller sur le quai et dispersaient le moindre attroupement.

A huit heures, le soir du 4, des coups résonnèrent contre la porte, alors que Marie, Elina, Benjamin et les enfants étaient en train de manger — depuis la mort de Victorien, Benjamin et Marie habitaient chez Elina, ayant laissé Vincent, Vivien et sa femme dans la maison des Paradou.

— N'ouvre pas ! dit Marie à Benjamin qui se levait.

Il hésita, alla décrocher le fusil suspendu au-dessus de la cheminée, s'approcha de la porte, demanda :

— Qui est-ce ? Qu'est-ce que vous voulez ?

— Je viens de la part de Pierre, dit une voix qu'il ne connaissait pas.

— Qu'est-ce qui me le prouve ?

Il y eut un instant d'hésitation derrière la porte, puis la voix répondit :

— Il m'a donné un mot de passe : Duguay-Trouin.

— Une seconde ; j'ouvre.

Benjamin fit jouer la clé dans la serrure, entrouvrit, aperçut un homme au visage émacié, très noir, aux cheveux drus, qui lui donna un billet plié en quatre et dit :

— J'entre pas, c'est trop dangereux. Il faut que je reparte tout de suite.

Et, avant même que Benjamin ait esquissé un geste pour le retenir, il se fondit dans l'obscurité.

Benjamin avança de quelques pas dans la direction où l'homme était parti, mais renonça rapidement. Il fit demi-tour, ferma soigneusement la porte derrière lui, vint s'asseoir sous la lampe, déplia le billet sous le regard inquiet de Marie. C'était bien un billet de Pierre. Il n'avait écrit que quelques mots, mais Benjamin comprit que ces mots étaient graves, pour lui comme pour sa famille :

« Viens vite à Marmande.
Toute la ville a pris les armes.
Vive la République ! »

Marie, qui avait lu en même temps que Benjamin, se recula brusquement et dit dans une plainte :

— Tu ne vas pas partir !

Les enfants se demandaient ce qui se passait et ressentaient la tension qui régnait dans la pièce. Devinant que Benjamin et Marie avaient besoin d'être seuls, Elina, malgré leurs protestations, accompagna Emilien et Aubin dans leur chambre. Benjamin, qui n'avait pas répondu à la question angoissée de Marie, la regardait fixement tout en réfléchissant.

— Ecoute, fit-il en essayant de lui prendre la main.

Elle sursauta, comme au contact d'une flamme. Son corps tout entier n'était que refus à ce qu'elle devinait d'inévitable. Il soupira, reprit en s'efforçant de rester calme :

— L'Assemblée est dissoute. L'état de siège est proclamé à Paris. Les républicains sont en prison. L'empire est pour bientôt.

— Ça m'est égal, dit Marie.

Et, comme si ces quelques mots étaient impuissants à traduire cette angoisse folle qui faisait monter des larmes dans ses yeux :

— Je t'ai déjà perdu pendant six ans. Si tu t'en vas, cette fois-ci, je ne...

Imaginant le pire, la prison, la mort, peut-être, elle ne put poursuivre mais trouva une défense plus sûre, l'instant d'après, en demandant :

— Et les enfants, tu y penses ?

Il y eut un long silence durant lequel le regard de Benjamin ne se déroba pas, au contraire. La fermeté de sa voix surprit Marie lorsqu'il répondit :

— Justement. C'est à eux que je pense.

Elle comprit que ce combat était perdu d'avance, ne songea même pas à se battre quand il reprit :

— Je veux qu'ils vivent libres sur le fleuve. Libres et fiers, sans avoir peur de rien ni de personne.

— N'avons-nous pas été heureux quand même ?

— Louis-Philippe, ce n'était déjà plus un roi. Et ce n'est pas de royauté qu'il est question, mais d'empire.

Il se tut, reprit d'une voix qui vibrait de colère :

— L'empire, c'est la guerre ou la prison. Il nous prendra tous nos enfants.

— Mais qu'y changeras-tu ? Personne, ici, n'a osé élever la voix. Que feras-tu, tout seul ?

— Je ne serai pas seul, si je vais à Marmande.

Marie baissa la tête, comprenant qu'il avait pensé à tout. Pourtant, elle dit encore, cherchant une dernière défense :

— Parles-en au moins à mon père et à Vivien.

— C'est ce que je vais faire.

Un peu d'espoir revint à Marie qui se dit que Vincent, peut-être, saurait le retenir.

— Je sors par derrière, fit Benjamin, il vaut mieux.

Il ajouta, plus bas, esquissant un sourire :

— Tu devrais aller te coucher.

Elle ne répondit pas, s'indigna seulement devant Elina dès qu'elle redescendit. Mais celle-ci lui dit avec résignation :

— Ils peuvent être arrêtés ici, sans même avoir tenté quoi que ce soit. Ecoute, ma fille, il vaut peut-être mieux qu'ils s'en aillent.

— Et nous ?

— Nous avons toujours été seules.

Elina prit les mains de Marie, ajouta :

— Empêcher un homme de se battre pour ses idées, c'est le plus sûr moyen de le perdre. Tu comprends ?

Marie hocha la tête, tandis que la vague de révolte qui avait déferlé en elle refluait lentement, douloureusement. Elle ne trouvait plus rien à dire, ne luttait plus. Pendant la demi-heure où Benjamin fut absent, Elina continua de la rassurer, y parvint, ou presque, tant elle avait l'habitude, mais aussi le pouvoir, de ranimer chez les êtres les flammes qui vacillaient.

Quand Benjamin fut de retour, Marie fut à peine surprise de l'entendre dire que Vivien partait avec lui et que Vincent était d'accord. Elle songea qu'ils avaient dû envisager cette éventualité depuis longtemps. Ils s'en iraient avant le jour sur l'*Elina* jusqu'à Sainte-Foy-la-Grande. Ils abandonneraient le bateau dans le port et gagneraient Marmande par la route. Vincent récupérerait l'*Elina* à la remonte lors du prochain voyage si Benjamin et Vivien n'étaient pas rentrés d'ici là. Un lourd silence s'installa quand Benjamin se tut. Craignant d'avoir à répondre encore aux arguments de Marie, il prépara son sac, tandis que Marie et Elina demeuraient désœuvrées, face à face, près du feu.

— Le mieux est d'aller se coucher, dit Benjamin lorsqu'il eut terminé. Ça ne sert à rien de toujours parler des mêmes choses. Il vaut mieux se reposer avant demain.

Il couvrit le foyer, Elina souffla la lampe, et tous trois montèrent dans leur chambre.

Une fois allongés côte à côte dans leur lit, ni Marie ni Benjamin ne purent trouver le sommeil. Il respirait calmement, mais elle sentait qu'il ne dormait pas. Elle se rapprocha de lui, et il ne la repoussa pas, au contraire. Comme elle, il songeait qu'ils ne se reverraient peut-être pas avant longtemps, et comme elle il souhaitait que cette nuit fût celle dont ils garderaient le souvenir si le destin, de nouveau, les séparait.

Au matin, Benjamin partit bien avant le jour, après avoir expliqué à Marie qu'il irait aborder à une petite anse qu'il connaissait à la sortie du pas du Raysse et qu'il attendrait là le lever du soleil. Il ne put s'opposer à ce qu'elle l'accompagne un peu sur le chemin du port, mais elle n'eut pas le courage d'aller jusqu'au quai. Elle avait froid. Elle avait peur. Et surtout elle craignait de le retenir au dernier moment, alors qu'elle avait promis à Elina de le laisser partir.

— Embrasse-moi, dit-elle en le retenant par le bras.

Il l'enlaça, et elle se pressa follement contre lui à la pensée que c'était peut-être la dernière fois. Alors, d'un élan où elle mit toute son énergie, elle le repoussa brusquement et s'enfuit dans la nuit.

Grâce à leur parfaite connaissance de la rivière, ils n'avaient pas rencontré de difficultés pour passer le pas du Raysse, malgré le brouillard et l'obscurité. Vivien à la proue, Benjamin tenant le gouvernail comme à son habitude, ils avaient entamé la descente dès le lever du jour et brûlé les étapes pour arriver plus vite. Le bateau n'étant pas chargé, ils avaient mis moins de temps qu'à l'ordinaire pour accoster au quai de Sainte-Foy où ils avaient solidement amarré l'*Elina*. Là, ils avaient pris une voiture de roulier pour se rendre à Marmande dont ils avaient franchi la porte à la tombée de la nuit, le lendemain de leur départ.

Dès leurs premiers pas dans les rues, ils avaient été surpris par l'atmosphère enfiévrée qui régnait dans la ville. Comme nul ne les connaissait, deux gardes nationaux armés jusqu'aux dents les avaient emmenés devant la commission provisoire qui gérait le soulèvement et dont Pierre était l'une des têtes. Il fut ravi de ces renforts sur lesquels il ne comptait guère, ne sachant si son émissaire avait pu remplir sa mission. Il entraîna ses deux amis à l'écart, fit devant eux le point de la situation : le soulèvement avait chassé le sous-préfet de Marmande le 5 et avait élu une commission qui avait nommé commandant des gardes nationaux un ancien chef d'escadron qui s'appelait Peyronny. Des émissaires avaient été envoyés à Nérac, Villeneuve, La Réole, Bordeaux. Si leur action n'avait pas encore donné de résultats positifs à Bordeaux, le soulèvement avait réussi à Nérac, dont les révoltés faisaient route vers Agen. On ignorait encore ce qui se passait à Villeneuve et à La Réole, mais Pierre avait bon espoir de voir d'autres troupes rejoindre Marmande dans les jours qui venaient.

— Comme vous le constatez, ajouta-t-il, notre ville est une véritable place forte. Et nous savons qu'il se passe la même chose dans les Landes, le Lot, le Gers, la Dordogne. Le soulèvement est une immense vague qui va tout emporter sur son passage.

Benjamin et Vivien eurent beau assurer qu'ils n'avaient rencontré aucune agitation dans les villes et les bourgs pendant leur voyage, ils ne réussirent pas à tempérer l'enthousiasme de l'avocat qui les emmena sur la place noire de monde, où un officier leur remit deux mousquets et des cartouches. Après quoi, Pierre les quitta pour aller faire face à ses responsabilités, qui étaient multiples. Ils se fondirent alors dans la foule où couraient les bruits les plus divers : certains prétendaient que les révoltés de Nérac avaient été arrêtés à Agen, d'autres que les gardes nationaux de Villeneuve allaient arriver d'une minute à l'autre, d'autres, enfin, que les républicains avaient pris le contrôle de villes telles que Lyon, Toulouse et Marseille. A Marmande même, où Vivien et Benjamin cherchaient un coin tranquille pour se reposer, la foule était agitée par des mouvements de panique ou de brusques élans d'exaltation qui frisaient la folie.

Ils trouvèrent refuge dans l'échoppe d'un cordonnier

à qui Pierre les avait recommandés. Ils y passèrent la nuit sur deux paillasses, mais ne purent dormir plus de deux heures, tellement il y avait de bruit dans la rue. Dès le lendemain matin, ils essayèrent de voir Pierre, afin de savoir ce qu'il y avait de vrai dans les nouvelles qui affluaient, mais ils n'y réussirent pas. Ils mangèrent dans une sorte de cantine installée à la hâte sur des planches, reprirent leurs recherches, durent présenter les armes à un officier qui les réquisitionna jusqu'à cinq heures de l'après-midi. De nouveau libres, ils parvinrent à trouver l'avocat au bout d'une heure. Celui-ci, épuisé, leur apprit qu'un escadron d'infanterie remontait la Garonne depuis Bordeaux, tandis qu'un escadron de cavalerie, lui, progressait vers Marmande par la route. L'heure de vérité allait sonner. Il leur recommanda de prendre garde à eux et, de nouveau, les quitta.

Un peu plus tard, le tocsin appela à l'alerte générale. Benjamin et Vivien regagnèrent la place où ils se rangèrent sous les ordres. Leur colonne prit la route de Sainte-Bazeille, un petit bourg qui se trouvait en aval de Marmande, sous le commandement de Peyronny. Malgré le froid, les hommes chantaient, tiraient des coups de fusil, s'interpellaient comme à l'occasion d'une fête. Cette insouciance désordonnée parut de mauvais augure à Benjamin qui en fit part à Vivien. Celui-ci s'inquiétait surtout de ne pas apercevoir Pierre, d'autant que la pleine lune éclairait la vallée où la Garonne creusait un sillon lumineux. Benjamin finit par entraîner Vivien vers la tête de la colonne où ils aperçurent enfin leur ami qui se trouvait aux côtés de Peyronny. Cette présence les rassura. Se laissant glisser vers l'arrière à la place qui leur avait été assignée, ils marchèrent côte à côte en évitant de se poser des questions et en rassemblant leur courage : il était clair, en effet, que l'on allait livrer bataille.

A trois heures du matin, un peu avant Sainte-Bazeille, le brouillard se leva et noya la vallée en quelques minutes. La colonne était arrivée à l'embranchement de deux chemins. Celui de gauche se dirigeait vers Couthures, celui de droite vers Castelnau. Le commandant décida de laisser sur place un peloton pour garder la route de gauche, et il s'engagea avec le reste de la colonne sur le chemin de droite. Vivien et Benjamin étaient de ceux qui avançaient au-devant des troupes gouvernementales, ainsi que Pierre, d'ailleurs, qui les encouragea en passant près d'eux. Cinq minutes ne s'étaient pas écoulées que le martèlement d'une cavalerie se fit entendre au fond de la nuit. La colonne s'arrêta, se déploya sur une ligne, jusque dans les champs. Vivien et Benjamin, côte à côte, avaient mis un genou à terre et attendaient les ordres en ayant épaulé leur mousquet. Au « Qui vive ? » poussé par Peyronny, répondit une grêle de balles.

— Feu ! Feu ! cria le commandant.

Un bref échange succéda à son cri, puis il n'y eut plus que les plaintes des blessés dont les corps étaient restés sur le terrain, là-bas, à quelques dizaines de mètres. Quand la fumée se dissipa, les révoltés s'aperçurent qu'ils n'avaient pas tiré sur la cavalerie, mais sur un détachement de gendarmes venu, sans doute, de La Réole. Entre les corps, des chevaux blessés hennissaient de douleur. Alors un vent de panique se mit à souffler sur la colonne de Peyronny dont la plupart des hommes n'avaient jamais connu le feu. Jetant leurs fusils dans les fossés, ils partirent en courant, convaincus d'être devenus des assassins.

Aidé par Benjamin, Pierre essaya de les retenir, mais en vain. Peyronny donna l'ordre de continuer sur Castelnau avec les deux cents hommes restants, mais Pierre s'y opposa. Selon lui, il serait plus facile de résister à la cavalerie à l'intérieur de Marmande. La colonne se scinda en deux. Benjamin et Vivien retournèrent dans la ville où ils furent affectés à la surveillance de la porte nord. Ils ne reconnurent pas les rues de la ville qui, maintenant, paraissaient frappées de stupeur. Pourtant Pierre espérait encore, haranguait ses soldats, allait de l'un à l'autre, hagard et halluciné, pris par l'excitation de la poudre et de la mort.

Une longue nuit s'écoula dans l'attente et l'inquiétude. Benjamin et Vivien furent relevés au petit jour par deux gardes nationaux au regard hébété, qui semblaient n'aspirer qu'à une seule chose : dormir. Une rage sourde habitait Benjamin. Il n'acceptait pas ce manque de courage, alors qu'il venait de loin, lui, pour défendre la République et les idées auxquelles il croyait. Il avait tout quitté, il avait pris des risques, avait failli mourir, et il sentait se refermer sur lui les dents d'un piège redoutable. Le tocsin se mit à sonner, appelant les volontaires, mais peu nombreux furent ceux qui osèrent reprendre les armes après les événements de la nuit.

A midi, tandis que Vivien et Benjamin mangeaient du pain et du lard un peu à l'écart, à l'ombre d'un mur, Pierre vint les trouver, désespéré.

— J'ai de mauvaises nouvelles, dit-il en s'asseyant près d'eux. Les hommes de Peyronny se sont débandés. L'infanterie a rejoint la cavalerie à Sainte-Bazeille. Elles marchent vers Marmande.

Sa voix tremblait. Il avait des larmes dans les yeux.

— Partez tant qu'il est temps, dit-il, tout est perdu.

— Et toi ? demanda Benjamin, que feras-tu ?

— Moi, je suis d'ici. Marmande, c'est chez moi.

— Nous ne partirons que si tu viens avec nous, dit Benjamin.

— C'est moi qui ai lancé tout ça. Tant qu'il restera un ou deux hommes en armes dans cette ville, je me devrai d'être au milieu d'eux.

Il ajouta, prenant Benjamin par les épaules :

— Pense à Marie. A tes enfants. Il est encore temps.

Benjamin, qui avait envie de crier sa révolte et sa colère, ne pouvait se résoudre à partir. Il n'était que refus. Entêtement. Fureur. Il dévisageait Pierre qui, comme lui, tremblait, et il demeurait immobile comme un rocher sur lequel s'acharne la tempête. Pierre, alors, se tourna vers Vivien, supplia :

— Dis-le-lui, toi, qu'il faut partir. Je t'en prie ! Emmène-le !

Vivien se leva, s'ébroua comme sous une averse, prit le bras de Benjamin en disant :

— Allons ! Viens ! Il faut partir !

Et, comme Benjamin ne bougeait toujours pas :

— Pense à Marie. Six ans, ça suffit !

Il prit Benjamin par les épaules, le mit debout. Pierre les embrassa, s'écarta, évitant le regard de Benjamin qui ne pouvait se décider à abandonner son ami. Vivien l'aida à faire le premier pas et l'entraîna sur la route défoncée par l'hiver. Ni l'un ni l'autre ne pouvaient savoir, en cet instant terrible, qu'ils ne se verraient plus jamais.

A trois heures, cet après-midi-là, tandis que les deux fuyards traversaient les champs et les bois en direction de Sainte-Foy-la-Grande, la troupe entra dans Marmande sans la moindre résistance. Les dénonciations et les visites domiciliaires commencèrent aussitôt. Pierre n'y échappa point. D'ailleurs il ne fit rien pour fuir. Il demeura seul dans la salle de la mairie, jusqu'au bout. C'était là qu'il avait pris le pouvoir, c'est là qu'il allait le rendre. Il fut arrêté à quatre heures, lançant un dernier défi dans le cri qu'il retenait depuis le début de l'après-midi : « Vive la République ! »

Vivien et Benjamin, eux, réussirent à gagner Sainte-Foy à la faveur de la nuit. Ils avaient dû, pour cela, se cacher dans les fossés, éviter les routes peuplées de gendarmes et s'écarter des villages. Une fois dans la ville, malgré les patrouilles, ils parvinrent à se faufiler dans les ruelles et montèrent sur le pont de l'*Elina* où ils se couchèrent tout habillés, protégés du froid par une couverture. Ils n'eurent même pas le temps de plonger dans la Dordogne quand les gendarmes surgirent, cinq minutes après leur arrivée. Garrottés comme des criminels, ils furent emmenés dans la prison de cette ville qui avait tant de fois été pour eux, à la descente comme à la remonte, un symbole de leur liberté.

A Souillac, Marie, Elina et Elise attendaient vainement des nouvelles depuis plusieurs jours. Vincent les rassurait comme il pouvait, mais, à mesure que le temps passait, il se trouvait à bout d'arguments et il se réfugiait sur le port où il préparait les bateaux pour la prochaine descente. C'est à peine si Marie trouvait la force, chaque matin, de se rendre à l'école, tellement elle était préoccupée. A ses yeux, rien ne justifiait cette absence de nouvelles. Elle était persuadée qu'il était arrivé un malheur. Aussi, la veille au soir, avait-elle demandé à Vincent de l'emmener à Sainte-Foy avec la capitane. Il lui avait promis de l'y conduire dans deux jours s'ils n'avaient rien appris d'ici là.

Il faisait un temps gris et froid, ce soir-là, et la nuit était tombée depuis longtemps quand on frappa à la porte des Donadieu. Marie était en train de dîner avec Elina et les enfants, qui ne cessaient de poser des questions sur leur père — surtout Aubin à qui, du haut de ses huit ans, il était difficile de cacher quoi que ce fût.

— J'y vais, dit Elina.

Marie ne chercha pas à l'en empêcher : elle préférait entendre n'importe quoi plutôt que de rester dans cet état d'incertitude où ses forces se consumaient. Elina ne demanda même pas qui frappait, à cette heure, et ouvrit sans hésiter. Les gendarmes étaient deux : un grand moustachu aux yeux couleur de châtaigne et un petit brun, sec et nerveux, dont les sourcils étaient agités de tics. Marie reconnut ceux qui surveillaient le port à longueur de journée, se leva.

— C'est bien ici, chez Donadieu ? demanda le petit dont les yeux vifs et noirs inspectaient la pièce tandis qu'il dépliait une feuille de papier.

— Oui, c'est ici, dit Elina.

— Et chez Paradou ?

— Un peu plus loin, sur la droite.

Ils savaient très bien où habitait Benjamin et où habitait Vivien. Marie comprit que ce luxe de précautions précédait une communication officielle. Un instant elle crut que Benjamin était mort, et ce fut comme si tout le froid de l'hiver entrait dans la maison. Puis elle entendit avec soulagement le brigadier déclarer :

— Je suis chargé de vous informer que Benjamin Donadieu a été arrêté le 7 décembre après avoir porté les armes contre le Prince Président. Il a été de ce fait emprisonné à Marmande afin d'être jugé ultérieurement en conseil de guerre.

Il reprit son souffle, ajouta avec une apparente satisfaction :

— Vous n'aurez pas d'autres nouvelles d'ici là. Il vous est interdit de lui rendre visite.

Un lourd silence tomba. Marie avait saisi Aubin par les épaules à l'instant où il s'était dressé, prêt à bondir. Quant à Emilien, il ne comprenait pas très bien ce qui se passait.

— Et Vivien Paradou ? demanda-t-elle d'une voix défaite.

Elle ajouta aussitôt, comme le gendarme hésitait :

— C'est mon frère.

— Ils ont été arrêtés ensemble et sont ensemble en prison.

De nouveau, un silence glacé s'installa. Les gendarmes se consultèrent du regard, puis ils saluèrent et sortirent après avoir jeté un dernier coup d'œil soupçonneux dans la cuisine. Elina referma la porte, vint s'asseoir, accablée.

— Pourquoi mon père est en prison ? demanda Emilien.

— Il n'est pas en prison, répondit Marie, ce n'est rien, il va revenir bientôt.

Et, s'adressant à Aubin :

— Allez vous coucher, c'est l'heure. Emmène ton frère, dépêche-toi.

Comme Aubin protestait, Elina les accompagna dans leur chambre. Dès qu'elle redescendit, elle dit à Marie qui tremblait, maintenant, de tous ses membres :

— Il faut aller chez Vincent. Elise doit avoir besoin de nous.

Elles attendirent quelques minutes, le temps que les enfants s'endorment, puis elles sortirent dans la nuit battue par le vent d'ouest. Bizarrement, Marie se sentait presque soulagée. Certaines nuits, en effet, cherchant vainement le sommeil, elle avait imaginé Vivien et Benjamin morts ou agonisant sans aucun secours, et il lui était arrivé de penser qu'elle ne les reverrait plus. Donnant le bras à Elina, elle marchait avec hâte, baissant la tête pour se protéger du froid, heureuse de pouvoir compter sur cette présence précieuse entre toutes.

Elles arrivèrent dans la maison des Paradou juste

après le départ des gendarmes. Vincent, qui s'attendait à leur visite, leur ouvrit la porte avant qu'elles ne frappent. Elles entrèrent, aperçurent Elise près de la cheminée. Elina s'approcha, la prit par les épaules, lui parla doucement. Marie, elle, s'assit face à son père, de part et d'autre de la table qui avait été celle du bonheur. Marie trouva Vincent vieilli, soudain, comme si le fait d'être désormais le seul homme dans la maison lui conférait des responsabilités qu'il n'était pas capable d'assumer.

Il soupira, demanda :

— Alors, que va-t-on faire ?

— On va continuer, répondit Marie. Il nous reste les équipages. Avec eux, on peut voyager. Je viendrai avec toi sur le bateau. Tu m'apprendras.

Elle avait parlé d'une traite, très vite, comme si ces mots avaient été prêts à jaillir depuis longtemps. Elle s'en rendit compte, songea que ce n'était pas la réponse que Vincent, préoccupé par le sort de Benjamin et de Vivien, attendait, et elle reprit :

— De Sainte-Foy, à la remonte, je partirai pour Marmande. Toi, tu ramèneras les bateaux à Souillac.

Elle se tourna vers Elina, guetta une approbation qui vint avec un sourire.

— Tu as raison, ma fille, on ne peut pas rester sans travailler. Les hommes d'équipage doivent vivre. Eux aussi ont une famille.

Elle ajouta, s'adressant à Elise, dont la fragilité, dans l'épreuve, devenait pitoyable :

— Ne nous inquiétons pas sans savoir ce qui s'est exactement passé. Si ça se trouve, dans deux semaines nos hommes seront là.

Personne ne répondit. Tous savaient parfaitement que la situation était bien plus grave que cela. Elina ne se découragea pas pour autant : l'espérance était chez elle une seconde nature.

— Je suis sûre qu'ils n'ont tué personne, reprit-elle, on ne pourra pas les garder en prison bien longtemps.

Marie se taisait. Après un sursaut de courage, la perspective d'une longue séparation, maintenant, l'accablait. Comme elle ne voulait le montrer ni à son père ni à Elise, elle s'approcha de la porte en disant :

— Les enfants sont seuls. Il faut rentrer.

Elina embrassa Elise puis la suivit. Elles marchèrent en silence, mesurant maintenant le poids de cette nouvelle solitude dans laquelle elles étaient entrées. Une fois chez elles, elles se séparèrent sur le palier sans trouver la force d'ajouter quoi que ce soit.

Quand elle fut seule dans son lit, Marie laissa couler les larmes qu'elle avait retenues jusqu'alors et chercha vainement le sommeil. Elle décida de se rendre à l'école le lendemain pour avertir l'abbé qu'il ne pourrait plus compter sur elle. Puis elle se vit debout à l'arrière de la capitane, le gouvernail dans les mains, et cette image, en demeurant longtemps devant ses yeux, finit par l'apaiser. Elle s'endormit.

Au réveil, elle redevint celle qui avait combattu courageusement pendant les six ans durant lesquels Benjamin avait été absent. Elle partit pour Souillac, bien décidée à ne pas écouter le discours de l'abbé s'il tentait de la retenir. Elle n'eut pas à le chercher. Il l'attendait devant la porte.

— Vous ne pouvez plus venir ici, ma fille, dit-il d'une voix désolée. C'est fini. Il faut rentrer chez vous.

Marie aperçut les gendarmes derrière le portail, et les élèves qui regardaient dans sa direction en se demandant ce qui se passait. « Heureusement que je n'ai pas amené Aubin », songea-t-elle, tandis qu'une chape glacée tombait sur ses épaules. Pourtant, l'instant d'après, un sursaut de révolte la fit se rebeller.

— C'est moi qui ne veux plus venir chez vous, fit-elle avec un orgueil qui lui parut déplacé devant la bonté placide de l'abbé.

— Je comprends, ma fille, dit-il, et je prierai pour vous.

Elle fit brusquement volte-face et, dès qu'elle eut disparu au coin de la rue, elle se mit à courir pour s'arracher à cette honte qui l'avait saisie devant ses élèves et qui, maintenant, au fur et à mesure qu'elle traversait les prairies, se muait en une colère terrible et farouche. Elle sentit que cette rage ne cesserait de l'animer tout au long du combat dans lequel, malgré elle, elle venait d'être précipitée.

Benjamin était d'autant plus inquiet sur son sort qu'on l'avait séparé de Vivien. Noël était passé sans que le moindre espoir de libération vînt éclairer les journées interminables durant lesquelles il mesurait combien il avait été fou de se lancer dans un combat perdu d'avance. Il avait beaucoup pensé à Marie et à ses enfants, criant parfois, la nuit, sa révolte et son impuissance. Aujourd'hui, un mois après son arrestation, il était tombé dans une sorte d'abattement de bête malade, et demeurait allongé tout le jour.

Dès qu'il fermait les yeux, il se revoyait à la barre de l'*Elina*, sur la Dordogne, dans un de ces matins de printemps qui incite à appareiller pour le bout du monde. Car il avait surtout besoin d'espace, dans cette cellule de quatre mètres sur quatre où ils étaient huit à croupir misérablement. L'immobilité à laquelle il était contraint le rendait irritable et parfois fou furieux : il lui arrivait de se battre avec ses compagnons, tous de Marmande ou des alentours, avant de retomber dans sa torpeur.

Les prisonniers savaient par les gardiens que le conseil de guerre siégeait en permanence, et qu'ils ne seraient même pas entendus. D'ailleurs, quelle aurait pu être leur défense, puisqu'ils avaient tous été reconnus comme ayant fait partie de ceux qui avaient pris les armes contre Louis Napoléon ? Les accusateurs ne manquaient pas. L'officier qui faisait office de procureur en avait rassemblé des dizaines. Au besoin, on avait même fabriqué des faux témoins qui réglaient des comptes avec d'anciens amis à qui, le plus souvent, ils devaient quelque argent. Au milieu de tant de haine, Benjamin espérait, sans trop y croire, une visite de Marie ou de Vincent. Comme son attente demeurait vaine, il s'attachait à l'idée de s'évader à la première occasion, et il échafaudait dans sa tête toutes sortes de plans propices à une fuite nocturne vers la Garonne, où il trouverait à se cacher parmi les bateliers.

Il crut cette occasion venue le 10 janvier, quand les

soldats rassemblèrent tous les prisonniers dans la cour. Mais, lorsqu'ils furent alignés en colonne, garrottés, surveillés par des gendarmes et des soldats en armes, il comprit qu'il ne lui serait pas facile de s'échapper. Alors, une fois qu'ils eurent pris la route, dans cet hiver gris et froid qui avait hersé la campagne à perte de vue, il ne songea plus qu'à faire provision d'air pur, d'espace et de lumière.

Dans les villages où les curieux considéraient les prisonniers comme des criminels, il repoussa la honte qui, souvent, s'insinuait en lui, pour ne songer qu'à emplir son corps de sensations qu'il savait vitales. Toute son existence, ou presque, s'était jusqu'alors passée en voyages, sur l'eau et dans le vent. L'espace lui était aussi nécessaire que l'oxygène de l'air. Tout en marchant, il aspirait profondément de grandes bolées fraîches, levait la tête vers le ciel jusqu'à s'aveugler de lumière, respirait insatiablement ces odeurs de granges et d'âtres que le vent ramenait parfois jusqu'à lui.

Tous les villages qu'ils traversaient, au demeurant, n'étaient pas hostiles. Quelques encouragements fusaient de temps en temps d'une porte, d'une fenêtre où l'on ne voyait personne. Quelquefois aussi, une femme, assise sur un seuil, faisait le signe de la croix et plaignait les prisonniers à voix haute. A la sortie des villages, les enfants suivaient la colonne pendant quelques centaines de mètres en poussant des cris et en se moquant des hommes attachés les uns aux autres comme du bétail au retour d'une foire.

Tout cela n'était rien en comparaison de ce qui attendait Benjamin dans la prison d'Eysses, une bourgade où il fut enfermé avec des condamnés de cour d'assises. Là, des centaines d'honnêtes républicains durent cohabiter avec des repris de justice rongés par le vice et le crime. Là, également, le 20 janvier, Benjamin apprit qu'il avait été condamné à la déportation en Algérie et que, pour la deuxième fois de sa vie, on allait lui voler sa vallée, sa rivière, le priver pour de longs mois de la présence de ceux qu'il aimait.

7

Grâce à son père, il n'avait pas fallu plus de trois mois à Marie pour apprendre à naviguer. Si bien qu'en ce matin d'avril elle tenait elle-même le gouvernail de l'*Elina* avec assurance, tandis que Vincent, debout à côté d'elle, la gratifiait de ses ultimes conseils. C'était durant ces moments-là qu'elle pensait le plus à Benjamin, car il lui suffisait de fermer les yeux pour l'imaginer près d'elle, comme à l'occasion de leur merveilleux voyage, l'an passé, à peu près à la même époque.

Un mois auparavant, elle avait appris par l'aubergiste de Bordeaux que Benjamin, après avoir été emprisonné à Marmande, se trouvait maintenant à Eysses. Vivien, lui, était enfermé au fort du Hâ depuis trois semaines. L'aubergiste ne lui avait guère donné d'espoir quant à leur éventuelle libération. Depuis que le conseil de guerre siégeait, de nombreuses déportations ou expulsions du territoire avaient été prononcées. On le savait par les gardiens de prison et les soldats favorables à la République, bien qu'ils fussent peu nombreux. On savait également que certains prisonniers avaient été libérés sous surveillance et assignés à résidence. C'était à cette idée-là que Marie s'attachait, surtout la nuit, quand elle se sentait trop seule et que brasillait en elle le souvenir des six ans durant lesquels elle avait vécu loin de Benjamin. Au plus fort de son désespoir, après avoir longtemps cherché comment lui venir en aide, elle avait songé à Emeline, dont les relations dans les milieux du pouvoir lui permettraient sans doute de le sauver. Depuis, chaque nuit, une voix murmurait dans l'ombre : « 42, rue Sainte-Catherine » ; et Marie, sans en parler à qui que ce soit, pas même à Elina, avait décidé de se rendre à Bordeaux. Elle en mourait de honte à l'avance, se disait qu'elle n'aurait jamais effectué une telle démarche pour elle-même, mais pour Benjamin elle était capable d'affronter n'importe quelle épreuve. De Libourne, elle prendrait une voiture jusqu'à Bordeaux (car personne parmi les matelots n'était capable de passer le bec d'Ambès) et Vincent l'attendrait avant d'entamer la remonte.

Ce matin-là, la patte griffue de l'hiver crissait encore sur l'air cassant comme du verre. Le soleil, bien que haut, manquait de cette force que le mois de mai lui délivre en une journée, pour peu que le vent tourne au sud. L'*Elina* arrivait en vue de Libourne, précédant de quelques dizaines de mètres la capitane pilotée désormais par Roussel, elle-même ouvrant la route à la seconde conduite par Vidal. Marie s'était rendu compte que les hommes n'appréciaient guère sa présence sur les bateaux. Aussi avait-elle décidé, en accord avec Vincent, de les regrouper sur la capitane et sur la seconde, tandis qu'elle-même, son père et le mousse voyageraient sur l'*Elina*. Cette découverte l'avait désagréablement surprise, mais, en y réfléchissant, elle avait compris qu'elle se heurtait à une tradition séculaire et s'était dit que le mieux était de ne pas s'en soucier. D'ailleurs, l'épreuve qu'elle traversait lui faisait paraître dérisoires les problèmes du quotidien, et elle savait qu'elle aurait besoin de toute son énergie pour mener à bien ses projets.

Elle n'avait encore jamais accosté seule au quai de Libourne. Elle hésita à donner le gouvernail à son père, puis, songeant qu'elle avait décidé de mener seule l'*Elina* lors du prochain voyage, elle le garda en le serrant fermement contre elle. La tâche n'était pas facile à cause du mouvement des cargos, des bricks, des gabares, des barques de pêche et des mouches du port qui traversaient la Dordogne à chaque instant, se frayant le plus souvent un chemin par la force. Marie se rassura en pensant qu'elle connaissait parfaitement les réactions de l'*Elina* et qu'à la moindre impulsion de ses bras le bateau répondait fidèlement. Vincent lui désigna du doigt un espace libre à trente mètres sur tribord. Elle évita une barque de pêche qui s'écartait sans prévenir, obliqua tout de suite après vers le quai, passa devant le nez d'un cargo qui appareillait, se faufila entre deux couraux, puis elle fit légèrement pivoter l'*Elina* sur elle-même pour la ralentir et, la redressant en souplesse, vint effleurer le quai sur lequel sauta le mousse avec un cri de victoire.

— Tu vois ! dit Vincent, je n'aurais pas fait mieux.

Elle ne répondit pas, mais il lui sembla que le sang se remettait à couler dans ses veines, et une sorte de plénitude l'envahit, où se mêlaient la fierté et le soulagement.

Dès que les deux autres bateaux eurent accosté, elle partit dans la ville et se mit en quête d'une voiture pour le lendemain. Elle n'eut pas de mal à trouver un coche à l'auberge même où elle descendait, les allées et venues entre Bordeaux et Libourne étant très fréquentes par route pour les voyageurs, tandis que les marchandises, elles, transitaient surtout par la rivière.

Durant la nuit, comme elle n'aimait pas rester seule dans l'auberge fréquentée par les hommes de la batellerie, elle dormit dans la même chambre que Vincent, sur une paillasse d'appoint. Le lendemain matin, avant de partir, elle lui demanda de ne pas l'attendre plus de quarante-huit heures, car on ne pouvait pas retarder la livraison du sel trop longtemps. Si cela se révélait nécessaire, elle rentrerait à Souillac par ses propres moyens. A midi, après un voyage qui lui parut bien long, elle descendit du coche à la Bastide, où Hippolyte Barcos (dont elle avait fait la connaissance lors de son voyage avec Benjamin) ne put lui donner le moindre renseignement : trop pris par les travaux de son nouvel entrepôt de Lormont, il se tenait à l'écart des événements. Elle traversa sur le pont, acheta des oublies et les mangea en se promenant sur le quai, en direction des Quinconces. Enfin, malgré l'angoisse qui augmentait à chacun de ses pas, elle se résigna à revenir vers le 42 de la rue Sainte-Catherine qui hantait ses nuits.

Comme ses jambes se refusaient à la porter jusque-là, elle s'obligea à penser à Benjamin qui croupissait en prison, se persuada que la seule manière de le sauver était de suivre jusqu'au bout ce chemin de croix. Elle s'arrêta plusieurs fois, arriva enfin face à l'immeuble le long duquel elle était passée si souvent, du temps où elle travaillait chez Mme Lassale, et sans y accorder d'attention. C'était un bâtiment cossu qui s'ouvrait sur une cour intérieure par une porte cavalière, dont la façade était ornée d'un mascaron joufflu et la porte d'un heurtoir italien. Marie s'approcha, tendit la main, et, alors qu'elle s'apprêtait à frapper, ce fut comme si une femme inconnue, et qui pourtant lui ressemblait, la dévisageait. Elle se vit telle qu'elle était vraiment en cet instant, vaincue et pitoyable. Alors lui vint la pensée que Benjamin ne lui pardonnerait peut-être jamais cette démarche de la défaite et de la soumission. Le regard que lui avait lancé Emeline sur le trottoir, le jour de leur rencontre, la pénétra de nouveau, et la foudroya. Elle ferma les yeux, chancela, et sa main retomba, comme morte. Puis, dans un élan de refus total, elle se mit à courir follement dans la rue, bousculant les passants, sans voir ni entendre personne, pas même ce cocher qui lui cria des injures après que ses chevaux eurent failli la renverser.

Elle courut de la sorte jusqu'à ce qu'un point de côté la force à s'arrêter, s'aperçut qu'elle s'était dirigée d'instinct vers l'auberge dont Benjamin connaissait le patron. Elle s'assit sur le brancard d'une charrette laissée à l'abandon, essaya de calmer les battements de son cœur, puis elle entra dans la grande salle où se trouvaient encore quelques clients. Elle aperçut l'aubergiste qui la reconnut tout de suite et l'emmena dans sa cuisine. Là, il la fit asseoir et, devant son air bouleversé, lui versa un fond d'eau-de-vie. Elle le but très vite, presque sans respirer, n'eut pas besoin de poser de questions. L'aubergiste, qui avait compris pourquoi elle se trouvait à Bordeaux, lui dit à voix basse, comme si un ennemi invisible rôdait à proximité :

— Il a été transféré à Agen.

— Je veux y aller, dit-elle aussitôt, sans réfléchir au danger qu'elle allait courir.

— Ça ne servirait à rien. D'ailleurs, ils vont tous être amenés à Bordeaux. Si ça se trouve, ils sont déjà en route.

Il ajouta, comprenant qu'elle demeurait décidée à partir :

— On essaiera de les sortir de là.

— Comment ferez-vous ? Vous avez des armes ?

— Je ne sais pas encore, fit-il, mais je vous promets que nous allons essayer.

— Dites-moi quand ! Je vais rester ici.

Il haussa les épaules, reprit :

— Comment voulez-vous que je le sache ? Des prisonniers, il en arrive tous les jours.

Il réfléchit, ajouta :

— Ce ne sera sans doute pas avant deux semaines, au moins. Il vaut mieux que vous rentriez chez vous. De toute façon, ici, vous ne nous seriez d'aucune utilité.

Elle hocha la tête, mais ne bougea pas.

— Soyez raisonnable ! dit-il, faites-moi confiance et revenez dans quinze jours.

Marie songea qu'elle avait le temps de remonter à Souillac puis de redescendre, et, finalement, se décida.

— Merci ! dit-elle. Heureusement que vous êtes là.

Il se leva, murmura :

— Faites attention, l'auberge est surveillée.

Puis, comme s'il était pressé de la voir disparaître, il la précéda jusqu'à la porte où elle le remercia encore.

— Partez vite ! fit-il.

Une fois dehors, la tête bourdonnante, elle hésita sur la conduite à tenir, marcha un moment sur le quai tout en s'interrogeant. Allons ! Elle devait faire confiance à cet homme, remonter le sel et redescendre le plus vite possible. Attendre ici ne servirait qu'à souffrir inutilement, et elle risquait d'être arrêtée. Il fallait partir, travailler, oublier.

Elle trouva sans difficulté une voiture à la Bastide au

début de l'après-midi, arriva à Libourne à la nuit tombée. Dès qu'elle eut retrouvé son père à l'auberge, elle s'inquiéta de savoir si les sacs de sel étaient chargés.

— On est prêts, dit Vincent. On t'attendait.

— Alors on partira demain à la première heure.

Elle lui raconta ce qui s'était passé à Bordeaux, omettant seulement la rue Sainte-Catherine et sa fuite éperdue vers l'auberge de la Garonne.

Pour Benjamin, le transfert d'Eysses à Agen avait été moins pénible que le précédent. Les prisonniers avaient pu manger convenablement leur ration dans un champ, sous la surveillance d'un détachement commandé par un capitaine bienveillant. Une fois à Agen, une population compatissante les avait escortés jusqu'à la prison où Benjamin, ivre d'air et d'espace, s'était écroulé sur la paille, épuisé.

Le lendemain, attachés entre eux par des cordes, les prisonniers avaient été conduits sur les rives de la Garonne avant d'être embarqués à bord du *Courrier,* qui les avait transportés à Bordeaux sous bonne escorte. Lors du passage à Marmande, les hommes originaires de la ville avaient envoyé des adieux bouleversés aux femmes et aux enfants accourus sur les quais. On avait entendu des pleurs, des appels angoissés, et quelques prisonniers avaient demandé à l'officier de faire escale, afin d'embrasser leur famille. En vain, bien sûr, les risques d'émeute étant trop importants. La descente de la Garonne s'était poursuivie dans l'accablement et le silence, et Benjamin, désespéré, avait vu plus d'un homme pleurer.

Le *Courrier* arriva à Bordeaux le soir même, et mouilla au quai de la douane où Benjamin, si souvent, avait accosté, venant de la Bastide. Vers sept heures du soir, un attroupement se forma, dans lequel il reconnut l'aubergiste et quelques-uns des hommes qu'il rencontrait fréquemment chez lui. Il y eut des cris, des coups furent échangés, puis une délégation demanda à monter à bord. Redoutant un piège, le commandant donna l'ordre à la troupe de faire reculer la foule des républicains qui devenait de plus en plus menaçante.

Quelques coups de feu retentirent, puis les renforts venus des garnisons de la ville achevèrent de disperser les manifestants. Contrairement à ce qui était prévu, le *Courrier* ne passa pas la nuit sur le port, mais quitta Bordeaux vers minuit et descendit la Garonne en direction de Blaye où il arriva au matin. Les prisonniers furent alors dirigés vers la citadelle et, pour Benjamin, une nouvelle attente commença dans l'humidité froide d'un cachot qu'il partageait désormais avec six compagnons.

Pendant les longs jours qui suivirent cette escale, il se désespéra de ne recevoir aucune nouvelle de l'extérieur, aucune visite, pas même celle de l'aubergiste qui, il en était sûr, l'avait reconnu, puisqu'il avait crié son nom. Un jour enfin, vers midi, deux soldats vinrent le chercher et l'emmenèrent dans une pièce sombre située au fond de la cour centrale. Ils l'attachèrent à un anneau scellé dans le mur, bras dans le dos, après l'avoir fait asseoir. Un immense espoir en lui, il attendit une dizaine de minutes, avant que la porte ne s'ouvre sur la seule personne à laquelle il ne songeait pas : Emeline. Emeline qui s'assit sur une chaise en face de lui, sans paraître troublée le moins du monde par l'austérité des lieux, et le considéra gravement, une lueur étrange au fond des yeux. Plus de trente secondes passèrent avant que sa bouche ne s'ouvre en un murmure dont elle n'était pas coutumière :

— J'ai souvent souhaité te voir dans une telle situation, dit-elle, mais aujourd'hui, tu vois, je le regrette.

Il choisit de ne pas répondre, ne sachant dans quel but elle était venue, et au terme de quelles compromissions.

— Pourtant, je savais que ça arriverait, reprit-elle.

Le ton de supériorité navrée déplut à Benjamin qui demanda avec toute l'agressivité dont il était capable :

— Qu'est-ce que tu savais ?

Elle attendit un peu avant de répondre, martelant les mots :

— Je savais que tu te mêlais de problèmes qui te dépassaient. Je savais que ton ami l'avocat de Marmande allait t'entraîner dans un abîme d'où je serais la seule à pouvoir te sortir. Aujourd'hui, ton ami est parti pour Cayenne, et toi tu es sur le point d'être transporté en Algérie.

Bouleversé par ce qu'elle lui apprenait, il eut à peine la force de demander d'une voix qu'il ne reconnut pas :

— Et Vivien ?

— Le petit frère de Marie ? fit-elle avec un sourire glacé.

Il hocha la tête.

— Il a eu plus de chance. Il faut dire qu'il a toujours été plus prudent que toi. Du moins jusqu'en décembre.

Elle ajouta, après l'avoir fait attendre quelques secondes avec cruauté :

— Il va être libéré sous surveillance et sera assigné à résidence dans un village de la Dordogne, je crois.

Benjamin ferma les yeux, eut un soupir de soulagement en songeant que Vivien ne s'éloignerait pas trop de Marie. S'il partait, lui, en Algérie, comme le prétendait Emeline, Marie pourrait au moins compter sur son père et sur son frère... Il rouvrit les yeux, se heurta violemment à l'ironie du regard d'Emeline et lança avec acidité :

— C'est ton mari qui fait les enquêtes ?

— Tu sais très bien que je n'ai besoin de personne pour obtenir ce que je veux. L'argent que je possède suffit.

— L'argent qu'il te donne, en somme.

— Non. L'argent qui me vient de mes parents et que j'ai investi dans les banques et le chemin de fer. Je peux très bien vivre sans mon mari.

Après cet échange dans lequel ils avaient l'un et l'autre jeté toute leur amertume, ils se défièrent un moment du regard.

— Et tu n'as pas eu besoin de lui pour te faire ouvrir les portes de cette prison ? reprit Benjamin.

— Non plus. Les relations que j'ai me suffisent à obtenir tout ce que je veux. Ou presque.

— Je t'en félicite.

Un lourd silence tomba, troublé seulement par les ordres lancés par un officier dans la cour, puis, exaspéré par la suffisance d'Emeline, Benjamin demanda brusquement :

— Qu'est-ce que tu es venue faire ici ?

— Je suis venue te sauver, répondit-elle d'une voix étrangement changée.

— Me sauver ! Rien que ça ! Tu ne sais donc pas que personne ne peut rien contre les sentences d'un conseil de guerre ?

Elle eut un geste vague de la main, soupira :

— Les décisions du conseil de guerre lui sont dictées par des gens qui sont mes obligés.

— Je te trouve bien présomptueuse.

— Non, je ne suis pas présomptueuse. Je sais que le Prince Président a le pouvoir de prononcer des grâces. Morny, son demi-frère, est dans les affaires, avec moi.

Elle ajouta, après un instant de réflexion, avec une sorte de lassitude :

— Tu ne connais rien à ce monde, à ces gens. Essaye de me croire pour une fois, au lieu d'aller croupir en Algérie d'où tu ne reviendras peut-être jamais.

— En quoi ça te concerne ? fit-il rageusement.

Le visage d'Emeline se ferma. Elle eut une petite moue qui pouvait passer pour du dépit, puis elle murmura :

— Tout ce qui te touche me concerne, depuis toujours et pour toujours, tu le sais bien.

— Je ne le sais que trop ! s'emporta-t-il. J'ai déjà payé assez cher pour ça !

Sa voix attira le soldat de garde qui ouvrit la porte et, sur un signe d'Emeline, la referma.

— Ecoute ! fit-elle, tu es un proscrit. Si tu refuses mon aide, tu ne reviendras sans doute jamais.

Face à face, ils cherchaient l'un et l'autre à deviner l'étincelle de sincérité qui, peut-être, les eût fait déposer les armes.

— Qu'est-ce que tu veux en échange ? demanda brutalement Benjamin. Car je suppose qu'il y a un prix à payer.

Elle hésita un instant, souffla :

— Un peu de bonheur.

— C'est-à-dire ?

— Je veux que tu viennes vivre à Bordeaux avec moi.

Voilà ! C'était dit ! Benjamin, qui avait soupçonné quelque marché de ce genre, comprenait qu'il ne s'était pas trompé.

— Et tu crois que je vais accepter ?

— Oui. Pour éviter de passer le restant de ta vie enfermé.

— Eh bien, tu te trompes ! Parce que j'ai une femme, des enfants, des bateaux et...

— Tu n'as plus rien, Benjamin, l'arrêta-t-elle d'une voix froide comme de la glace.

Et, tandis qu'il demeurait sans réaction, assommé par les mots qu'elle venait de prononcer :

— Tu n'as plus rien. Tu as tout perdu.

Elle ajouta, tout bas, avec une sorte de gravité :

— Sauf moi.

Le sang parut se retirer du visage de Benjamin. Pâle à faire peur, il sentait bouillonner en lui une colère décuplée par l'horreur qu'il éprouvait maintenant pour cette femme, si belle, qui prétendait vivre avec lui en l'obligeant à renier ce qu'il possédait de plus précieux.

— Va-t'en ! cria-t-il, hors de lui, tirant sur les liens qui le rivaient à sa chaise, comme pour se jeter sur elle.

Elle recula un peu, tandis qu'une lueur égarée passait dans ses yeux noirs.

— Sors d'ici ! Disparais de ma vie ! reprit-il, car elle ne bougeait pas et le dévisageait avec une sorte de désespoir.

Comme elle ne se levait toujours pas, il continua de crier, ce qui provoqua l'entrée de deux soldats qui le frappèrent pour le faire taire. Emeline, debout maintenant, avait les yeux pleins de larmes. Il lui sembla alors qu'elle souffrait vraiment et il en fut troublé. Mais il était trop tard, car les soldats entraînaient Emeline au-dehors et refermaient la porte. Il demeura seul quelques instants, puis il fut reconduit sans ménagement dans sa cellule où il s'allongea sur la paille, refusant de répondre aux questions de ses compagnons, convaincu d'avoir refusé la seule main qui pouvait le hisser hors du gouffre au fond duquel il était tombé.

Le mois d'avril accrochait sur les arbres des pompons de verdure qui répondaient à ceux, huilés par la rosée, de l'herbe neuve sur les rives. On sentait, à une résonance plus profonde de l'air, que le printemps achevait de grignoter l'hiver. La Dordogne elle-même luisait comme une vitre. C'eût été, pour Marie, une descente de vrai bonheur si la pensée de Benjamin en danger n'était venue altérer le plaisir qu'elle prenait à conduire son bateau dans cette matinée de marbre.

Après avoir quitté Sainte-Foy-la-Grande à l'aube, le convoi descendait sans le secours des rames, porté par l'eau vive et espiègle de la fonte des neiges. Malgré les traditionnelles difficultés à naviguer sur des eaux de printemps, Marie n'avait aucune appréhension. Il lui semblait même que plus elle serrait le gouvernail contre elle, plus elle pénétrait les secrets de la rivière. C'était une sensation paisible et rassurante, qui lui faisait apparaître dérisoires les risques d'un voyage dont elle avait appris, ou presque, tous les pièges. Non, ce matin, le danger était ailleurs, elle le savait. Il menaçait Benjamin, là-bas, devant elle, au bout de l'horizon. Aussi n'avait-elle qu'une hâte : arriver à Libourne et, sans perdre une minute, repartir pour Bordeaux.

Les villages défilaient sur les rives, étincelants de rosée, mais elle ne les voyait pas. Tous ses sens, toute sa force étaient tournés vers Benjamin, vers l'espoir que lui avait donné l'aubergiste, à Bordeaux, lors de son dernier voyage. A Castillon, elle était repartie dès le début de la renverse, précédant de plusieurs centaines de mètres l'*Elina* et la seconde, malgré les conseils de prudence de Vincent qui, maintenant, se contentait de la surveiller de loin.

En sautant par-dessus la colline, le soleil libéra une lave de feu qui se répandit sur toute la vallée. Le ciel, perdant de son éclat, devint d'un bleu cendré. Malgré ces merveilles d'un monde qui, d'ordinaire, la bouleversait, Marie brûla d'impatience tout au long de la journée. Elle ne redevint elle-même que lorsque les bateaux furent amarrés au quai de Libourne, alors que la lumière baissait depuis une heure.

Elle partit aussitôt dans la ville en espérant trouver une voiture qui l'amènerait à Bordeaux avant la nuit. C'était là un espoir insensé, elle le savait, mais elle redoutait d'arriver trop tard pour, au moins, voir Benjamin, peut-être lui parler et, pourquoi pas, le sauver. N'ayant trouvé aucune voiture, elle revint vers le quai, où Vincent eut toutes les peines du monde à l'empêcher de prendre un bateau dont ils ne connaissaient ni le capitaine ni l'équipage. Elle se résolut alors à passer la nuit à Libourne, non sans avoir au préalable retenu sa place dans le premier coche qui quitterait la ville le lendemain matin.

Elle ne put fermer l'œil de la nuit, se leva trop tôt, arriva bien avant l'heure, eut froid, revint à l'auberge, repartit, faillit manquer le départ et put enfin se reposer, une fois assise dans le coche, en se laissant bercer par les cahots de la route. A la Bastide, elle ne perdit pas de temps à rendre visite à Hippolyte Barcos, mais traversa tout de suite. A midi, elle entrait dans l'auberge de la Garonne où, déjà, de nombreux convives étaient attablés. Dépitée, elle dut attendre que le patron, débordé, trouve le temps de s'occuper d'elle. Elle en profita pour manger dans un coin de la cuisine, à l'écart des travailleurs du port. Vers deux heures, enfin, le patron l'emmena dans un petit appartement situé de l'autre côté d'une cour encombrée de barriques et de charrettes. Célibataire, il vivait là, dans une pièce sombre qui sentait le salpêtre. Il alluma une lampe à pétrole, la fit asseoir en face de lui dans un fauteuil de reps vert qui lui sembla s'ouvrir sous elle, puis il dit d'une voix grave et désolée :

— Il est passé, mais on n'a rien pu faire.

Il ajouta, tandis que Marie, le souffle coupé, le dévisageait avec une lueur de panique dans le regard :

— Il est à Blaye, à la citadelle.

— Blaye ! fit-elle sans bien comprendre ce que cela signifiait, c'est loin d'ici ?

— Après Ambès, sur la Gironde.

— Il est en prison ?

— Oui, en prison.

— Vous m'aviez dit que vous le feriez libérer.

— Nous n'avons rien pu faire, répéta l'aubergiste, ils ont tiré sur nous. Ensuite, nous avons attendu la nuit, mais le bateau est parti presque aussitôt.

Le silence se fit. Les mots prononcés par l'aubergiste se frayaient difficilement un chemin dans l'esprit de Marie qui se sentait trahie. Elle songeait qu'elle avait eu tort de faire confiance à cet homme et s'en voulait d'avoir été absente au moment où elle aurait pu agir. Elle frissonna, demanda :

— Il est en prison pour longtemps ?

L'aubergiste détourna son regard, murmura :

— Vous ne savez pas ?

Marie sentit son cœur s'emballer.

— Quoi donc ? fit-elle.

L'aubergiste, qui suait à grosses gouttes et s'épongeait le front continuellement, hésita. Manifestement il n'était pas habitué à parler aux femmes et ne savait comment s'y prendre. Il soupira, leva un bref instant les yeux sur elle et dit, très vite, fuyant de nouveau son regard :

— Il va être déporté en Algérie.

Marie cria, se leva puis retomba aussitôt dans son fauteuil.

— Non ! fit-elle.

— Hélas ! dit-il. Vous pensez que je pourrais inventer une chose pareille ?

Deux ou trois secondes passèrent, durant lesquelles Marie sentit un voile épais se poser sur ses yeux. L'instant d'après, quand il se dissipa, elle demanda :

— Mais pourquoi ?

— Ils ont tiré sur les gendarmes. Le conseil de guerre les a jugés.

— C'est pas possible ! dit-elle, incapable de croire à cette nouvelle qui dépassait de loin toutes ses craintes.

L'aubergiste, qui apercevait des larmes dans les yeux de Marie, ne savait quelle contenance prendre. Elle essayait de les refouler, mais elle pensait aux six années durant lesquelles elle avait été séparée de Benjamin et ne se sentait pas la force de revivre une telle épreuve.

— Oh ! Non ! fit-elle encore d'une voix qui tremblait.

Et plus elle songeait à ces six années, plus ses larmes coulaient sans qu'elle fît rien maintenant pour les retenir. L'aubergiste se leva, lui versa un fond d'alcool de menthe. Puis, lui donnant le verre et changeant brusquement de sujet, il déclara :

— Votre frère Vivien ne sera pas déporté. Il a été assigné à résidence dans un village de Dordogne.

— Mon Dieu ! Vivien ! fit-elle, s'apercevant que, dans sa détresse, elle l'avait oublié. En Dordogne, dites-vous ?

— Oui. A Thiviers, je crois.

— Alors il ne va pas partir ?

— Non, je vous dis. Et il pourra travailler, il ne sera pas enfermé.

Elle sourit à travers ses larmes, murmura :

— Vivien !

Puis, tout de suite après, songeant de nouveau à Benjamin :

— Et pour mon mari ? On ne peut rien faire ?

— C'est trop tard, dit-il, ils vont embarquer d'un jour à l'autre. Même si vous connaissiez quelqu'un de haut placé, ça ne servirait à rien.

Elle songea à Emeline, se sentit coupable de n'avoir pas poussé sa porte au moment où tout était encore possible.

— Je veux essayer, dit-elle, je connais quelqu'un.

— C'est trop tard, répéta l'aubergiste en secouant la tête.

— J'y vais, dit-elle, butée, se sentant capable en cet instant de renverser des montagnes.

Elle se leva, salua précipitamment l'aubergiste qui la précéda jusqu'à la rue, dans laquelle elle se mit à courir à perdre haleine. Il lui fallut à peine un quart d'heure pour arriver devant le 42 de la rue Sainte-Catherine où, cette fois, elle osa saisir le heurtoir de cuivre pour frapper à la porte. Quelques secondes plus tard, une servante brune vêtue d'une robe de pilou grise et d'un tablier blanc s'enquit de l'objet de sa visite.

— Madame est en voyage, répondit-elle quand Marie eut demandé à voir Emeline.

— Quand doit-elle revenir ?

Ne sachant à qui elle avait affaire, la servante, cette fois, ne répondit pas.

— Je vous en prie, fit Marie, c'est très important.

— Je ne sais pas. Tout ce que je sais, c'est qu'elle est à Blaye.

« Mon Dieu ! se dit Marie, elle est à Blaye, elle sait tout, elle va le sauver. »

— Merci ! fit-elle, et elle repartit vers l'auberge, le cœur soulevé par un espoir fou.

Aux Salinières, comme elle insistait, l'aubergiste l'aida à trouver un bateau qui allait descendre vers la mer bordelaise avec le jusant. Elle embarqua sans hésiter, se fit toute petite dans un coin du courau qui transportait des épices et du poisson séché. Tout le temps que dura le voyage, elle passa avec Dieu de terribles marchés, aux termes desquels elle consentait à tous les sacrifices. Une seule chose lui importait : que Benjamin fût sauvé, quel qu'en fût le prix. Elle ne remarqua rien de la splendeur du fleuve, des îles langoureuses, du vol des hérons pourpres et des sarcelles à tête rouge. Elle se tenait immobile et tournée vers l'intérieur du bateau, tendue vers une seule pensée : sauver Benjamin.

Quand le courau arriva à Blaye, la nuit tombait, étirant sur l'horizon des écharpes violettes. Marie dut ruser pour échapper aux hommes de l'équipage qui cherchaient à l'entraîner vers leur gîte du soir. Elle se renseigna auprès d'une vieille femme tout en os qui portait deux petites griffes de moustache au coin des lèvres, trouva une auberge de bonne réputation où elle put s'installer sans risques pour la nuit. Elle dormit d'un sommeil peuplé de cauchemars qui l'épuisèrent.

Dès l'aube, pourtant, et sans même prendre le temps de manger, elle partit vers la citadelle proche du port, rencontra des hommes et des femmes qui avaient passé la nuit sur les quais, dans des abris de fortune. Le fait de ne pas être seule à attendre la rassura un peu : elle se dit qu'on ne pourrait pas refuser à tous ces gens une visite aux prisonniers. Elle apprit d'une femme aux yeux brillants de fièvre que le transfert des proscrits prévu pour ce matin sur la frégate *Isly* était le dernier.

La plupart se trouvaient déjà à bord du bateau blanc qui était amarré, là-bas, entre un cargo et un morutier. Folle d'angoisse, elle se rendit devant la porte principale de la citadelle, mais ne put franchir le petit pont de pierre qui enjambait le fossé. Refoulée une première fois, et sans ménagement, par les soldats de garde, elle revint à la charge en les suppliant de la renseigner. Un officier compatissant consentit à aller aux nouvelles, revint dix minutes plus tard et lui dit que le nommé Benjamin Donadieu se trouvait sur la frégate *Isly* depuis la veille. Elle revint en courant vers le port, essaya de forcer le barrage des soldats qui interdisaient l'accès à la passerelle, mais elle fut repoussée violemment. Désespérée, elle se mit à crier le nom de Benjamin, dut reculer de quelques pas, mais continua malgré les menaces. Alors qu'elle ne l'espérait plus, il apparut tout à coup, penché vers le quai, fou de douleur de l'apercevoir ainsi, à quelques mètres, sans pouvoir lui parler. Elle comprit qu'il parlementait avec les soldats qui s'agitaient, là-haut, sur le pont. Elle l'appela de nouveau, mais il lui sembla qu'on le forçait à s'éloigner. A cet instant, le dernier convoi de prisonniers arriva, encadré par des soldats très nerveux. Ignorant sa peur, elle tenta de se glisser parmi eux, reçut un coup de crosse qui l'envoya rouler sur le sol. Des gendarmes se précipitèrent, l'aidèrent à se relever, mais l'entraînèrent à l'écart. Une corne de brume retentit dans le froid du matin. Quand Marie put enfin se tourner vers la frégate, elle ne vit plus Benjamin. Dans un sursaut désespéré, elle échappa aux gendarmes, courut vers la passerelle et s'aperçut qu'elle avait été enlevée. Elle s'arrêta net, cria une dernière fois, mais c'est à peine si elle entendit le son de sa voix. Alors, les yeux pleins de larmes, elle regarda s'éloigner lentement le bateau qui emportait son mari loin d'elle pour la deuxième fois.

Benjamin s'était de lui-même écarté du bastingage car il n'avait pu supporter d'entendre crier Marie. Il s'était réfugié dans un coin et, recroquevillé sur lui-même, il s'était bouché les oreilles jusqu'à ce que la frégate fût suffisamment éloignée de la ville. Alors il était revenu sur le pont et, comme ses camarades, il avait tristement cherché à deviner les côtes de France englouties par la brume. Celle-ci avait persisté tout le long de l'estuaire et ne s'était déchirée qu'à l'entrée de l'océan. Alors les soldats armés de sabres et de pistolets avaient dénoué les liens des prisonniers et les avaient parqués dans l'entrepont. Ainsi avait commencé un long et pénible voyage vers la terre d'exil.

Un après-midi, le feu s'étant déclaré dans la soute à charbon, les prisonniers furent contraints d'éteindre l'incendie. Benjamin y prit sa part et fut étonné de retrouver si vite les sensations de son service militaire dans la marine. Lui, au moins, contrairement à la grande majorité de ses compagnons, ne souffrait pas du mal de mer. Aussi, les sept jours qui passèrent avant l'arrivée de la frégate à Mers el-Kébir lui parurent-ils bien moins difficiles à vivre que ceux qu'il avait vécus, parfois, sur le *Duguay-Trouin,* à fond de cale.

Au terme de ce voyage, des chalands débarquèrent les prisonniers sur la côte d'Afrique. Des détachements de soldats et de gendarmes refoulèrent les marchands d'oranges qui tentaient d'écouler leur marchandise et conduisirent les proscrits vers les baraques du pénitencier. Ces baraques de planches étaient clôturées par une palissade de quatre mètres de haut et, comme elles étaient situées au bord de la mer, le vent les aérait agréablement, ce qui préservait les hommes de la chaleur. Benjamin reçut un mince matelas d'étoupe et une couverture de laine, ainsi qu'un matricule qui devint très vite son patronyme. Alors commença une vie qu'il avait imaginée beaucoup plus périlleuse. Les prisonniers pouvaient communiquer entre eux et se promener sous un immense préau. Ils mangeaient quelquefois de la viande, souvent des fèves, des pois, des artichauts, des salades et de belles oranges. Certains, escortés par des soldats, sortaient dans les villages voisins pour y puiser de l'eau potable, d'autres travaillaient à la construction de fours en terre pour la cuisine, d'autres enfin cassaient des pierres sur les routes ou creusaient des fossés. Ceux qui se rebellaient étaient conduits au fort de Mers el-Kébir, y demeuraient enfermés une quinzaine de jours et revenaient couverts de vermine.

Rassuré par la certitude de ne pas mourir d'épuisement ou de malnutrition, Benjamin faisait en sorte de ne pas se faire remarquer. Il pensait à Marie et à ses enfants à chaque instant, tandis qu'il cassait des pierres ou portait des barriques d'eau sur le chemin enfariné de poussière. Il se demandait si Vincent et Marie avaient repris les voyages, si Aubin et Emilien ne souffraient pas trop de son absence, si Elina trouvait toujours à communiquer à ceux qui l'entouraient son énergie rayonnante. Il essayait de ne pas trop songer à l'avenir, de vivre chaque jour qui passait en cultivant l'espoir de les revoir bientôt. Il s'abrutissait dans le travail depuis l'aube jusqu'au soir et, parfois, pensait à Pierre déporté à Cayenne et lui en voulait un peu de l'avoir entraîné dans cette aventure. Certes, il ne regrettait pas d'avoir défendu les idées auxquelles il croyait, mais ce qu'il regrettait, c'était de s'être engagé dans un combat dans lequel il avait côtoyé plus de lâcheté que de courage. La façon dont les hommes de Peyronny s'étaient débandés après la fusillade lui avait laissé un goût amer dans la bouche. Il s'était aperçu que les idées qui le portaient ne s'exprimaient pas chez les autres avec la même force que chez lui. Toutefois, parmi ses compagnons d'infortune, quelques-uns ne renonçaient pas. Ils ne se privaient pas de discuter avec lui de l'avènement de la République et assuraient qu'ils finiraient par triompher. Ces conversations lui étaient d'un grand secours, car elles atténuaient l'impression de trahison qu'il avait gardée des folles journées de Marmande. Ainsi il se sentait moins seul et attendait des nouvelles de France avec autant d'impatience que de confiance. Un jour, bientôt, il en était sûr, il reverrait Marie, le port, la vallée, la Dordogne qu'il entendait couler la nuit, dans ses rêves, et dont le murmure continuait de le bercer.

TROISIÈME PARTIE

LA BELLE DU PÉRIGORD

8

Il fallait trouver le courage de vivre pour Aubin, Emilien, Elina, et pour celui qui reviendrait quand les nuages de décembre auraient disparu à l'horizon. Les six mois qui venaient de passer avaient été pour Marie un calvaire qu'elle avait gravi pas à pas, surtout pendant l'été, quand les basses eaux l'avaient contrainte à demeurer à quai, à errer dans les prairies pour y cacher sa peine, à rassembler ses forces pour trouver celle, chaque matin, de sourire à ses enfants.

L'été déclinant, les pluies avaient rendu les eaux marchandes dès la fin de septembre. Marie avait alors dû faire face à un problème imprévu : la moitié de l'équipage refusait d'accorder sa confiance à un Vincent vieillissant et à une femme, si courageuse fût-elle, qui prétendait assumer la responsabilité des voyages. Vidal et Roussel, notamment, avaient trouvé un engagement auprès des maîtres de bateau de Groléjac et de La Roque-Gageac. Demeuraient fidèles aux Donadieu les hommes les plus âgés, plus le mousse dont la bonne volonté n'était pas en cause, mais qui manquait de force, souvent, lors des manœuvres de déchargement. En outre, les marchands de sel se montraient retors vis-à-vis de Marie. Elle avait beau négocier en présence de Vincent, évoquer le nom de son mari, elle ne parvenait pas à arracher les rabais que Benjamin, lui, obtenait sans difficulté. Heureusement, dans le haut pays, Jean s'occupait de l'approvisionnement du bois. Lors d'un voyage à Souillac, il s'était montré désolé de ne pouvoir aider davantage Marie, mais il travaillait maintenant avec son beau-père qui avait acheté des coupes et formé des équipes pour tailler le merrain. Il ne pouvait abandonner une entreprise qu'il dirigerait un jour. Marie l'avait remercié et rassuré : il lui était déjà d'un grand secours. Pour le reste, elle se débrouillait avec Vincent et Elina qui, désormais, tenait les comptes. Même si l'on gagnait moins, même si les difficultés s'accumulaient, il fallait tenir ferme le gouvernail jusqu'au retour de Benjamin. Il n'y avait pas d'autre solution.

Une légère angoisse en elle, Marie était donc repartie à la fin de septembre, sur une crue qui avait gonflé les eaux de la Dordogne en trois ou quatre jours. Devant la capitane, Vincent menait l'*Elina* qui tirait la seconde. Il ne pleuvait plus, mais le ciel demeurait chargé de nuages, et l'on sentait la présence de l'eau partout : dans le vent, sur les berges, les prés et les champs au-dessus desquels tournaient les oiseaux chassés de leur nid. Jamais Marie n'avait ressenti à ce point la violence de la rivière. Elle avait du mal à résister à la pression de l'eau contre le gouvernail, surtout lorsque la capitane entrait dans les remous ou qu'un courant habituellement inoffensif la prenait violemment dans sa poigne et l'entraînait vers les rochers. Il fallait alors réagir très vite pour éviter l'écueil.

Au fur et à mesure que les villages se succédaient, Marie retrouvait peu à peu sa confiance. Calviac, Aillac, Carsac sur la rive droite, Veyrignac et Groléjac sur la rive gauche lui servirent de repères familiers, vaguement protecteurs. Dans le cingle de Montfort, ce fut plus difficile : elle frôla les rochers, car la Dordogne semblait vouloir s'ouvrir un passage dans la falaise. Plus loin, elle dut se montrer vigilante à La Roque-Gageac où la rivière, dissimulant son lit habituel, passait par-dessus la route étroite avant de repartir, presque à angle droit, vers Beynac.

Il n'était pas question de s'arrêter pour manger. Le mousse vint porter à Marie un morceau de lard et de pain, mais elle n'y toucha pas, ne trouvant pas le temps de libérer ses mains. La descente continua dans cet après-midi d'automne où l'on n'entendait que la colère de l'eau, et, parfois, sur les rives, le cri tourmenté des corbeaux. Marie pensa à ce que lui avait recommandé Vincent (le suivre attentivement à l'approche du pont de Siorac) dès que la capitane effleura Saint-Cyprien dominé par le château de Fages. Très vite, ensuite, passé le confluent avec la Nauze, le pont apparut, et Marie veilla à se placer exactement dans le sillon ouvert par l'*Elina*. Du fait des hautes eaux, le passage entre les arches lui parut minuscule. Il lui sembla que la capitane, chahutée par des courants contraires dus à la crue de la Nauze, se comportait anormalement. Au fur et à mesure que son bateau se rapprochait du pont, l'impression de ne pas pouvoir passer sans toucher augmenta. Elle eut très peur, soudain, se refusa de toutes ses forces à affronter l'obstacle, mais comment s'arrêter ? Les flots l'emportaient irrésistiblement vers le pont qui se dressait maintenant, immense et terrifiant. Ses réflexes jouèrent d'instinct, la contraignant à suivre au mètre près la route de Vincent. Elle retint son souffle lorsque l'*Elina* s'engouffra sous la troisième arche et passa en moins de trois secondes sans même frôler les pierres. A dix mètres de l'arche, elle fut tentée de fermer les yeux, faillit crier, crispa ses mains sur la barre puis, comme le lui avait appris Benjamin, inspira bien à fond et se relâcha, barrant en souplesse. La capitane se redressa, effleura les pierres sur tribord, glissa interminablement dans le chenal mais passa sans encombre, laissant en bout de course à Marie une sensation de froid polaire qui provoqua en elle un long frisson.

Ça y était ! Elle était passée ! L'horizon, maintenant, paraissait dégagé. Rassurée par le succès de sa manœuvre, Marie respirait mieux. Et comme par enchantement la Dordogne lui parut moins hostile, d'autant qu'elle défilait entre des rives peuplées de manoirs paisibles et assoupis sur des collines ignorantes de la fureur des eaux. Il semblait à Marie qu'elle avait grandi. Elle avait fait face, elle s'était souvenue au moment où il le fallait des conseils de Benjamin. Elle se sentit très proche de lui, et ce fut si bon, soudain, qu'elle en oublia les dangers. Alors elle retrouva plaisir à naviguer et rêva un moment au voyage qu'elle avait effectué avec lui lors d'un précédent printemps.

Le clocher carré de Cabans, qui veillait fidèlement sur le cimetière et la vieille église, apparut sous une éclaircie qui semblait le désigner à tous les regards. Ensuite, la Dordogne contourna Le Buisson et se pressa vers Limeuil dont on apercevait au loin le coteau noyé dans la verdure.

— Attention à la Vézère ! cria Vincent.

Le prouvier de Marie lui répéta le message. C'était un jeune homme de vingt ans qui avait tiré un bon numéro et lui avait demandé du travail. Il venait du bas pays, disait-il, et nul ne le connaissait à Souillac. Marie, qui n'avait pas le choix depuis le départ de ses meilleurs matelots, avait accepté de l'engager. Il s'appelait Philippe Rey, se montrait adroit et courageux, mais cherchait souvent son regard. Elle demeurait distante, se souvenant d'un certain Ghislain Claveille qui, comme ce Philippe, était grand, brun, avec des yeux d'un noir profond, où l'on avait envie de se perdre.

— La barre à bâbord ! cria Vincent.

Elle se demanda pourquoi le convoi ne gardait pas sa ligne au milieu du lit, se hissa sur la pointe des pieds et comprit : là-bas, au confluent, la Vézère ne portait pas la même crue que la Dordogne qui se jetait en elle du haut d'une chute d'un mètre.

Le cœur de Marie, de nouveau, s'affola. Alors que depuis Siorac la peur l'avait quittée, elle ressentit cette contraction douloureuse dans le ventre qu'elle connaissait bien. Pensant qu'elle avait le temps de s'arrêter, elle donna un coup de gouvernail qui fit tourner la capitane d'un quart de cercle et faillit la faire verser sur tribord, sans pour autant freiner sa course. Marie sentit jusque dans ses épaules la stupidité de cette manœuvre et rectifia aussitôt. Prise par la vigueur du courant, la capitane tarda à se rétablir. Un nouveau coup de gouvernail la remit dans le fil de l'eau, la proue dirigée vers la petite baie de Limeuil. Ce fut au moment précis où le bateau achevait de se rétablir que Marie aperçut l'*Elina,* trente mètres devant, qui piquait du nez vers la

Vézère et disparaissait tandis que la seconde, amarrée à elle par une corde, se retournait pendant le saut et disparaissait à son tour. Elle entendit crier le mousse, puis le prouvier, essaya de diriger la capitane dans l'axe de la chute, serra très fort le gouvernail, sentit son bateau se soulever par l'arrière et, aussitôt, fut submergée par une vague glaciale qui lui fit fermer les yeux. Elle ne lâcha pas le gouvernail pour autant, au contraire. Ce fut comme une bouée à laquelle elle s'accrocha et qui lui permit de rester debout au moment où la capitane, lestée de tout son chargement, émergea de la rivière dans un éclaboussement d'écume.

Marie s'essuya les yeux de la main gauche, comprit que la capitane poursuivait sa route comme si de rien n'était, puis elle aperçut l'*Elina* qui traînait la seconde la quille en l'air. Le chargement de bois qu'elle portait avait basculé dans les flots, mais la cordelle avait tenu le choc et le bateau semblait intact.

— Je continue comme ça ! cria Vincent.

Qu'aurait-il pu faire d'autre ? Certes la seconde le ralentissait, mais ce n'était pas très grave dans ces eaux si rapides, à condition qu'elle ne vienne pas heurter l'*Elina*.

Revenant à son bateau, Marie se rendit compte que le mousse et Philippe la regardaient. Elle lut dans leurs yeux une lueur de respect, peut-être même d'admiration. La sensation heureuse d'avoir définitivement gagné la partie dura jusqu'à l'escale de Mauzac. Elle savait qu'elle ne pourrait pas trouver à l'avenir des conditions plus défavorables. L'orgueil d'avoir franchi toutes les marches qui menaient à la maîtrise de la navigation vibrait en elle et la grisait.

Pourtant, quand elle entra dans la salle de l'auberge, les hommes l'apostrophèrent avec ces plaisanteries habituelles qu'elle ne relevait jamais. Le dos tourné à la salle, elle se sécha du mieux qu'elle put, puis elle monta dans la chambre où elle avait pris l'habitude de manger seule, parfois avec Vincent. L'amertume d'avoir triomphé de tant de dangers sans que l'on reconnût ses mérites la meurtrit au plus profond d'elle. Mais cela ne dura pas. Elle savait que son bras n'avait pas tremblé et qu'un jour viendrait où les hommes finiraient par lui témoigner leur respect.

C'était la deuxième fois depuis avril qu'en compagnie de Vincent et d'Elise Marie prenait la route de Thiviers où résidait Vivien. Pas exactement Thiviers, d'ailleurs, puisqu'il travaillait dans une ferme au lieu-dit « Les Essarts », en lisière d'une forêt. Il devait signer chaque semaine à la gendarmerie, et ne pas quitter la ferme où il avait été assigné à résidence.

Le temps s'était mis au beau en ce début octobre qui allumait sur les arbres des foyers d'or et de rouille. La charrette et le cheval loués à un roulier de Souillac avançaient lentement sur la route de Périgueux que l'attelage, venant de Montignac, avait rejointe à Thenon. Vincent tenait les rênes, et Marie, assise près de lui sur la banquette, pensait à la dernière lettre de Benjamin qui était rassurante : il n'avait ni faim ni froid. Il travaillait. Il ne lui manquait que sa famille, mais il gardait confiance.

Comme il savait que Marie et Vincent avaient repris les voyages, il prodiguait les conseils, donnait des appréciations sur telle ou telle personne, indiquait les marchands dont il convenait de se méfier, demandait enfin qu'on ne le laisse pas sans nouvelles. Marie s'y évertuait, mais les voyages prenaient beaucoup de son temps et elle se reprochait de ne pas écrire aussi souvent qu'elle le souhaitait. Il fallait bien travailler, pourtant, car ceux qui étaient restés fidèles aux Donadieu avaient eux aussi une famille à nourrir.

Penser à la famille de ses matelots la fit songer à Elina restée seule à Souillac pour garder les enfants. Marie se demanda vaguement ce qu'elle serait devenue sans cette présence chaude et rassurante à ses côtés. Elle n'avait pu, en effet, compter sur Elise dont la pâleur du visage, aujourd'hui, sur cette charrette exposée à tous les vents, accentuait l'extrême fragilité. Elle avait vécu la séparation d'avec son mari dans les larmes et le silence. Nul sursaut de révolte ni de colère. Marie se demandait parfois comment Vivien avait pu se marier avec une telle femme, sur laquelle les événements glissaient sans provoquer la moindre ride. Et cependant elle l'aimait bien. C'était d'ailleurs pour elle que Marie avait insisté, bien que les eaux fussent marchandes, pour aller rendre visite à Vivien que l'on n'avait pas revu depuis la fin du mois d'août.

Il fallait pourtant deux jours pour arriver à destination, et ce n'était pas facile. On faisait halte un peu avant Périgueux, à Saint-Pierre-de-Chignac, où se trouvait une auberge qui avait été recommandée à Vincent par le propriétaire de la charrette. Après un bon repas et une courte nuit, on repartait à l'aube, afin d'arriver avant midi.

Ce jour-là, précisément, quand ils pénétrèrent dans la cour de la ferme, Vivien et son maître n'étaient pas encore rentrés des champs. La maîtresse des lieux les accueillit avec une grande amabilité, comme à son habitude. Elle s'appelait Noémie Prades. C'était une petite femme ronde, aux yeux couleur de châtaigne, qui débordaient de bonté. A soixante ans passés, elle cultivait encore avec Emile, son mari, une propriété de peu d'étendue sur laquelle ils vivaient chichement, mais sans manquer du nécessaire. Ils avaient saisi l'occasion de prendre un ouvrier dès qu'ils avaient appris la nouvelle de la venue d'hommes assignés à résidence. Peu leur en importaient les raisons. Pour eux, un homme était un homme, et ce que leur reprochait le gouvernement ne les regardait pas. Ils avaient donc accueilli Vivien comme un vague cousin de retour de voyage. Il dormait dans un minuscule réduit aménagé entre la cheminée et le mur, tandis que ses hôtes partageaient l'unique chambre de la maison.

— Heureusement que vous êtes venus, leur dit ce jour-là la fermière en les invitant à entrer. Mon mari et moi, nous ne savons plus quoi faire.

Et, s'arrêtant sur le pas de la porte, s'adressant à Marie :

— Figurez-vous qu'il a disparu.

— Comment ça, disparu ? fit Marie, stupéfaite.

— Ma pauvre, on ne l'a pas vu depuis deux jours, et pourtant ce n'est pas faute de le chercher.

Elle ajouta aussitôt, devant l'effarement de ses visiteurs :

— Rassurez-vous : nous n'avons pas prévenu les gendarmes.

Marie se sentit un peu soulagée, s'assit sur la chaise que lui proposait Noémie, demanda :

— Qu'est-ce qui s'est passé ?

— Je ne sais pas. Tout ce que je peux vous dire, c'est qu'il nous parlait tout le temps de la Dordogne et de ses bateaux. On voyait bien, avec Emile, qu'il se languissait.

— Vous pensez qu'il est revenu chez nous ?

— C'est ce qu'on se dit. Pour moi, il n'a pas pu résister.

Emile Prades arriva sur ces entrefaites. C'était un homme de taille moyenne, aux sourcils très épais, aux yeux d'un bleu très pâle, presque gris. Il semblait harassé.

— Rien trouvé, dit-il après avoir salué les Donadieu. Pour moi, il est reparti. A savoir si on le reverra jamais !

— Il ne vous a rien dit de précis ? demanda Vincent. Essayez de vous souvenir.

— La Dordogne, la Dordogne, il n'avait que ce mot à la bouche. Il faudrait bien qu'il signe sa feuille dimanche, sinon il aura des ennuis... Et nous aussi, peut-être.

Ils étaient tous désemparés, dans cette pièce qui sentait pourtant bon la soupe et le ragoût de pommes de terre, et ils ne savaient plus que dire.

— Mangeons ! fit Noémie qui avait tenu, dès leur premier voyage, à les garder à sa table. Quand nous aurons le ventre plein, il sera bien temps d'aviser.

Les femmes l'aidèrent à mettre le couvert, puis ils s'installèrent et Emile les servit. Le début du repas fut silencieux. Chacun se demandait si Vivien avait mesuré les risques qu'il prenait en disparaissant ainsi, sans rien dire à personne.

— Je suis sûre qu'il est chez nous, fit Elise, incapable d'avaler la moindre nourriture. Je savais qu'il ne pourrait jamais s'habituer ici.

— Mangez, ma petite ! fit Noémie, ne vous laissez pas aller, ça n'avance à rien.

Elise porta sa cuillère à la bouche, puis elle la reposa. Décidément non, elle ne pouvait pas manger. Les autres, obsédés par cette absence qui pouvait dissimuler le pire, eurent vite terminé. Noémie, seule, continuait de manger debout et se désolait de s'être mise en cuisine pour rien :

— Bonté divine ! dit-elle, si c'est pas malheureux de voir ça.

Mais elle n'insista pas et, au contraire, approuva Marie qui manifestait l'intention de repartir tout de suite.

— Un peu de café, tout de même, fit-elle.

Pendant qu'elle le mettait à chauffer, Emile dit à Vincent :

— Ne vous inquiétez pas, personne n'en saura rien, ici, avant dimanche.

Puis, au moment de quitter la table, il proposa à Elise :

— Si vous le trouvez, revenez donc ici avec lui. Ça ne nous gênera pas, au contraire. On n'est pas obligé de dire que vous êtes sa femme. On peut très bien avoir besoin de quelqu'un pour nous aider. Les gendarmes n'iront pas chercher si loin, allez !

— Comme ça, il s'habituera peut-être, ajouta Noémie.

Marie, Elise et Vincent remercièrent les deux vieux avec émotion, puis ils repartirent le plus vite possible sur la longue route qui traversait des bois et des prés d'un vert vieillissant où erraient par endroits les ombres annonciatrices de l'hiver.

Le lendemain soir, lorsqu'ils arrivèrent à Souillac, ils n'y trouvèrent pas Vivien. Mise au courant de ce qui se passait, Elina feignit de ne pas trop s'inquiéter, mais, à sa façon de regarder vers la porte chaque fois qu'un souffle de vent l'agitait, Marie comprit qu'elle était beaucoup plus préoccupée qu'elle ne le montrait. En accord avec les femmes, Vincent décida de descendre en bateau, le lendemain, jusqu'à Domme et Groléjac, pour tenter de glaner des nouvelles sur les ports.

— A moins qu'il ne soit là-haut, dit Elina dans un soupir.

— Où cela ? demanda Marie.

— A Spontour. Dans les forêts.

— Non, fit Marie, je ne crois pas. C'est plutôt notre vallée qui lui manque. S'il est vraiment revenu vers la Dordogne, c'est ici, chez nous, ou alors...

Atterrée par l'idée d'une disparition définitive, elle renonça à poursuivre et s'occupa à ranger les bagages. Dès qu'elle eut terminé, elle accompagna Vincent et Elise dans la maison des Paradou, puis elle revint chez elle rapidement, car elle n'avait pas vu ses enfants depuis deux jours et elle voulait passer un moment avec eux avant de les coucher. Elle prit Emilien sur ses genoux, lui demanda de lui raconter ce qu'il avait fait en son absence, écouta également Aubin qui avait pêché des truites et lui expliquait qu'elles se trouvaient en cette saison dans les grands fonds. La présence de ses enfants et celle d'Elina lui firent oublier pour quelques instants la disparition de Vivien.

Quand les enfants furent endormis, Marie redescendit pour parler avec Elina qui, encore une fois, se montra rassurante : même s'il était venu jusqu'à la Dordogne, Vivien rentrerait en temps voulu à Thiviers, elle en était certaine.

— Espérons ! fit Marie en soupirant, mais tout de même, quelle folie !

Une fois dans sa chambre, elle ne put s'endormir et elle écouta les murmures de la nuit : caresses du vent dans les frênes, gémissements des chiens dans les niches et glissades de l'eau le long des rives. A chaque seconde qui passait, elle s'imaginait entendre des pas sur le chemin, un doigt cognant contre les volets, mais rien d'insolite ne troublait la vallée assoupie. Lorsqu'elle parvint à trouver le sommeil, vers quatre heures, ce fut pour voir Vivien qui se noyait, les bras tendus vers elle, dans les remous du Raysse, et dont elle n'entendait même pas les cris.

Le lendemain matin, comme il l'avait décidé la veille,

Vincent partit pour les ports du Sarladais. Marie, qui ne savait demeurer inactive, remonta jusqu'à Lanzac sur sa barque de pêche, puis descendit jusque dans la plaine de Cazoulès, s'arrêtant dans les prairies, les champs, les bois de Cieurac, cherchant les traces d'une présence qui, par moments, lui semblait proche. En prenant garde de ne pas se trahir, elle interrogea les gens des fermes riveraines, du moins ceux chez qui Vivien aurait pu se réfugier sans danger. Rien. Pas le moindre indice. De même pour Vincent qui revint à la nuit, désolé d'avoir cherché en vain toute la journée.

Après le repas qu'ils prirent ensemble dans la maison des Donadieu, Marie et Elina décidèrent de rester dans la cuisine pour veiller. Elles laissèrent la lampe allumée et le volet entrebâillé, comme on le faisait jadis pour guider les pèlerins. Marie avait beau réfléchir, examiner toutes les possibilités, elle était persuadée que Vivien était revenu. Il ne pouvait pas en être autrement. Ici se trouvaient ses bateaux, la maison de son enfance, la vallée qu'il aimait.

Les heures défilèrent et rien ne se passa. Les deux femmes ne parlaient pas, ou à peine. Vers minuit, Elina fit du café qu'elles burent lentement, toujours en silence. Puis Marie s'assoupit, se réveilla en sursaut un peu plus tard, vint près de la porte, écouta, s'assit de nouveau et, enfin, s'endormit. Ce fut Vincent qui, à trois heures, l'éveilla en frappant doucement à la porte.

— Il est chez nous, fit-il en se glissant à l'intérieur. Il vient d'arriver.

Marie le suivit aussitôt, tandis qu'Elina restait dans la maison pour ne pas laisser les enfants seuls.

Une fois dans la cuisine des Paradou, Marie eut du mal à reconnaître son frère dans cet homme accoudé sur la table, échevelé, le regard perdu, qui leva la tête vers elle et la rabaissa aussitôt, comme s'il ne l'avait pas vue. Elle s'approcha, se pencha vers lui, murmura :

— Vivien ! C'est moi.

Il eut un vague sourire, mais il sembla à Marie qu'il ne lui était pas adressé.

— Vivien ! répéta-t-elle, où étais-tu ?

Il ne répondit pas, se contenta de la dévisager un

instant avant de se perdre de nouveau dans la contemplation de ses mains largement ouvertes devant lui. C'était bien lui, pourtant, c'était bien ses yeux lumineux, son sourire d'enfant, ses cheveux bruns, et cette manière qu'il avait depuis toujours d'incliner la tête en poursuivant on ne savait quel rêve impossible. Marie s'assit face à lui, lui prit les mains, les serra :

— Vivien ! fit-elle, pourquoi es-tu revenu ?

Elle ajouta, comprenant à une lueur dans son regard qu'elle avait capté son attention :

— Tu es à Souillac, dans ta maison.

Quelque chose en lui se ranima, comme un pouls qui, doucement, se remet à battre.

— Marie, dit-il.

— Où étais-tu ? demanda-t-elle tout bas.

Il fronça les sourcils en essayant, manifestement, de rassembler ses idées, répondit enfin :

— Je n'en pouvais plus.

— Oui, dit-elle, mais où es-tu allé ?

— La rivière, fit-il.

— Où donc ?

— Je ne sais pas.

Elle comprit qu'elle n'en apprendrait pas davantage, n'insista pas. Elise porta à son mari un bol de café et un petit verre d'eau-de-vie. Vivien but l'un et l'autre, soupira. Puis il se redressa et parut s'étonner de l'endroit où il se trouvait. Ce fut comme s'il reprenait pied dans le monde réel.

— Qu'est-ce que tu as fait ? demanda de nouveau Marie. Pourquoi es-tu revenu ?

— J'avais besoin de voir la Dordogne, d'aller sur l'eau... J'avais des envies de bateaux, de voyages. C'était en moi. Ça me prenait, là, j'y pouvais rien.

— Oui, dit Marie d'une voix douce. Je comprends, tu as bien fait, mais demain il faudra retourner là-bas.

Il se raidit, les traits de son visage s'assombrirent.

— Non ! fit-il.

— Si on te prend, on te mettra en prison, dit Elise, épouvantée.

— Non ! répéta Vivien, plus jamais.

— Elise va venir avec toi, dit Marie. Emile et

Noémie sont d'accord, on les a vus. Tu seras bien là-bas, avec Elise, et ça ne durera pas longtemps, je te le promets.

Vivien, incapable d'entendre les mots de la raison, demeura muré dans son refus. Vincent essaya lui aussi de le convaincre, mais sans plus de succès. Marie demanda alors à son père d'aller chercher Elina et de rester là-bas au cas où les enfants se réveilleraient. Vincent partit, et l'on entendit le bruit de ses pas décroître dans la nuit. En attendant l'arrivée d'Elina, Marie ne dit plus rien. Seule Elise, assise près de Vivien, lui parlait à l'oreille, mais il se contentait de remuer la tête, exprimant une hostilité farouche qui finit par la décourager.

Elina arriva, s'assit face à Vivien, à la place de Marie qui préféra les laisser seuls et monta, avec Elise, se reposer dans une chambre. Et ce qu'elles n'avaient pu faire entendre à Vivien, Elina y parvint au bout de deux heures de patience et de douceur. Une fois de plus, avec des mots, qui, dans sa bouche, prenaient une couleur différente, elle réussit à insuffler chez un autre un regain de vie, un nouvel espoir. Vivien accepta de revenir aux Essarts avec Elise, à condition de faire de temps en temps une escapade sur la Dordogne sans attirer l'attention des gendarmes.

Marie, redescendue avec Elise, proposa à son frère de passer toute la journée du lendemain à se reposer et à profiter de sa maison. Vincent louerait de nouveau la charrette et l'on repartirait samedi matin, ce qui permettrait d'arriver à Thiviers le dimanche avant midi. Il suffirait, pour cela, de voyager de nuit, ce qui n'était pas un inconvénient puisque l'on connaissait la route.

Ainsi fut fait. Marie, Vincent, Elise et Vivien repartirent le surlendemain, Vivien caché sous une bâche entre la malle qui contenait les affaires d'Elise et la ridelle. Ce matin-là, de grandes gerbes de nuages s'étiraient dans le ciel. La pluie menaçait. Elle ne tarda pas à rattraper l'attelage et à noyer la campagne sous une bruine qui, heureusement, n'était pas froide mais tiède, et qui faisait jaillir de chaque côté de la route des parfums de mousse et de champignons. Marie et

Vincent déplièrent les capotes de toile cirée dont ils se servaient sur la Dordogne, et le voyage se poursuivit dans une monotonie accentuée par la grisaille du jour.

A chaque instant, Marie redoutait que Vivien ne sautât de la charrette et ne s'enfuît. Il n'en fit rien. Il se laissa conduire jusqu'aux Essarts sans un mot et sans le moindre mouvement de révolte. En le laissant, si loin de la Dordogne, Marie s'en voulut. Il ressemblait à l'un de ces grands aulnes qui manquent d'eau et qui meurent doucement dans les anciens lits des rivières. Et, au retour, après un repas qu'elle s'efforça, avec Noémie, de rendre gai, tandis que la charrette avançait lentement entre les châtaigniers, la pensée que Benjamin, là-bas, de l'autre côté de la mer, pût souffrir autant que Vivien frappa Marie comme un coup dans le cœur. Elle se tourna de côté pour cacher ses larmes à Vincent, folle d'angoisse à l'idée qu'il pouvait être tué s'il essayait un jour, lui aussi, de s'évader.

Les six mois qui avaient passé avaient ancré Benjamin dans la certitude que sa détention allait durer longtemps. Aussi avait-il pris la décision de s'enfuir dès que l'occasion se présenterait. Dans son désir fou de revoir son pays et la Dordogne, les risques qu'il fallait prendre lui paraissaient dérisoires. A ses yeux, le seul obstacle, c'était la mer. Or, durant les travaux qu'ils exécutaient sur la côte, les proscrits pouvaient apercevoir de nombreuses barques de pêche dans les petits ports des villages côtiers. Il ne semblait pas impossible à Benjamin de s'emparer de l'une d'entre elles à la faveur de la nuit, sans attirer l'attention des villageois. Pour le reste, il avait suffisamment navigué sur tous les océans pour franchir sans dommage la Méditerranée, à plus forte raison s'il longeait les côtes vers l'ouest, afin de traverser par le détroit de Gibraltar.

Comme il ne pouvait manœuvrer seul, il avait mis un homme dans la confidence : il s'appelait Etienne Cazalbou, et, avant les événements, était cordonnier à Marmande. Républicain de la première heure, ce colosse brun, au faciès de loup, avait très bien connu Pierre Bourdelle et parlait souvent de lui avec Benjamin. C'était d'ailleurs ce qui les avait rapprochés, avec, peut-être aussi, ce refus de la discipline manifesté par Cazalbou, dans lequel Benjamin se reconnaissait. Bien qu'il n'eût guère le pied marin, le Marmandais avait accepté tout de suite. Ils avaient décidé de tenter l'aventure avant l'hiver, de manière à ne pas trop s'exposer au mauvais temps.

— Une fois là-bas, on se cachera sur les rives de la Dordogne, disait Benjamin. Tu viendras avec moi.

— Non ! c'est toi qui viendras avec moi, répondait Cazalbou, dans ma campagne toutes les portes me sont ouvertes.

Ils en discutaient interminablement, ce qui avivait leur désir de partir, d'échapper à la surveillance de plus en plus tatillonne des soldats, à l'épouvantable chaleur des jours qui n'en finissaient pas de se succéder sans que rien vînt troubler leur monotonie languissante.

Ils profitèrent d'une corvée effectuée sur la plage pour disparaître de l'autre côté d'une dune et se mettre à courir vers des pins derrière lesquels ils s'allongèrent, guettant les bruits. Rassurés par le silence, ils reprirent leur course vers l'ouest, longeant la mer dans la direction opposée à Mers el-Kébir. La nuit tomba, étouffante en raison du vent du désert qui grillait tout sur son passage depuis le début de l'été. Des chiens aboyaient à l'intérieur des terres, dans les villages où les indigènes s'endormaient dans leurs maisons blanches, sans étage, serrées les unes contre les autres comme les moutons d'un troupeau sous l'orage.

Afin de s'éloigner le plus possible de Mers el-Kébir où l'alerte avait dû être donnée, les deux hommes ne s'arrêtèrent pas au premier village qu'ils rencontrèrent, mais ils continuèrent à courir dans la nuit en suivant la côte. Il leur fallut près d'une heure pour atteindre un deuxième village et descendre sans bruit vers le petit port où des mâts se balançaient sous la lune. Là, Benjamin n'eut aucun mal à s'emparer d'une barque, car le site était paisible et les pêcheurs peu méfiants : il lui suffit de faire glisser la corde au-dessus de la bitte d'amarrage et de hisser la petite voile qui rappelait celles, anciennes, des Barbaresques, pour quitter le port sans être vu.

Il avait décidé de ne pas naviguer trop près des côtes et de gagner la pleine mer le plus rapidement possible. Ensuite, une fois qu'ils se seraient éloignés de Mers el-Kébir, ils reviendraient plus près des terres, afin de ne pas s'égarer. Le vent qui venait du désert était portant, et Benjamin n'eut aucun mal à mettre en œuvre son projet. Il barra droit devant lui jusqu'à cinq heures du matin, puis le vent tomba. Ils demeurèrent encalminés un long moment avant qu'une risée ne balaye la mer, venant de l'ouest. Comment se diriger vers Gibraltar avec le vent de face ? Dès que la brise forcit, Benjamin fut contraint de tirer des bords qui l'éloignèrent de plus en plus de la côte sans pour autant les faire progresser de façon significative vers l'ouest.

Quand le jour se leva, le vent devint tourmente. Benjamin, donnant la barre à Cazalbou, affala la voile et se mit à la cape, ainsi qu'on le lui avait appris dans la marine. Le grain arriva peu après, malmenant la barque qui roulait d'un bord sur l'autre et se comportait tout à fait différemment de l'*Elina,* ce qui inquiéta beaucoup Benjamin. Cazalbou, victime du mal de mer, dut s'allonger à l'abri : une petite dunette de planches dans laquelle un seul homme pouvait entrer. Benjamin resta à la barre, à peine protégé par une bâche et rageant contre le mauvais sort : ils étaient partis au commencement d'une tempête alors que le soleil brillait depuis des mois ! Sa blouse bleue de prisonnier transpercée par la pluie, il grelottait, cherchant à s'orienter malgré la brume épaisse et les rafales qui entraînaient la barque dans une folle dérive.

Un peu plus tard, comme il lui semblait qu'ils se rapprochaient des côtes, il tenta de hisser de nouveau la voile, mais le vent était trop violent et il dut la ferler au plus vite pour ne pas chavirer. Il avait faim. Il avait froid. Son compagnon ne lui était d'aucun secours. Il se contentait de grogner comme un ours blessé et de demander s'ils étaient loin de Gibraltar. Leur dérive forcée se prolongea jusqu'au début de l'après-midi. Alors le vent faiblit et la brume se déchira. Benjamin se rendit compte qu'ils se trouvaient à moins de trois kilomètres de la côte. A peine eut-il le temps de hisser la voile et de parcourir quelques centaines de mètres en direction du large qu'un navire de la marine française surgit et vint arraisonner la frêle barque de pêche incapable de fuir.

Arrêtés, mis aux fers, Etienne et Benjamin furent conduits au fort de Mers el-Kébir et enfermés séparément dans deux cachots qui ne laissaient filtrer qu'un mince rai de lumière et dont la paille, humide et pourrissante, grouillait de vermine. Ils y restèrent un mois, sans nouvelles de l'extérieur, au pain sec et à l'eau, privés de lumière et de la plus élémentaire liberté d'aller et venir. Benjamin en ressortit dévoré par les poux, couvert de pustules, incapable de se tenir debout. Il y avait longtemps que le bonheur d'avoir respiré l'air du grand large avait fondu dans l'ombre froide du cachot. Il songea pourtant que les quelques heures qu'il avait passées sur la barque de pêche avaient été aussi nécessaires à sa survie que les maigres repas quotidiens. Malgré l'épuisement dans lequel il se trouvait, il se jura de recommencer. Mais il prendrait, avant, la précaution de s'enquérir auprès des indigènes du temps qu'il ferait pendant les quarante-huit heures à venir.

Du début de l'automne, Marie aimait passionnément l'embrasement des rives et les parfums de treille qui coulaient des collines. Des couloirs roux s'ouvraient dans les forêts pour mieux les enflammer. Le ciel duveté de gris fondait dans un ultime éclat de la lumière. C'étaient les dernières douceurs de l'air avant l'hiver. Marie le sentait à une sorte de lézarde dans le vent, par où se glissaient des pointes fraîches qui, par moments, faisaient frissonner la peau sur les bras. Mais elle savait aussi que le froid attendrait encore plusieurs semaines avant d'emprisonner la vallée dans les premières gelées. Et elle comptait bien profiter de ce voyage à Bordeaux qu'elle avait décidé subitement, deux jours auparavant.

A Bordeaux, en effet, on attendait la visite de Louis Napoléon qui avait entrepris une grande tournée dans le Sud-Ouest. Pourquoi avait-elle éprouvé le besoin de voir cet homme par qui le malheur était arrivé ? Elle ne le savait pas exactement, mais elle s'y était décidée à l'instant même où elle avait appris la nouvelle. Il lui semblait que le fait de l'approcher prouverait qu'il n'était pas aussi puissant, aussi inaccessible qu'on le croyait et atténuerait du même coup la gravité des événements de décembre. Elle n'était pas tout à fait certaine, cependant, qu'il ne s'agît de sa part d'un défi. Mais qu'importaient ces interrogations ? Elle était heureuse de cette fièvre ardente qui brûlait en elle, provoquant une sorte d'enthousiasme qu'accentuait encore la beauté de l'automne.

L'eau, dans cet après-midi sonore, était tout en muscles et en roulements d'épaules. Elle portait les gabares avec cette force qu'elle conserve longtemps après les crues, quand son cœur bat encore d'avoir charrié tant de terre et tant d'arbres jusqu'au bout du voyage. Marie avait plaisir à naviguer sur ces eaux vigoureuses qui lui faisaient oublier, sur les rives, le déclin des couleurs. Elle songea vaguement qu'il n'y aurait peut-être jamais plus de printemps, haussa les épaules, porta son regard sur la rivière qui filait sur bâbord en longues glissades d'un vert sombre, tandis que sur la berge, là-bas, les quenouilles des peupliers jaunissaient de la pointe comme une laine mal cardée.

L'*Elina* et la capitane arrivaient dans la plaine de Sainte-Foy-la-Grande qui, sur la rive gauche, était couverte de vergers. Le vent d'ouest faisait danser les feuilles dont le murmure parvenait jusqu'au milieu de l'eau où Marie aspirait de grandes bolées d'air au goût de pomme. Devant les deux bateaux, trois gabarots limousins traçaient une route bizarre depuis le début de l'après-midi. Ils ne cessaient d'aller d'un bord à l'autre de la Dordogne, révélant un manque d'expérience inquiétant sur des eaux si nerveuses. Comme Vincent évitait de les suivre de trop près, Marie avait compris qu'il se méfiait. Elle se demandait si l'équipage des gabarots n'était pas ivre et elle demeurait vigilante, gardant une centaine de mètres de distance entre la capitane et l'*Elina*.

Le convoi dépassa le manoir de Riandole, lécha un îlot couvert d'aulnes, puis arriva à la hauteur du château de Saint-Martin dont on apercevait le parc entre les frondaisons. Marie l'admira un instant puis revint à la rivière qui, là-bas, recevait sur bâbord la Gardonette et sur tribord l'Eyraud, tout droit descendu des forêts de Lagudal. Ensuite, ce fut Gardonne, de longues îles de sable blanc d'où s'envolèrent deux tadornes au bec rouge, encore des vergers et, plus loin, les coteaux du Fleix avec leurs vieilles demeures et leurs pins parasols.

Marie connaissait parfaitement les dangers du cingle qui formait un coude aussi fermé qu'un angle droit, et elle se rendit compte que les gabarots, là-bas, devant, ignoraient tout des risques qu'ils couraient. Elle se dit qu'ils naviguaient trop sur tribord et que, s'ils ne redressaient pas leur trajectoire à temps, ils allaient être précipités contre la rive par le courant. Le prouvier de Vincent cria, cherchant à les prévenir. Elle comprit qu'ils n'avaient pas entendu quand le courant les prit, et, sans qu'ils aient le temps de tenter la moindre manœuvre, les envoya buter contre la berge. Leur cargaison bascula, ils chavirèrent, et Marie vit distinctement des hommes tomber à l'eau à l'endroit où le courant était le plus violent. Aussitôt, contrairement aux règles établies, elle dirigea la capitane vers tribord et demanda à Philippe de se préparer à jeter des cordes. Comme elle avait l'habitude de passer le cingle sur bâbord, elle fut surprise par la force du courant et dut rectifier très vite sa trajectoire. Il fallait pourtant se rapprocher le plus possible des hommes qui, sans doute blessés, luttaient dans les eaux écumantes pour ne pas sombrer. Vincent avait amorcé la même manœuvre, mais, du fait qu'il se trouvait plus près des gabarots, elle avait été trop tardive, et il n'avait pu repêcher qu'un Limousin.

Quand elle sentit que le courant s'emparait de la capitane, Marie résista de toutes ses forces en pesant sur le gouvernail, mais en vain. Alors elle laissa glisser son bateau sur tribord et, ainsi, passa tout près des hommes, épuisés, qui purent se saisir des cordelles.

Cette manœuvre ayant réussi, restait le plus difficile : éviter l'obstacle de la berge qui se rapprochait à vitesse folle. Marie s'était tellement engagée sur tribord qu'elle crut le choc inévitable. Cependant, tandis qu'elle luttait contre la pression de l'eau sur le gouvernail, elle sentit dans ses bras une totale impossibilité à passer ainsi et, aussitôt, d'instinct, changea de position, amorçant un demi-tour, la poupe vers bâbord et non pas vers tribord. La capitane faillit verser, frôla la rive, partit la poupe en avant, mais glissa hors du courant et entra dans la meilhe, en aval, qui la ralentit suffisamment pour que Marie réussisse à la redresser en douceur. Elle entendit des hommes crier : les Limousins et ses propres matelots. La Dordogne, maintenant pacifiée, s'attardait dans les calmes qui suivent souvent les rapides. La capitane s'arrêta presque en arrivant à hauteur de l'*Elina,* ce qui permit à l'équipage de haler les Limousins à bout de forces. Tous étaient en piteux état. Beaucoup saignaient, trois ou quatre souffraient de fractures. Assis contre le merrain, ils reprenaient leurs esprits, étonnés de découvrir une femme à la barre du bateau qui les avait sauvés.

Tout de suite après le cingle, la capitane et l'*Elina* purent accoster dans un calme, à l'entrée d'un bras mort. Les matelots de Vincent aidèrent ceux de Marie à donner les premiers soins aux blessés encore sous le choc. Marie comprit qu'ils avaient trop arrosé leur voyage à l'escale de Bergerac où, d'ordinaire, ils arrêtaient leur descente. Elle n'intervint pas dans la conversation entre Vincent et les Limousins qui décidèrent finalement de continuer jusqu'à Sainte-Foy où ils pourraient mieux soigner leurs blessés et reprendre des forces avant de repartir vers le Fleix.

Quand le convoi atteignit Sainte-Foy, la nuit tombait, lourde des odeurs du port, épaisse comme les nuages violets qui coiffaient les collines. Dès que les bateaux furent amarrés, Marie se réfugia dans sa chambre, à l'auberge, avec en elle une immense fierté. Aujourd'hui, elle avait « senti » la rivière comme cela ne lui était jamais arrivé. Il lui sembla qu'elles étaient l'une et l'autre de la même chair, du même sang. Elle se dit qu'une femme, avec son instinct, était peut-être plus apte à naviguer qu'un homme. Puis, songeant à Benjamin, elle redevint humble au souvenir de son habileté au passage du bec d'Ambès, que pour sa part elle n'affronterait jamais.

Un peu plus tard, comme on tardait à lui apporter le repas qu'elle avait l'habitude de prendre dans sa chambre, elle descendit le chercher. Dès qu'elle entra dans la cuisine, le patron l'invita à le suivre dans la grande salle où mangeaient les bateliers. D'abord elle refusa, puis, devant son insistance, elle accepta, intriguée. A peine eut-elle refermé la porte qu'elle fut entourée par six hommes qui se mirent à tourner autour d'elle en chantant. Elle voulut s'échapper, y parvint, mais fut arrêtée par le regard de Vincent qui l'incitait, au contraire, à entrer dans le jeu. Elle comprit que tous savaient ce qui s'était passé durant l'après-midi et qu'ils avaient décidé de la fêter, elle, la seule femme à oser naviguer. Elle se laissa entraîner et fut contrainte de s'asseoir en bout de table où une place lui avait été réservée, comme à un maître de bateau respecté de tous. Elle dut chanter et boire, finit par se laisser griser par ce triomphe qu'elle n'aurait jamais espéré, oublia les affronts, les sarcasmes, l'accident de l'après-midi et même la raison de sa présence ici. Cette joie un peu folle dura un long moment, puis elle s'estompa lorsqu'elle pensa à Benjamin, si loin, qui était privé du bonheur des voyages. Elle trouva alors le courage de parler de lui. Quelques mots seulement, mais qui furent salués par les applaudissements de toute la salle.

— Vive la République ! lança-t-on çà et là.

Puis les hommes scandèrent le nom de Benjamin jusqu'à ce que l'aubergiste, craignant l'arrivée des gendarmes, vienne ramener le calme. Marie, qui n'avait pas l'habitude de boire tant, se sentait mal. Elle demanda à monter dans sa chambre. Aucune des plaisanteries habituelles ne lui fut adressée, au contraire. L'un des gabariers qui avait été repêché par la capitane se leva et prononça un couplet à son honneur :

Sur la verte Dordogne
Depuis le haut pays
Jusqu'à Bordeaux encore
Il n'y a qu'une Marie
La belle du Périgord.

Elle s'enfuit sous les acclamations et se réfugia dans la chambre où, ivre d'émotion et de fatigue, elle put enfin partager sa victoire avec Benjamin.

Le surlendemain, de Libourne, elle partit pour Bordeaux par le coche qu'elle avait l'habitude d'emprunter aux premières heures de la matinée. La pluie menaçait, mais le vent d'ouest poussait les nuages vers l'intérieur des terres, et Marie pensa que le beau temps s'installerait sans doute pendant la journée. Assise dans la voiture le dos tourné aux chevaux, elle ne voyait même pas ses compagnons de voyage, tant elle était plongée dans le souvenir des événements de la veille. Elle sentait vibrer en elle une force qui lui donnait l'impression de pouvoir renverser des montagnes. N'avait-elle pas réussi dans toutes ses entreprises ? N'était-elle pas désormais l'égale des maîtres de bateau ?

Comme elle avait appris que Louis Napoléon avait accordé cent sept grâces lors de son passage à Agen, l'idée lui était venue de l'approcher, afin de plaider la cause de Benjamin. Certes, elle savait que c'était là une idée un peu folle, mais rien ne lui paraissait plus impossible depuis la veille au soir. Aussi, ce matin-là, depuis son réveil, sans en avoir parlé à personne, échafaudait-elle toutes sortes de plans afin de mener à bien son projet, quels qu'en fussent les risques.

Une fois à la Bastide, elle traversa rapidement pour se rendre chez l'aubergiste du quai des Salinières. Celui-ci, conscient d'avoir failli à sa promesse de faire libérer Benjamin, avait pris Marie sous sa protection. Il lui trouva une place dans son arrière-salle où elle put manger sans être dérangée, puis il vint la retrouver dès qu'il eut un moment de libre. Elle en profita pour se renseigner auprès de lui sur l'itinéraire que devait suivre le Prince Président, apprit que son bateau, l'*Etoile de France*, qui descendait la Garonne depuis Agen, accosterait au quai de la douane. Ensuite, le cortège traverserait la ville au cours de l'après-midi, et le Prince prononcerait un discours à l'hôtel de ville, avant le grand dîner.

Marie remercia l'aubergiste et, comme il était déjà quatorze heures, descendit jusqu'au quai de la douane où des badauds attendaient Louis Napoléon, derrière une rangée de soldats en armes. Une calèche découverte, aux ferrures dorées et pavoisée aux couleurs de la ville, était attelée à deux chevaux blancs dont le frontal, la muserolle et les anneaux d'argent jetaient des éclairs sous le soleil. Perdue dans la foule impatiente des Bordelais, Marie se sentait toute petite, mais sa résolution demeurait la même : si elle parvenait à s'approcher du Prince, elle saurait trouver les mots et Benjamin serait gracié. Elle s'aperçut que de l'autre côté de l'avenue, au bord de la Garonne, les soldats étaient moins nombreux. Elle réussit à traverser sans attirer l'attention, un peu effarouchée, cependant, par les baïonnettes qui prolongeaient les fusils au-dessus des képis.

Un peu plus tard, alors qu'elle s'était glissée au premier rang, juste derrière les soldats, un long murmure parcourut la foule et ne fit que croître jusqu'à ce que l'*Etoile de France* vienne jeter l'ancre, face à l'endroit où se trouvait Marie. Les autorités se précipitèrent, ainsi qu'un détachement de soldats qui se déploya de chaque côté de la passerelle. Il y eut des cris, des vivats, bientôt couverts par les accents d'une musique militaire. Devant la passerelle, une bousculade ébranla le cortège des officiels pressés d'accueillir le Prince. Il fallut patienter cinq minutes avant qu'il ne paraisse, vêtu d'un pantalon rouge à lisérés noirs, d'une jaquette de la même couleur barrée d'une large écharpe également rouge et ornée de deux galons dorés encadrant les décorations. Tête nue, son bicorne à la main, il salua les autorités d'une inclination du buste, prononça quelques mots, puis il s'avança dignement vers la calèche dont un officier ouvrit la porte. Il y monta, s'assit, puis se releva aussitôt pour répondre aux acclamations. A cet instant, éblouie par tant de prestige, Marie crut que ses forces allaient l'abandonner. Pourtant les cent sept grâces prononcées à Agen lui revinrent en mémoire et ranimèrent son courage. Sans réfléchir davantage, elle se détacha du premier rang où elle s'était glissée, se faufila entre deux soldats qui regardaient dans la direction de la calèche et ne se rendirent pas compte de ce qui se passait. Le cœur fou, elle avança rapidement, mais sans courir, vers la voiture où s'étaient également assis, face au Prince, deux officiers. Les cris, la musique, les vivats, le soleil qui faisait luire l'or et l'argent des uniformes paraissaient irréels à Marie, de même que sa présence insolite en ces lieux. Une seule chose importait : s'approcher de la calèche, afin de sauver Benjamin. Elle se trouvait à quelques mètres seulement, lorsqu'un cri retentit dans son dos, dominant tous les autres. Elle ne s'arrêta pas, au contraire : elle combla les derniers mètres et eut le temps de distinguer, dans cette tête qui s'était tournée vers elle, les cheveux châtains presque roux, les yeux d'un vert doré, un peu glauques, le nez fort et droit, la moustache effilée aux deux extrémités, et la stupéfaction hostile du regard où erra, lui sembla-t-il, l'espace d'un instant, une ombre de frayeur.

— S'il vous plaît ! dit-elle, en tendant une main vers lui.

Elle n'eut pas le temps de faire un pas de plus car des soldats l'avaient saisie et immobilisée.

— S'il vous plaît ! répéta-t-elle.

Une lueur de mépris insondable brilla dans les yeux qui, tout de suite, se détournèrent. Elle gémit sous la poigne qui lui avait rabattu les bras dans le dos, se retrouva à terre, aveuglée par des larmes de douleur. Elle essaya de se relever, mais renonça en apercevant les bottes noires qui l'entouraient, tandis que des coups pleuvaient maintenant sur son dos. Elle entendit démarrer la calèche et, dans le vacarme provoqué par les chevaux, elle songea vaguement qu'elle allait mourir. Elle s'évanouit en emportant avec elle le regard glacé qui l'avait transpercée et la certitude qu'elle allait devoir payer cher son crime de lèse-majesté.

Elle revint à elle de longues minutes plus tard, dans une voiture qui roulait à vive allure sur les pavés. Elle était allongée entre deux rangées de trois soldats, ses poignets attachés dans le dos, incapable de bouger dans l'étroit couloir entre les sièges. Mon Dieu ! Qu'avait-elle fait ! Elle se sentit prise au piège entre ces hommes qui l'écrasaient de toute leur hauteur et l'emportaient elle ne savait où.

— Je ne lui voulais pas de mal, gémit-elle, vous pouvez me croire, je n'avais pas d'arme.

Un coup de botte la fit taire et elle se résigna à attendre le moment où, inévitablement, elle aurait à se justifier. Le temps lui parut terriblement long dans la position où elle se trouvait, la tête reposant sur le plancher de la voiture, les jambes repliées sous elle, tout le corps douloureux.

Enfin la voiture ralentit, tourna à droite et pénétra dans une cour pavée. Etait-ce l'hôtel de police ou une prison ? Elle n'eut pas à s'interroger davantage, car les soldats l'empoignèrent et l'entraînèrent dans un couloir sombre. Ils le suivirent jusqu'au bout, ouvrirent une porte qui donnait sur une pièce étroite dans laquelle ils poussèrent Marie. Ils la firent asseoir et la fouillèrent, lui arrachant des larmes de honte qu'elle tenta de dissimuler en baissant la tête.

— Pas d'arme, dit l'un des soldats.

Elle sentit une présence dans son dos, puis entendit des pas qui s'approchaient lentement. Une main empoigna ses cheveux, la forçant à relever la tête. L'homme qui lui faisait face était vêtu d'un pantalon et d'une redingote noirs, portait un foulard également sombre qui tranchait sur le blanc de sa chemise. Il était rond, chauve, avec des yeux étrangement clairs qui brillaient d'une sorte de fièvre sous des sourcils épais. Une impression de force animale émanait de son corps trapu, entièrement couvert de noir, excepté la chemise et une chaîne d'argent qui pendait du haut de son gilet vers son gousset.

— Une femme, dit-il, voilà qu'ils arment des femmes à présent !

— Je n'avais pas d'arme, bredouilla Marie, je voulais simplement lui parler.

— Lui parler ! Voyez-vous ça !

L'homme lâcha ses cheveux, et s'assit face à elle, s'appuyant des coudes sur le dossier d'une chaise retournée. Son regard, d'une implacable cruauté, cherchait à lire en elle, la transperçait. Il approcha son visage jusqu'à celui de Marie qui recula, terrifiée.

— Et qu'est-ce que tu voulais lui dire ? demanda-t-il.

— Lui parler de mon mari, fit-elle.

— Ton mari ! Comment s'appelle-t-il, ton mari, ma belle ?

— Benjamin Donadieu.

— C'est donc qu'il ne peut pas faire ses commissions lui-même ?

Marie avala à grand-peine sa salive, murmura :

— Il est en Algérie.

L'homme se redressa, sourit.

— Et pourquoi se trouve-t-il en Algérie, ton mari ? Explique-moi ça, ma belle, ça m'intéresse énormément.

Marie, comprenant qu'elle s'était mise dans une situation extrêmement périlleuse, hésita.

— Tu ne veux pas répondre ?

Il empoigna de nouveau ses cheveux, repoussant sa tête vers l'arrière.

— Il a été déporté, souffla-t-elle ; il se trouvait à Marmande.

L'homme, une nouvelle fois, la lâcha. Son visage s'éclaira d'un grand sourire qui découvrit ses dents d'une blancheur parfaite.

— Un complot républicain, siffla-t-il en hochant la tête d'un air de triomphe.

— Non, fit Marie, pas du tout.

— Alors, tu voulais le tuer, dit l'homme, comme s'il n'accordait aucune attention à ce qu'elle disait.

— Non, répéta-t-elle, je voulais simplement lui demander la grâce de mon mari.

— Tu portais quelle arme ? demanda-t-il, feignant de nouveau de ne pas l'entendre.

— Je n'avais pas d'arme, gémit-elle, je voulais seulement lui parler.

— Tu l'as donc jetée ! Il va falloir me dire où, ma belle.

— Non ! fit-elle dans une plainte, je n'ai jamais eu d'arme, je vous le jure !

— Sur les quais ou dans la voiture ?

Il lui sembla qu'elle se heurtait à un mur et qu'elle devenait folle.

— Je n'ai jamais eu d'arme, répéta-t-elle plaintivement.

Et, comme l'homme s'approchait d'elle de nouveau, elle se réfugia dans le silence, essayant de retenir ses gémissements quand la douleur devenait trop forte, incapable de répondre aux questions qu'il hurlait contre ses oreilles, et dont elle ne comprenait pas le sens. A la fin, elle bascula dans un trou béant et perdit conscience durant un bref instant, qui lui parut pourtant durer des années.

Un grand froid la fit suffoquer. Un soldat venait de lancer un seau d'eau sur elle. Elle était assise par terre, claquant des dents, entourée d'hommes noirs qui martelaient des mots avec la même violence têtue, implacable : « L'arme ! L'arme ! Tu voulais le tuer ! Où est l'arme ? » Recroquevillée sur elle-même, elle résistait de son mieux aux coups qui pleuvaient sur son dos, persuadée qu'elle ne sortirait jamais vivante de cet enfer où elle était allée absurdement se jeter. Combien de temps dura ce calvaire ? Elle ne le sut jamais, car l'horreur de ce qu'elle vivait provoqua une perte de connaissance qui la préserva de plus graves blessures.

Plus tard, beaucoup plus tard, il lui sembla que sa tête reposait sur quelque chose de doux. Elle reconnut l'odeur de la paille, comprit qu'elle se trouvait dans un cachot et ressentit un tel soulagement qu'elle pleura de bonheur. Epuisée, le corps perclus de douleurs, elle se réfugia dans un sommeil qui s'ouvrit sur un abîme sans fond.

Le lendemain, dès l'aube, le supplice recommença :

les questions, l'eau froide, les brutalités et ces mêmes mots criés près de ses oreilles : « Avoue ! Avoue ! Dis-nous où tu as caché l'arme et tu pourras te reposer ! » Elle faillit avouer tout ce qu'on lui demandait, mais elle pensa à ses enfants, à Elina, à Benjamin, et un ultime sursaut de volonté lui permit de ne pas céder. Elle parvint à résister jusqu'au répit de midi et retrouva son cachot, la peur, la faim, mais aussi le silence et la paix. Ces quelques instants de solitude lui permirent de se forger de nouvelles forces avant l'interrogatoire de l'après-midi. Elle s'y prépara en se disant que sa seule chance de sortir d'ici était de ne rien avouer. Mais allait-elle tenir jusqu'au soir ?

A sa grande surprise, on ne vint pas la chercher. N'osant y croire, elle guetta les bruits, s'attendant à tout moment à être emmenée dans l'horrible salle où il lui semblait parfois perdre la raison, mais la porte ne s'ouvrit pas avant sept heures, heure à laquelle un gardien lui apporta une boule de pain et de l'eau. Elle se crut sauvée, mangea avec un plaisir infini la croûte et la mie qui avaient le goût de la vie, dormit mieux, reprit espoir.

Alors qu'elle croyait être libérée, pourtant, elle dut encore subir trois séances d'interrogatoire durant lesquelles elle ne céda rien, ayant deviné que la police enquêtait sur son compte. Ces moments d'horreur et de répit durèrent exactement dix jours. Elle puisa tout au fond d'elle une énergie dont elle ne se serait jamais crue capable en pensant sans cesse à ses enfants, dont il lui paraissait impossible qu'ils pussent grandir sans elle. Elle n'avait pas le droit de flancher. Benjamin subissait une punition bien plus terrible que la sienne. Elle devait reprendre le combat. Elle ne pouvait pas capituler sans donner raison à ceux qui l'avaient éloigné d'elle.

Dix jours après les événements du port, un matin, elle se retrouva à l'air libre, étonnée, éblouie, dans un quartier qu'elle ne connaissait pas. Elle dut se renseigner pour trouver la direction du port, marcha vers les quais avec une hâte joyeuse, respirant à pleins poumons l'air frais du matin, levant la tête vers cette lumière qui lui avait tant manqué. Elle avait faim. Terriblement faim. En la voyant pousser sa porte, l'aubergiste en laissa tomber son torchon.

— Et où étiez-vous passée ? demanda-t-il. Tout le monde vous cherche. On vous a crue morte.

Elle lui expliqua en peu de mots d'où elle venait et il murmura, abasourdi :

— Ainsi, c'était donc vous !

Puis, l'installant à table devant une assiette de soupe aux légumes, il lui expliqua que son père, désespéré, était venu à l'auberge. Lui aussi avait entendu parler d'une femme qui avait été arrêtée sur le port après avoir essayé de tuer le Prince, mais il n'avait pas supposé un instant qu'il pût s'agir de Marie. D'autant que pour certains témoins cette femme était blonde, pour d'autres brune, petite ou grande, de sorte qu'on ne savait même pas ce qui s'était réellement passé.

— Vous êtes folle, ma petite ! dit l'aubergiste quand Marie lui eut expliqué son projet. Ils auraient pu vous tuer. D'ailleurs je ne comprends pas pourquoi ils vous ont relâchée.

Il réfléchit un instant, tandis qu'elle ne songeait qu'à manger une deuxième assiette de soupe, reprit en baissant la voix :

— Ou plutôt si, je comprends très bien.

Elle leva sur lui un regard interrogateur.

— Ils vont vous faire suivre pour essayer d'infiltrer les milieux républicains. Vous allez devoir vous méfier.

Il ajouta, d'un air accablé :

— Et moi aussi.

Marie reposa sa cuillère. Elle n'avait plus faim, soudain, et se sentait coupable.

— Je m'en vais, dit-elle, ne vous inquiétez pas.

— Oh ! fit-il, ils me connaissent depuis longtemps.

— Quand même, dit-elle, vous en avez assez fait comme ça.

Elle se leva, lui dit au revoir, posa deux piécettes sur la table.

— De toute façon, dit-elle, il faut que j'aille vite rassurer les miens. Ne vous dérangez pas, et merci pour tout.

Elle sortit, fut de nouveau éblouie par la lumière et, réconfortée par la soupe chaude, elle courut vers le pont en espérant arriver avant neuf heures à la Bastide. Se souvenant des propos de l'aubergiste, elle se retourna plusieurs fois, mais il ne lui sembla pas qu'elle était suivie. Dans la voiture, elle voyagea seule avec une femme qui descendit à trois lieues de Bordeaux. Rassurée, Marie songea aux siens, à Vincent qui se trouvait peut-être à Libourne s'il avait eu le temps de redescendre, puis, n'osant croire encore à sa liberté retrouvée, elle appuya sa tête contre le carreau pour profiter du soleil et ferma les yeux.

9

Cet automne-là fut suivi par un hiver terrible qui provoqua la disette dans les campagnes. En raison du froid et de la glace, Vincent et Marie avaient arrêté de naviguer à la mi-décembre et n'avaient pu reprendre les voyages avant le début du mois de mars. Les quelques écus qu'ils avaient mis de côté avaient été dépensés pour acheter de la farine et des pommes de terre. La Dordogne charriait de la glace, et il était difficile de pêcher. Marie, qui s'inquiétait tous les jours avec Vincent et Elina du peu de ressources rapportées par les voyages, avait décidé de ne plus s'arrêter à Libourne, mais de continuer jusqu'à Bordeaux où elle trouverait de meilleurs prix aux Salinières.

— Tu n'as pas de permis maritime, avait objecté Vincent.

— Je m'en passerai et je ne serai pas la seule.

— Et pour passer le bec ?

— J'ai mon idée.

Elle avait contacté l'un des anciens matelots de Benjamin, dont elle avait entendu dire qu'il n'était pas satisfait de son patron de Groléjac. Martin Vidal avait répondu favorablement à son appel, lui témoignant ainsi une confiance qui l'avait touchée. Avec un second aussi expérimenté que lui, elle pourrait passer le bec d'Ambès et remonter la Garonne sans courir trop de risques. Elle avait toutefois décidé d'attendre les beaux jours, car elle se méfiait des coups de vent d'automne et de printemps. En attendant, elle était repartie avec

Vincent jusqu'à Libourne où la concurrence était tellement féroce entre les marchands et les maîtres de bateau qu'elle avait l'impression de travailler pour rien, ou pour quelques sous seulement, une fois qu'elle avait payé l'équipage.

Pourtant, sur la Dordogne, elle jouissait maintenant d'une réputation bien établie parmi les bateliers. Son coup de folie devant Louis Napoléon, à Bordeaux, l'auréolait d'un prestige que rehaussait encore son habileté à naviguer. Elle mangeait désormais à la même table que les hommes et ne lisait dans leurs yeux que respect et admiration. Bien autre chose, aussi, parfois, mais elle demeurait distante et sur ses gardes quand l'un des maîtres de bateau, la sachant seule et en difficulté, lui proposait son aide. C'est vrai qu'elle était seule, mais elle parlait le plus souvent possible de Benjamin, était devenue une républicaine convaincue qui ne craignait pas d'afficher ses idées. Le bonheur d'avoir repris à son compte le combat qu'il menait l'exaltait, surtout lorsqu'elle sentait les matelots suspendus à ses lèvres, et cela malgré les mises en garde de Vincent. Car elle savait que la Dordogne portait aussi bien les idées que les hommes. Comme elle avait véhiculé la pensée chrétienne, celles des croisades, de la Réforme et de la Révolution, elle se chargerait de répandre dans toute la vallée, depuis le haut pays jusqu'à la mer bordelaise, celles de la République. Marie en était sûre. Ce qui l'étonnait un peu, c'était de ne pas se sentir surveillée, contrairement à ce que lui avait prédit l'aubergiste et à ce qu'elle avait cru, elle aussi, inévitable.

Les lettres de Benjamin l'aidaient beaucoup car il ne se plaignait de rien et parlait d'avenir. Elle lui répondait chaque fois qu'elle rentrait au port, évoquait la Dordogne, les bateaux, mais taisait les difficultés auxquelles elle se heurtait. Elle recevait de temps en temps des lettres caviardées par la censure, ou même déchirées, ce qui la rendait prudente dans ses propres écrits. Quelquefois aussi elle pensait à Emeline et se demandait si elle n'allait pas intervenir pour faire libérer Benjamin. Elle l'espérait secrètement, honteusement, finissait par se persuader qu'Emeline en avait déjà pris l'initiative et, pour quelques instants, était heureuse.

Elle s'inquiétait un peu moins pour Vivien qui, avec Elise à ses côtés, avait fini par s'habituer dans la ferme des Essarts. Elle savait qu'il revenait de temps en temps vers la Dordogne mais qu'il rentrait toujours avant la date fatidique pour signer sa feuille à la gendarmerie. Parfois, il arrivait de nuit, affamé, exténué, se jetait sur la nourriture, dormait trois ou quatre heures et repartait avant le lever du jour. Marie se trouvant le plus souvent sur l'eau, c'est Elina qui lui racontait ces visites impromptues. Elle se souvenait pourtant de l'arrivée de son frère la semaine d'après le référendum qui, à la fin de novembre 52, avait officialisé l'Empire. Heureusement qu'elle avait regagné le port, ce dimanche-là : Vivien était comme fou, dans un état de révolte et d'excitation qui avait fort inquiété les deux femmes. Il semblait prêt à tirer sur les gendarmes, et même sur le premier homme qui lui parlerait de Louis Napoléon. Elles avaient dû fermer soigneusement les portes avant qu'Elina n'entreprît son patient travail de persuasion qui dura, cette fois-là, une grande partie de la nuit. Elle avait réussi à grand-peine à le calmer et à lui faire promettre de songer avant tout à sa famille. Il était reparti peu avant l'aube, hébété, le regard sombre, et les deux femmes avaient tremblé pendant deux jours, s'attendant au pire.

Ce matin de printemps, en appareillant de Sainte-Foy pour Libourne, ce n'était pas Vivien qui occupait les pensées de Marie. Ce qui l'obsédait depuis quelques jours, c'était l'idée de laisser péricliter le commerce que Victorien et Benjamin avaient créé avec tant de difficulté. Aussi, malgré les conseils de prudence d'Elina, Marie avait décidé de passer le bec pour la première fois et de s'aventurer dans la Garonne. Il était en effet essentiel pour elle que Benjamin pût reprendre ses activités dans les meilleures conditions dès son retour. Car il reviendrait. Tôt ou tard. Elle en était certaine. Et sa fierté serait de pouvoir lui dire : « Regarde de quoi j'ai été capable. Désormais nous pouvons naviguer ensemble. »

Il faisait à peine jour quand la capitane et l'*Elina* s'éloignèrent des dernières maisons de Sainte-Foy espacées dans des prairies grasses. Malgré la brume de ce matin de mai, Marie barrait sans aucune appréhension car elle connaissait parfaitement le cours du fleuve : la Dordogne suivait une ligne droite pendant trois kilomètres, ou presque, avant de buter sur la colline d'Appelles où, par temps clair, on apercevait les murailles claires d'un étrange château parmi les arbres. Les sons portaient loin, si bien que le moindre mot prononcé par les matelots de Vincent, répercuté par la sonorité de l'air, était audible sur les autres bateaux.

Marie, qui menait le convoi depuis qu'elle avait décidé de prendre en main l'*Elina,* devinait le soleil prêt à percer la brume et attendait ce moment avec impatience. Elle savait que tout s'embraserait, la rivière comme les collines, la terre comme le ciel, et que ce serait, comme chaque fois, le même enchantement. Perdue dans ses pensées, elle fut surprise quand la colline surgit devant elle, mais elle eut le bon réflexe, et l'*Elina* obéit au gouvernail dans la seconde précise où Marie manœuvra.

Passé ce danger, la descente s'effectua sans problème jusqu'à Sainte-Aulaye-de-Breuilh. Dix minutes passèrent, durant lesquelles Marie sentit que le brouillard s'amincissait, puis, d'un coup, il s'ouvrit comme un drap déchiré au couteau. Aussitôt, dès que les rayons de soleil touchèrent la surface de l'eau, la Dordogne parut prendre feu : des milliers de foyers s'allumèrent entre la rivière et la brume. Derrière eux, Marie crut apercevoir une sorte de boule de feu et pensa au vieillard d'Argentat. Elle ferma les yeux un moment, puis les rouvrit : la brume, déjà, n'était plus qu'une longue écharpe étirée au-dessus de la rivière. Bientôt, les arbres de la rive jaillirent comme des quenouilles vertes plantées dans la vallée. Une brise légère acheva de soulever le brouillard qui se fondit dans l'espace. « S'il pouvait voir ça, songea Marie en pensant brusquement à Benjamin, comme il serait heureux ! » Son absence lui sembla à cet instant si cruelle que les larmes, malgré ses efforts pour les retenir, débordèrent de ses yeux. Afin de les cacher au mousse qui se trouvait près d'elle, elle se tourna de côté et les laissa couler un instant avec la sensation d'un bonheur interdit.

Elle se lança dans la descente vers le bec d'Ambès le lendemain matin, avec Martin Vidal, Philippe et le mousse. Dès le départ elle essaya de ne rien laisser paraître de son appréhension, sachant que les hommes n'auraient pas accepté d'embarquer s'ils ne l'avaient pas sentie sûre d'elle. Mais déjà l'*Elina* prenait sa place dans le trafic, minuscule entre les cargos, les couraux et les chalands qui, comme elle, s'engageaient dans le méandre du tertre de Fronsac avec le jusant. Comme la veille, la brume avait recouvert la vallée, dissimulant les rives et réduisant la visibilité à quelques dizaines de mètres. Si elle avait eu le choix, Marie eût certainement attendu que la brume se lève, mais il fallait profiter du courant afin de ne pas utiliser la voile dont elle-même et les hommes d'équipage maîtrisaient mal l'utilisation. Vidal se tenait à côté du mât, prêt à la hisser si cela se révélait nécessaire, Philippe faisait office de prouvier et le mousse surveillait, sur bâbord, les bateaux qui accompagnaient l'*Elina* en se rapprochant dangereusement d'elle, parfois, comme si sa petitesse la rendait invisible.

Au fur et à mesure que s'égrenaient les quarante kilomètres qui séparent Libourne du bec d'Ambès, Marie s'inquiétait de plus en plus : comment, sans visibilité, allait-elle pouvoir traverser la Dordogne pour aller s'abriter sous l'île Cazeau ? Il n'était pas question d'accoster sur bâbord à cause des palus, ni sur tribord en raison des bancs de sable dont Benjamin lui avait enseigné les dangers. Elle n'avait d'autre solution que de continuer en priant pour que la brume se lève avant le bec. Elle ne reconnaissait pas les nombreux petits ports qui se succédaient et dont Vidal, lorsqu'il les identifiait malgré l'absence de visibilité, lui donnait les noms : Port-de-Plagne, Port-Neuf, Port-de-Mille-

Secousses ; tous sur la rive droite, mais tous aussi invisibles, pour Marie, qui cherchait désespérément le moyen de s'arrêter.

Le temps passait, et la brume ne se levait toujours pas. Marie prit alors le parti de s'écarter un peu sur bâbord afin de ne pas avoir à manœuvrer trop brusquement si elle arrivait au bec sans s'en rendre compte. La corne de brume d'un cargo protesta furieusement contre cette manœuvre, mais rassura Marie : elle était sûre, au moins, que les gros bateaux apercevaient le fanal de l'*Elina.* Vidal devina les coteaux de Bourg et lui indiqua qu'ils n'étaient plus très loin.

— Combien de temps ? demanda-t-elle.

— Je peux pas vous dire. Je me souviens pas très bien.

Elle se tourna vers bâbord pour tenter d'apercevoir assez tôt la pointe de terre qui allait s'effacer devant les morutiers arrivant de Bordeaux. Comme la grisaille lui semblait diminuer d'épaisseur, elle leva la tête vers le ciel, comprit que le soleil était sur le point de déchirer la brume, mais cela se produirait trop tard : elle serait déjà dans la Garonne. Le mousse et Vidal ne cachaient pas leur inquiétude. Leurs regards, qu'elle sentait rivés sur elle, l'incitèrent à prendre une initiative. Elle choisit de se rapprocher du milieu du fleuve et, malgré les protestations des grands voiliers, elle maintint l'*Elina* sur cette ligne dans l'espoir de traverser le plus rapidement possible quand le moment serait venu.

Les palus défilaient sur bâbord à grande vitesse, paraissaient fondre dans le fleuve. Le bec d'Ambès était au bout, Marie le savait. Son cœur s'accéléra, mais ses mains serrèrent fermement le gouvernail. Elle eut l'impression d'avoir commis une faute d'une extrême gravité en naviguant ainsi sur bâbord, mais il n'était plus temps de changer de direction car la bande de terre achevait de s'effacer, et, bientôt, disparut. Un énorme morutier apparut dans la brume et passa devant l'*Elina,* deux cents mètres en aval, comme un bateau fantôme. Un second le suivit, tout aussi menaçant, et passa très vite, lui aussi, toutes voiles déployées. L'*Elina,* maintenant, était sur le point d'entrer dans la Garonne. Marie, retenant son souffle, allait s'y décider quand elle aperçut le cargo qui arrivait par le travers. D'un coup de gouvernail rapide vers tribord, elle plaça l'*Elina* dans la perpendiculaire de la Dordogne pour laisser le passage. Le cargo s'y engouffra, faisant retentir sa corne de brume et soulevant une vague qui fit tanguer l'*Elina* bord sur bord. Alors, sans attendre, Marie, redressant son bateau, le lança dans la Garonne à moins de trente mètres de la poupe du cargo. Déjà, sur bâbord, apparaissait un morutier, mais l'*Elina,* portée de nouveau par le courant, fusa sur l'eau, traversa le chenal de navigation et, sur sa lancée, fila vers l'île Cazeau que Vidal désignait du doigt, droit devant. Philippe, le prouvier, guida Marie entre les bateaux qui, ancrés à l'abri, attendaient la renverse. Marie se plaça face au jusant, faisant dériver doucement l'*Elina* entre un courau et une filadière, puis le mousse jeta l'ancre et, enfin, le bateau s'immobilisa. Marie s'aperçut qu'elle était couverte de sueur et que son cœur cognait dans sa poitrine, follement. Pourtant elle ne tremblait pas et, une fois encore, la fierté l'envahit quand elle lut dans les yeux de ses hommes cette lueur qui ne trompait pas : ils l'avaient jugée, avaient admiré son sang-froid à l'instant de se faufiler entre les cargos, et ils exprimaient maintenant leur confiance en venant vers elle.

Sans un mot, ils s'installèrent pour manger, la laissèrent se servir la première, puis ils commencèrent à parler entre eux, comme si le respect qu'ils lui témoignaient l'excluait nécessairement de leur conversation. Tournée vers le fleuve, elle se mit à manger elle aussi et, soudain, le vit s'embraser. Ce qu'elle avait tant espéré depuis Libourne survenait alors qu'elle n'y songeait même plus, apaisée qu'elle était par le fait d'avoir réussi la manœuvre la plus délicate du voyage. Mais elle ne regretta pas d'avoir traversé la Garonne dans des conditions aussi périlleuses. Au moins, à l'avenir, elle aborderait le bec d'Ambès sans appréhension et avec la certitude de savoir éviter les pièges les plus dangereux.

Toute à sa fierté, elle contemplait l'immensité laiteuse que la brume venait de dévoiler. Et ces marais à l'infini, là-bas, quadrillés par les jalles ! Et ces oiseaux, hérons pourpres et sarcelles, qui parcouraient les rives à pas prudents ou s'envolaient à grands coups d'ailes vers la mer ! Et tous ces bateaux qui attendaient la renverse en miroitant sous le soleil ! Et cet horizon brusquement découvert, si blanc, si bleu, qui s'ouvrait sur des espaces infinis vers lesquels elle avait envie de se précipiter ! Du plus loin qu'elle se souvenait, Marie n'avait jamais imaginé voyager en ces lieux de grand large et d'aventure.

Bouleversée, elle se retourna vers l'intérieur du bateau. Les hommes, qui l'observaient, baissèrent la tête en même temps, comme des valets sous le regard de leur maître. Il lui sembla qu'ils la trouvaient belle, en fut bizarrement troublée.

— Dès qu'on repartira, on essaiera de hisser la voile, dit-elle pour dissimuler son émotion.

Vidal acquiesça de la tête. Une première risée effleura les bateaux. La Garonne se rida, tandis que de grandes vagues de lumière se mettaient à rouler sur l'eau comme pour la soulever. La brise de la renverse vint caresser les cheveux de Marie, que le soleil dorait.

Pendant la remonte vers Bordeaux, elle ressentit davantage encore l'impression de fragilité et de petitesse qu'elle avait connue la veille. Aussi naviguait-elle assez loin de la rive droite par peur de s'échouer, mais assez loin aussi du milieu du fleuve par souci de ne pas heurter les couraux, les gabares et les filadières qui semblaient avancer beaucoup plus vite que l'*Elina*. Au milieu d'un trafic si intense, Marie avait renoncé à hisser la voile et se contentait du courant, bien contente de savoir que les grands voiliers arriveraient plus tard, avec la marée haute. Elle évitait tout écart qui eût précipité l'*Elina* sur les autres bateaux, et, très impressionnée par la majesté du fleuve, demeurait vigilante.

Le soleil au zénith rendait l'eau aveuglante et noyait les repères. C'est à peine si Marie distinguait les vignes sur les rives. Le temps, maintenant, paraissait suspendu. Il n'y avait plus d'horizon. L'*Elina* semblait perdue dans la multitude des bateaux qui vibraient dans les froissements d'ailes du vent. Quand il s'éteignait, le cri des mouettes écorchait par instants le silence. L'air sentait le sel et la vase des palus. Marie, avec des frissons délicieux, se disait qu'elle était entrée dans un univers auquel n'accédaient que de rares privilégiés.

L'après-midi coula lentement dans cette gloire de lumière qui semblait avoir fait fondre toutes les terres des alentours. Vers cinq heures du soir, après un voyage dont elle apprécia chaque minute, Marie distingua enfin, sur bâbord, les collines de Lormont. Quand l'*Elina* les eut dépassées, elle manœuvra avec une certaine excitation (à laquelle l'idée d'un nouveau danger n'était pas étrangère) au moment de négocier le grand cingle qui menait à la Bastide. Puis il fallut se faufiler entre les bateaux ancrés au milieu de la Garonne et trouver une place pour accoster. Ce ne fut pas chose facile, mais Marie, forte de l'expérience du port de Libourne, parvint à se tirer d'affaire sans provoquer d'accident et put enfin pousser un soupir de soulagement.

Son équipage mit pied à terre sans prendre garde aux changements survenus sur les quais. La gare de chemin de fer était maintenant terminée, et les entrepôts d'Hippolyte Barcos avaient disparu. Des rails couraient le long des rives de la Garonne jusqu'à l'immense bâtiment aux tours majestueuses à proximité desquelles Marie et son équipage, stupéfaits, se tenaient immobiles. Des hommes poussaient des wagonnets qui frôlaient les voitures à cheval, criaient, repartaient, préfigurant le combat qui commençait entre le chemin de fer et les moyens de transport traditionnels. Cette agitation désordonnée suscitait un vacarme qui dénonçait, semblait-il, un bouleversement des habitudes auquel personne n'était préparé. Ce quai, qui avait été celui de l'harmonie entre les hommes dans leur travail quotidien, paraissait aujourd'hui pris de folie.

Déconcertée, Marie se renseigna pour savoir où se trouvaient les entrepôts de Barcos. Un homme en blouse bleue lui répondit qu'ils avaient été transférés là-bas, en aval, à près d'un kilomètre. Il fallait attendre le jusant pour redescendre. Dépitée, elle décida de confier la manœuvre à Vidal et de traverser tout de suite pour mener ses affaires à bien avant la nuit.

Une fois de l'autre côté, elle se rendit d'abord chez l'aubergiste en espérant qu'il lui recommanderait quelqu'un avec qui elle pourrait négocier en confiance. Il lui donna le nom d'un de ses habitués, lui aussi sympathisant républicain, qui s'appelait François Lapeyre. Puis, comme elle lui demandait si les rails de la compagnie d'Orléans avaient atteint Libourne, l'aubergiste lui expliqua que les tunnels s'écroulaient les uns après les autres et que l'exploitation de la ligne n'allait pas débuter de sitôt. Après lui avoir donné des nouvelles de Benjamin, Marie se rendit aux Salinières, trouva facilement ce François Lapeyre, un homme d'une quarantaine d'années, grand, blond, qui portait une cicatrice sur la joue droite et fumait une pipe de terre en clignant les yeux. Il se rappelait très bien Benjamin et facilita la tâche de Marie en traitant en son nom avec un marchand de sa connaissance. Elle trouva du sel blanc de la mer à trente francs de moins qu'à Libourne, et à quinze francs de moins pour la capitane qui attendait là-bas. Heureuse de constater qu'elle avait eu raison de venir jusqu'à Bordeaux, elle repartit chez l'aubergiste pour le remercier, parla un moment avec lui de Benjamin et de Pierre dont il avait reçu une lettre, puis elle ressortit, pressée de traverser avant la nuit et de retrouver son équipage.

De l'autre côté de l'avenue, juste à l'entrée du pont, elle se heurta presque à Emeline qui, de toute évidence, l'attendait. Elle n'en fut pas vraiment surprise, car elle savait qu'elle payait des gens pour la surveiller, que ce fût à Souillac, à Libourne ou à Bordeaux. Elle voulut l'éviter, mais Emeline se campa devant elle et dit, l'arrêtant de la main, d'une voix humble :

— S'il te plaît ! Dis-moi seulement comment il va.

— Et pourquoi je devrais te le dire ? répliqua Marie, bien décidée à ne pas s'en laisser conter.

Emeline parut réfléchir et, pour la première fois depuis que Marie la connaissait, elle baissa les yeux.

— J'ai essayé de le faire libérer, dit-elle enfin. Je n'y suis pas parvenue... C'est trop tôt.

Marie cessa de respirer. Pour elle, à cet instant, l'espoir qu'elle poursuivait secrètement, honteusement, depuis des mois, s'évanouissait. Elle se demanda si Emeline ne faisait pas exprès de la torturer, mais elle remarqua que l'éclat de son regard, d'ordinaire si sombre et si fier, n'était plus le même. Elle y décela une sorte de gravité qui la troubla profondément et répondit :

— Il va aussi bien que l'on peut aller dans un camp.

Emeline hocha la tête, esquissa un sourire aussitôt effacé, murmura :

— Merci.

Puis, avec une sincérité que Marie perçut comme une complicité qui lui réchauffa le cœur :

— Il n'est pas malade ? Enfin... Je veux dire... Il ne souffre pas trop ?

Marie, de nouveau, hésita, mais la sensation de n'être plus seule dans l'attente l'incita à répondre :

— Il essaie de s'habituer. Ce n'est pas facile.

Elles demeuraient face à face, silencieuses maintenant, étonnées, sans doute, l'une et l'autre, de cet échange si nouveau pour elles.

— Tu ne veux rien me dire de plus ? demanda Emeline de ce même ton d'humilité qui surprenait tant Marie.

— Il a essayé de s'évader, mais on l'a repris. Il a passé un mois au fort de Mers el-Kébir.

— Ah ! fit Emeline. Et maintenant, ça va ?

— Oui, dit Marie, ça va. Il espère seulement que ça ne durera pas six ans.

Emeline blêmit, et Marie frissonna. Ces quelques mots venaient de réveiller en elle tellement de souvenirs douloureux qu'elle se demanda si elle n'était pas devenue folle. Pourquoi parlait-elle ainsi de Benjamin à cette femme qui le lui avait toujours disputé ? Que pouvait-elle espérer, sinon, comme à chaque fois, d'être trompée ou humiliée ? Elle eut un sursaut d'orgueil et son visage se ferma.

— Au revoir, dit-elle en contournant Emeline et en s'éloignant à pas pressés.

Elle ne sut pas très bien si elle avait entendu un deuxième « merci », mais elle ne se retourna pas et se mit à courir sur le pont en direction de la Bastide.

Benjamin avait longtemps hésité à utiliser l'argent qui lui parvenait, accompagné de lettres dont il connaissait l'écriture et qu'il ne lisait pas. Des mesures venues d'Oran l'y avaient décidé, car il s'était dit qu'il pouvait faire fructifier cet argent et le rendre à Emeline à son retour. Ces mesures prévoyaient que « les transportés disposant de ressources pécuniaires seraient transférés dans les provinces où l'autorité militaire leur donnerait un lieu de résidence pour y travailler ou y vivre de leurs deniers ». Conformément à ces dispositions, Benjamin avait adressé une demande écrite au gouverneur général de l'Algérie, qui l'avait acceptée malgré la mauvaise conduite du prisonnier durant les mois précédents. Cette décision avait surpris les autorités du camp, mais elle n'avait pas été remise en cause. Certains prisonniers bénéficiaient d'appuis souvent inexplicables que les militaires ne se permettaient pas de contester.

Benjamin, pour qui il s'agissait d'une question de survie, avait accepté de s'installer dans une des colonies de la Bourkika au service d'un colon : Mathieu Charrière, un colosse natif de la Lozère, qui avait des mains larges comme des battoirs et travaillait comme un bœuf. L'homme était seul, sans famille, et le fait de s'acharner sur une terre ingrate ne le décourageait pas. Même si sa première récolte avait été brûlée par le soleil, il avait recommencé avec davantage de matériel et de main-d'œuvre, sur une surface plus importante encore. Benjamin lui ayant prêté de l'argent, il était devenu pour ainsi dire l'associé du géant et avait trouvé une occupation qui l'accaparait assez pour lui faire oublier son exil, du moins pendant le jour. Travaillaient avec eux une douzaine de fellahs, qui arrivaient le matin avant le lever du soleil et repartaient le soir. Benjamin dormait avec Charrière dans une baraque en planches située au beau milieu du domaine. Il profitait des soirées pour écrire à Marie à la lueur d'une bougie et remettait son courrier à la patrouille de surveillance qui passait tous les huit jours.

Les cent cinquante hectares que possédait Charrière étaient couverts de pierres, de jujubiers et de palmiers nains qu'il fallait arracher avec, pour seuls outils, une pioche et une houe. Une antique charrue tirée par un âne creusait des sillons misérables dans la terre défrichée et délivrée de ses cailloux. Charrière et Benjamin avaient investi dans un troupeau de brebis et de chèvres dont ils vendaient le lait dans les villages en attendant que leurs travaux produisent les récoltes espérées.

Ces efforts quotidiens, répétés sous un soleil de feu et dans des conditions épouvantables, avaient au moins le mérite d'abrutir Benjamin et lui évitaient de penser aux siens. Cette débauche d'énergie finit pourtant par l'épuiser. En rentrant, un soir, harassé, il se coucha, tremblant de fièvre. Charrière essaya de le soigner en lui faisant boire du thé et en tamponnant ses tempes avec de l'éther, mais la fièvre ne tomba pas, au contraire. Le lendemain, Benjamin demeura seul dans la cabane toute la journée, frissonnant malgré la chaleur, en proie à des moments de délire et de torpeur, sans même avoir la force de se lever pour boire. Le soir venu, en le retrouvant dans un état aussi pitoyable, Charrière se décida à envoyer l'un des fellahs prévenir les autorités militaires, lui confiant un billet dans lequel il réclamait la venue en urgence d'un médecin. Il soigna Benjamin de son mieux, humectant son front avec une serviette humide et lui donnant à boire un peu d'eau-de-vie qu'il avait apportée de sa Lozère natale. Ensuite il s'endormit comme une brute, sachant très bien que le médecin, s'il venait, n'arriverait pas avant le lendemain.

Benjamin délira toute la nuit, mais le colon ne l'entendit pas. Quand le jour se leva, il fit chauffer du thé, tenta de faire pénétrer le liquide chaud dans la bouche de Benjamin, mais en vain. A l'arrivée des fellahs, il s'aperçut que manquait à l'appel celui à qui il avait confié la mission de ramener un médecin. Cela prouvait au moins qu'il avait bien compris ce qu'on lui demandait. Charrière décida d'attendre une heure ou deux avant de partir au travail et donna ses instructions aux fellahs qui s'en allèrent, la houe sur l'épaule.

Le médecin arriva une demi-heure plus tard, accompagné de l'indigène ravi d'avoir accompli sa mission et de se déplacer dans une voiture à cheval. Le Français était un gros homme roux aux cheveux coupés très court, portant la barbe et parlant haut et fort. Il posa sa trousse de cuir sur la banquette qui servait de lit, se pencha sur Benjamin, lui prit le pouls, hésita, et dit :

— On n'a plus de quinine depuis un mois.

Il haussa les épaules, sortit un flacon de sa trousse, fit boire à Benjamin une drogue d'un vert épais, puis il se redressa et ajouta d'une moue désolée :

— Il sera mort avant midi.

C'était la dernière remonte avant l'été. Les eaux, à peine marchandes, rendaient déjà la navigation dangereuse à cause des rochers et des troncs d'arbres qui affleuraient sans qu'on pût deviner leur présence. Les bouviers rencontraient beaucoup de difficultés pour tirer les bateaux le long des rives, où, par endroits, ils raclaient les gravières. Il fallait alors allonger les cordelles qui reliaient les attelages aux gabares, ce qui nuisait à l'efficacité de la tire et ralentissait considérablement l'allure.

Si, malgré l'insuffisance des pluies de printemps, Marie avait décidé ce dernier voyage, c'était dans l'espoir de gagner quelques écus supplémentaires avant l'été. Aujourd'hui, tandis que les bateaux étaient à la remonte à proximité de Sainte-Foy, elle le regrettait amèrement, car elle ne savait pas si elle pourrait ramener son chargement de sel jusqu'à Souillac. Il fallait en effet se servir continuellement du bateau d'allège pour franchir les « maigres », et les hommes étaient épuisés par les transbordements.

La nuit allait tomber et il restait encore trois kilomètres à parcourir avant le port. Marie et Vincent avaient insisté auprès des bouviers pour qu'ils acceptent de continuer malgré les risques que cela supposait dans l'obscurité, y compris au retour. Ils avaient dû payer pour cela le prix fort, et Marie rageait de savoir son bénéfice gravement amputé en quelques heures, après avoir consenti tant d'efforts. Aussi, à l'image de tout son équipage, arriva-t-elle à dix heures à l'auberge, épuisée. N'ayant ni l'envie ni le courage de prendre son repas dans la grande salle, elle monta directement dans sa chambre, malgré les invitations des maîtres de bateau qui souhaitaient l'avoir à leur table.

Elle fit une rapide toilette, dîna d'une assiette de soupe, et, comme elle s'apprêtait à se coucher, entendit frapper à sa porte. Elle ouvrit, reconnut l'aubergiste qui la pria de le suivre : quelqu'un désirait lui parler dans le plus grand secret. Elle avait autant confiance en cet aubergiste qu'en celui de Bordeaux, tous deux ayant entretenu avec Benjamin des relations privilégiées. Elle le suivit donc dans l'arrière-cour envahie par les chats et, intriguée, entra avec lui dans un bâtiment tout en longueur qui servait d'entrepôt.

Elle sursauta en apercevant non pas un homme mais cinq. Et parmi eux un seul maître de bateau. Il s'appelait Caminade, était de La Roque-Gageac, et Marie avait quelquefois dîné à sa table. Avant même qu'elle ait le temps de prononcer un mot, l'aubergiste referma la porte derrière elle et l'invita à avancer dans la pièce qui sentait le sel et le vinaigre. Oppressée, Marie eut l'impression de se trouver devant un tribunal, car les hommes étaient assis au fond de la pièce, derrière une table recouverte d'une nappe verte. Un abat-jour en perles de jais éclairait étrangement la pièce d'une lueur rougeâtre.

— N'ayez pas peur, fit l'un des hommes en se levant.

Vêtu d'un pantalon gris et d'une redingote noire, coiffé d'un chapeau haut de forme, il était grand, avait de larges épaules, des yeux sombres, des cheveux gris et portait une cravate de soie aux amples tours qui lui donnait l'allure d'un notable.

— Je m'appelle Octave Desplas, reprit-il d'une voix grave, presque solennelle ; et voici mes amis.

Il les nomma l'un après l'autre, terminant par le maître de bateau que Marie connaissait.

— Notre petite société aurait certainement séduit

votre mari, ajouta-t-il, puisqu'elle milite pour l'avènement de la République. Acceptez-vous de vous asseoir ?

Marie se sentit flattée d'être admise dans un cercle d'hommes aux préoccupations semblables aux siennes. En outre, entendre parler de Benjamin en quelque sorte la rassurait.

— Nous connaissons votre action dans les auberges de la vallée, reprit Desplas, et nous avons pensé que vous accepteriez de nous aider dans le combat que nous allons livrer pour chasser ce Napoléon de malheur !

La voix avait vibré en prononçant les derniers mots. Marie se revit à Bordeaux, pendant les interrogatoires, et cette curieuse association d'idées fit naître en elle un malaise. Elle s'assit néanmoins à la place que lui désignait Desplas, mais sur ses gardes, maintenant, comme à l'approche d'un danger.

— Nous ne nous présenterons pas davantage, fit Desplas en se rasseyant. Vous comprendrez aisément que moins nous en saurons sur les autres, mieux cela vaudra en cas d'arrestation.

Marie remarqua dans son regard une lueur qu'elle connaissait bien : celle des hommes habitués à séduire. Elle songea que Desplas devait être avocat, ou banquier, ou encore exerçait de hautes responsabilités dans la ville. Elle se dit qu'il avait dû enquêter à son sujet et qu'il connaissait certainement ses habitudes, sans doute aussi ce qui s'était passé à Bordeaux en octobre dernier.

— Je veux bien vous aider, fit-elle d'une voix qui ne tremblait pas, mais je n'ai guère de temps pour cela.

— Vous avez des bateaux, madame, observa Desplas, et c'est très important.

Elle sentit qu'elle était sur le point de mettre le doigt dans un engrenage redoutable, mais elle pensa que Benjamin, s'il avait été présent, n'aurait pas hésité.

— Vous pouvez compter sur moi, fit-elle. Dites-moi en quoi je puis vous êtres utile.

— Merci, madame, fit Desplas, nous n'en attendions pas moins de vous. Mais auparavant, si vous le permettez, Céret va dresser pour nos amis un tableau complet de la situation. Car les choses ont pas mal évolué depuis notre dernière réunion.

Marie hocha la tête, écouta le rapport que présenta le nommé Céret, un homme d'une quarantaine d'années, très brun, à la peau mate, qui portait une lavallière autour du cou et ressemblait à un Espagnol. Il expliqua que la presse était de plus en plus muselée par un système de surveillance extrêmement strict, que le corps législatif n'exerçait plus aucun pouvoir de contrôle, que les préfets dressaient les listes des « mauvais citoyens » dans tous les départements, que les banques nouvellement créées servaient uniquement à financer les affaires lancées par les proches de l'Empereur, puis il précisa que leur mouvement se structurait dans toutes les villes du Sud-Ouest et qu'il serait bientôt temps de l'armer. On avait déjà les fonds, qui venaient de Hollande et d'Angleterre. Restait donc à acheter les armes destinées à l'insurrection et à les transporter dans les villes et les bourgs, ce qui serait réalisé par bateau et non par la route.

— C'est là que vous interviendrez, madame, fit Desplas, si vous en êtes d'accord.

— Les eaux ne seront pas marchandes avant le mois de septembre, dit Marie. C'est notre dernière remonte avant l'été.

— Ça suffira, madame. Les armes arriveront par la mer à Bordeaux, mais pas avant le début du mois d'octobre.

— Dans ce cas, dit Marie, je veux bien m'en charger.

Quelque chose, pourtant, l'intriguait chez Desplas : c'étaient ses manières de parler avec emphase et son maintien d'aristocrate. Elle se demanda s'il n'était pas un Orléaniste chargé de ranimer les milieux républicains dont les meneurs avaient été transportés en Algérie, afin de profiter ensuite d'une éventuelle insurrection. Elle songea qu'il lui faudrait se renseigner sur son compte avant l'automne et, en attendant, décida de lui faire confiance.

L'aubergiste, qui avait apporté une bouteille de vieux marc, profita d'une pause pour les servir. Les hommes goûtèrent l'alcool en connaisseurs et Marie se força pour les imiter. Puis la conversation reprit et roula un long moment sur les Pereire et les Rotschild qui, selon Desplas, finançaient les projets du duc de Morny. Marie, qui était éreintée par la dure journée qu'elle avait vécue, attendit encore dix minutes et demanda à se retirer. Les hommes se levèrent, s'inclinèrent en la remerciant. Desplas lui baisa la main, puis l'aubergiste la raccompagna jusqu'à la porte de sa chambre où elle se réfugia avec, en elle, la sensation d'avoir mis sa vie en péril. Et sa famille ? Et ses enfants ? Elle était donc devenue folle ? Que deviendraient-ils si elle était arrêtée, emprisonnée, ou envoyée en Algérie comme Benjamin ?

Elle se coucha et, malgré sa fatigue, chercha vainement le sommeil. Quand elle le trouva, enfin, au petit matin, ce fut pour rêver qu'elle conduisait un bateau rempli d'armes, tandis que sur les rives, de chaque côté de la Dordogne, galopaient des dizaines de gendarmes à cheval qui avaient tous le visage du policier chargé des interrogatoires, dans la terrible prison de Bordeaux.

Elle s'était juré de profiter des basses eaux pour se consacrer à ses enfants. Souvent, en effet, sur la rivière, elle pensait à eux et regrettait d'être obligée de les confier à Elina. Non qu'elle pensât qu'Elina ne s'occupait pas bien d'Aubin et d'Emilien, mais elle se sentait coupable de ne pas veiller sur eux chaque jour, alors que leur père leur manquait déjà tellement. Elle redoutait le regard d'Aubin — si semblable à celui de Benjamin — lorsqu'il se posait sur elle avant chaque départ.

— Emmenez-moi, lui disait-il. J'ai neuf ans. Regardez mes bras !

Il faisait saillir ses muscles en prétendant qu'il saurait aussi bien travailler que le mousse.

— Bientôt, répondait-elle, quand tu auras douze ans.

— Pourquoi douze ans ? demandait-il.

— Parce que ton père a embarqué à cet âge-là.

— Il sera de retour, mon père, quand j'aurai douze ans ?

— Bien sûr, et il a promis de t'emmener.

Ces mensonges lui pesaient, d'autant qu'elle n'avait pas reçu de lettre de Benjamin depuis trois semaines. Elle ne s'inquiétait pas outre mesure, mais il lui était de plus en plus difficile de trouver des réponses aux questions d'Aubin et même d'Emilien, qui, à cinq ans, ne savait parler que de bateaux, de voyages, comme son frère aîné. Et, en cette soirée de la mi-juin, tandis qu'ils pêchaient tous les trois sous le château de Cieurac, Marie regrettait de s'être engagée si loin, à Sainte-Foy, dans un combat qui la dépassait. Ce soir, en effet, les parfums poivrés de la vallée, les couleurs douces des prairies, le ciel laqué de rose et la profondeur de l'air où l'on devinait l'approche des fenaisons incitaient Marie au repos, à la paix. Tous les combats lui paraissaient dérisoires. Elle était chez elle, avec ses enfants, et pouvait apercevoir, en se retournant, le toit de sa maison. La Dordogne elle-même semblait retenir sa respiration. C'est à peine si le chuchotement de l'eau soulignait le léger frémissement des feuillages où les oiseaux s'étaient déjà nichés pour la nuit.

— Regardez ! cria Aubin.

Sa ligne pliait à se rompre et il avait du mal à la tenir. A quelques mètres de la barque, un saumon se débattait, faisant gicler l'eau dans une défense furieuse. Emilien criait lui aussi. Marie amena doucement la barque vers le saumon qui, calé dans le courant, refusait la défaite, puis elle le hala par-dessus bord avec l'épuisette et se réjouit de la joie de ses fils.

— C'est l'un des derniers à remonter, dit-elle, il a dû se blesser et s'est reposé dans un calme.

Le saumon se tordait dans le fond de la barque avec des éclairs d'argent et des coups sourds contre le bois. Aubin l'acheva avec le fer, comme il l'avait vu faire si souvent à son père, et Marie revit Benjamin, face à elle, exécuter ce même geste avec la même dextérité. Mon Dieu ! Comment allait-elle pouvoir supporter plus longtemps cette absence ? Elle n'en pouvait plus, ce soir, de ne pas l'entendre, de ne pas le voir, de chercher vainement ses traits qui s'étaient effacés dans sa mémoire. Dix-huit mois, déjà, qu'il était parti ! Dix-huit mois qu'il ne l'avait pas prise dans ses bras, qu'ils n'étaient pas allés se promener dans les prairies, qu'ils ne s'étaient pas baignés ensemble dans la rivière, dix-huit mois qu'elle dormait seule et rêvait à son corps, chaque nuit !

— Qu'y a-t-il ? demanda Aubin en remarquant l'ombre posée sur son visage.

Elle sursauta, sourit.

— Rien, dit-elle, ce n'est rien.

Il la considéra un moment en silence, troublé par l'éclat humide de ses yeux, puis il proposa :

— Si on allait fermer le bras mort avec le petit filet ?

— Si tu veux, dit-elle, pas fâchée de se soustraire au regard inquisiteur de son fils.

Elle reprit les rames et s'approcha de l'endroit indiqué par Aubin, entre les aulnes et les frênes de la rive droite. Elle l'aida à installer le filet, puis il descendit dans l'eau qui lui arrivait à hauteur de la poitrine et l'agita jusqu'à la vase avec une rame. C'était l'époque de la « crevée », les eaux ayant commencé à baisser au mois de mai. Aussi le poisson n'était-il pas très difficile à prendre. Déjà, d'ailleurs, le filet s'agitait et Marie devait retenir Emilien qui prétendait le hisser à bord tout seul. Aubin ramena les deux extrémités l'une vers l'autre, les donna à Marie, puis il remonta dans la barque. Marie laissa ses deux garçons haler lentement le filet d'où coulèrent des perches, un petit brochet et deux truites. Elle dut se fâcher car Emilien prenait plaisir à caresser les poissons et refusait de les abandonner aux mains expertes d'Aubin. Quand ce fut fait, elle recula lentement vers le petit courant qui léchait la berge et hésita sur la direction à prendre.

— Ne rentrons pas tout de suite, dit Aubin, rien ne nous presse.

Marie acquiesça de la tête et remonta vers Lanzac en longeant la rive. La nuit tombait maintenant, escamotant la rondeur verte des collines. De grandes ombres glissaient le long des arbres et s'étendaient sur les prairies. Des étoiles s'allumaient dans un ciel de porcelaine. Cette permanence de la paix et de la beauté parut à Marie rassurante. Il existait bien en ces lieux un refuge où le bonheur était possible. Bientôt, elle le partagerait de nouveau avec Benjamin.

Elle accosta un peu avant le pont, attacha la chaîne à un frêne, entraîna ses enfants dans les prairies où elle avait peut-être vécu les heures les plus précieuses de son existence. Non ! Décidément, ici rien ne changerait jamais. Elle avança dans l'herbe haute, soulevant d'épaisses vagues de parfums qui la firent suffoquer. Elle leva la tête vers la plage de ciel par où coulait encore un peu de jour et la vit s'éteindre doucement. Il y eut quelque part un soupir qui montait de la terre elle-même. Marie, alors, s'arrêta et s'assit. Emilien et Aubin la rejoignirent dans l'herbe où ils creusèrent un refuge à l'abri du temps. Marie s'allongea sur le dos, les yeux dans le semis des étoiles qui clignotaient, comme apeurées par un spectre invisible. Ses enfants s'allongèrent aussi, et elle les prit contre elle, de chaque côté, leur tête reposant sur ses épaules.

— Mes deux hommes, dit-elle.

Et elle ajouta, après un long soupir :

— Quand votre père sera de retour, nous reviendrons tous les quatre à cet endroit et nous nous souviendrons.

— Il reviendra quand ? demanda Emilien.

— Bientôt, mon petit ; bientôt.

Des larmes glissèrent sur ses joues, mais il lui sembla que c'était la rosée des étoiles qui, là-haut, coulait sur la terre pour la rendre plus belle.

— Transportez-le à l'hôpital d'Oran, avait demandé Charrière au médecin, bouleversé par ce qui arrivait à son compagnon.

Et il avait ajouté, tandis que le médecin haussait les épaules d'un air contrarié :

— Je payerai ce qu'il faudra.

Le médecin avait fait boire à Benjamin le reste de son flacon de drogue, puis il avait demandé à Charrière de l'aider à installer le malade dans la voiture.

— Si vous devez vraiment payer, c'est tout de suite, avait-il dit ensuite.

Le colon était entré dans sa cabane et avait remis au médecin toutes ses économies.

— Gare à vous ! avait-il menacé. Si j'apprends que vous n'êtes pas allé à Oran, je vous fais sauter la cervelle, foi de Charrière !

Le médecin, de nouveau, avait haussé les épaules, puis il était parti, soulevant un nuage de poussière ocre qui avait un long moment dissimulé à Charrière les collines lointaines.

Le voyage avait duré toute la journée, et le médecin militaire s'était arrêté souvent pour voir si Benjamin n'était pas mort. Une fois à l'hôpital, plus par acquit de conscience que par conviction, il donna de la quinine à haute dose à son malade. Benjamin se débattit toute la nuit, seul, sans surveillance, dans une pièce qui servait de morgue. La robustesse de son corps habitué aux efforts lui permit de passer ce cap. Le lendemain matin, devant le médecin de garde sidéré, il gémit et ouvrit les yeux. A partir de ce moment-là, on le changea de pièce et on le considéra comme un malade, non comme un moribond. Malgré la quinine et les soins attentifs, il mit dix jours à guérir de cette fièvre dont aucun des médecins qui défilèrent à son chevet ne lui donna l'explication. C'était assez fréquent. Il fallait faire attention à l'eau que l'on buvait.

Commença alors pour lui une convalescence qui fut longue et difficile. Il avait maigri de dix kilos. Il n'avait plus d'appétit. Quand il essayait de marcher, il tenait à peine sur ses jambes. Il tenta d'écrire à Marie, mais sa main tremblait trop, et il dut y renoncer pour ne pas l'inquiéter. Il avait conscience d'avoir frôlé la mort de près et se jura, à l'avenir, de ne pas s'épuiser à la tâche comme il le faisait depuis qu'il avait rejoint la Bourkika.

En quittant Oran, il dut passer deux jours à Mers el-Kébir pour être examiné par le médecin militaire qui l'avait transporté à l'hôpital.

— Vous pouvez dire que vous revenez de loin, vous ! dit le barbu, sans préciser quelle somme il avait perçue de Charrière le matin du transfert.

Et il ajouta, peut-être pour soulager sa conscience :

— A votre place, je ne reviendrais pas là-bas. On doit pouvoir vous trouver un autre emploi par ici. Tout s'achète, vous savez, il suffit d'y mettre le prix.

Benjamin ne répondit pas, mais il était bien décidé à demander une autre affectation dès qu'il aurait réglé ses affaires avec le colon.

La veille de son départ pour la Bourkika, on lui remit deux lettres arrivées pendant son séjour à l'hôpital : l'une était de Marie qui s'inquiétait de ne plus recevoir de nouvelles, l'autre d'Emeline, qu'il ne lut pas, comme d'habitude. Dans un envoi séparé, il y avait aussi les louis d'or, dont Benjamin s'étonna une nouvelle fois qu'ils n'aient pas été volés. Mais il se dit qu'Emeline payait sans doute grassement les intermédiaires et usait de toute son influence pour que ses subsides arrivent à bon port.

Il repartit chez Charrière avec la ferme intention d'abandonner ce travail de bête de somme et de l'inciter à faire de même. Ils trouveraient bien un colon dans le voisinage qui serait intéressé par le rachat du domaine à bas prix. C'était compter sans l'attachement de Charrière à la terre sur laquelle il trimait depuis quatre années.

— Chez moi, maintenant, dit-il, c'est ici.

— Tu vois bien que tu n'y arriveras jamais.

— J'y arriverai. J'y mettrai le temps, mais je réussirai.

Benjamin eut beau insister, il ne parvint pas à convaincre son ami. Il lui demanda alors de dresser le bilan de leur exploitation de plus d'une année. Contraint et forcé, Charrière dut lui avouer qu'il n'avait plus d'argent et il lui en expliqua la raison. Bouleversé, Benjamin posa alors ses louis sur la table et dit :

— Paye-toi, Mathieu !

Il dut insister un long moment avant que le colon accepte. Quand celui-ci eut enfin empoché deux louis, Benjamin reprit :

— Tu me réveilleras demain à la première heure. Je reste avec toi !

Ils s'embrassèrent comme deux frères qui se retrouvent après une longue séparation.

10

Cet hiver-là fut très froid, et les glaces rendirent la navigation dangereuse. Marie avait hésité à repartir après les fêtes de Noël, la hauteur des eaux était tout juste suffisante pour naviguer. Elle s'y était résolue sous la pression de l'équipage et avait appareillé la veille du premier de l'an, sans son père qui était tombé malade en décembre. La descente avait commencé sous un ciel de neige que le froid trop vif retenait encore prisonnière des nuages, mais pour combien de temps ?

A Sainte-Foy, Marie avait rencontré Desplas et ses compagnons, qui lui avaient demandé de prendre livraison de deux caisses d'armes à Bordeaux. Elle s'était engagée à en transporter à l'occasion de chacun de ses voyages, jusqu'au printemps. Elle les cacherait sous les sacs de sel et les livrerait à Libourne, ou dans les villes qu'on lui désignerait lors de son passage, à la descente.

Au fur et à mesure qu'elle approchait de Bordeaux, cet après-midi-là, elle sentait une angoisse folle s'insinuer en elle, la faisant amèrement regretter d'avoir donné sa parole à Desplas. Ce ne fut rien en comparaison de sa peur, au quai de la Bastide, où elle attendit, en compagnie de Philippe et du mousse, frigorifiée, jusqu'à deux heures du matin, la livraison des caisses. Une fois que la charrette fut repartie, ils dissimulèrent les caisses sous des bâches et elle se décida à aller dormir, les laissant sous la surveillance de Philippe et du mousse couchés entre elles et serrés l'un contre l'autre dans leur houppelande en peau de mouton.

Le lendemain, il fallut se montrer vigilant, aux Salinières, pendant le chargement des sacs. Dès que ce fut terminé, Marie se demanda comment elle allait pouvoir supporter cette tension lors de chaque voyage. Un moment, elle eut envie de renoncer, puis la neige se mit à tomber et d'autres soucis l'accaparèrent. La visibilité était mauvaise, le ciel très bas, mais elle devait quand même appareiller pour profiter du jusant. Elle attendit le plus possible, laissa partir la plupart des bateaux, puis elle leva l'ancre dès que le trafic se fit moins dense.

Une fois sous la colline de Lormont, elle se félicita d'avoir été patiente, car la bourrasque de neige se calma et la visibilité devint meilleure. A peine protégée du vent de nord-ouest par les sacs de sel, elle tentait de résister aux rafales furieuses qui cinglaient son visage bleui par le froid. Ses gants de laine étaient trop humides pour protéger ses mains. La douleur lui arrachait des larmes qui lui semblaient creuser des sillons dans sa peau et qu'elle essayait de dissimuler au mousse assis face à elle à l'abri des sacs. Ils n'étaient que trois sur le bateau. Elle avait pris le parti de ne pas se servir de la voile du fait que Vidal, qui était le seul à savoir la manœuvrer, remplaçait Vincent sur la capitane.

Passé le cingle, des calottes de neige tapissaient les rives d'où la vie avait disparu. Aucun obstacle ne s'opposait à la colère du vent qui malmenait de grands charrois de nuages. Le fleuve noyait les palus comme une mer qui aurait rompu ses digues et dévasterait la plaine. Marie barrait au jugé, surveillant surtout le fleuve sur bâbord, par peur de s'échouer sur les bancs de sable de Macau. Elle pensa qu'elle n'aurait jamais dû remonter jusqu'à Bordeaux en cette saison, puis elle se dit qu'un tel renoncement eût été considéré par Desplas et ses amis comme une dérobade. Il fallait faire face. Elle ne pouvait plus reculer.

La force du jusant diminuait et l'*Elina* descendait de moins en moins vite. Elle se demanda si elle pourrait atteindre l'île Cazeau avant la renverse, et, comme il fallait de toute façon traverser la Garonne pour aller s'abriter sous l'île, elle se rapprocha du milieu du fleuve où le courant portait davantage. Comme elle ne voyait presque rien, elle se haussait sur la pointe des pieds et s'essuyait souvent les yeux que les flocons criblaient de fines piqûres. Philippe, qui servait de prouvier, ne devait pas y voir mieux qu'elle, mais elle avait totalement confiance en lui. Il lui était tellement dévoué qu'elle le soupçonnait d'être amoureux d'elle. Souvent elle sentait son regard posé sur sa nuque, ses épaules, et elle prenait garde de ne pas se retourner. Elle se souvenait trop bien de Ghislain Claveille et du prix qu'elle avait payé pour s'être laissé attirer par l'aimant de ses yeux noirs. Philippe possédait les mêmes. Mais Philippe, lui, ne parlait pas et demeurait dans une réserve dont elle lui savait gré. Jusqu'à quand? Elle l'ignorait, mais ce qu'elle savait, en revanche, c'est que le jour où il changerait d'attitude, elle devrait se montrer vigilante.

— Ile Cazeau, droit devant!

Marie frissonna, redevint attentive, à l'idée qu'elle risquait de s'échouer avec des armes sur son bateau. Elle scruta le fleuve sur bâbord, mais elle se trouvait déjà tellement engagée dans cette direction que nul bateau ne pouvait surgir de ce côté-là. Elle coupa la Garonne, fit dériver lentement l'*Elina*, puis elle distingua les voiliers qui attendaient la renverse et vint jeter l'ancre à une trentaine de mètres de l'île. Dès que l'*Elina* fut immobilisée, Philippe et le mousse vinrent s'abriter entre les sacs et le gouvernail. Elle les rejoignit, versa de l'eau-de-vie à ses matelots, en but dans son gobelet et, tout de suite, se sentit mieux. Elle leur donna ensuite du pain et du lard, et Philippe retint un moment sa main dans la sienne. Elle feignit de ne pas le remarquer mais ne put faire autrement que de se serrer contre lui pour ne pas sortir de l'abri, tandis qu'elle tentait de manger en soufflant sur ses mains douloureuses. Nul ne parlait. Tous trois étaient trop occupés à savourer les minutes qui passaient sans avoir à endurer les morsures du vent, repoussant le moment où il faudrait de nouveau l'affronter. Ce moment, pourtant, arriva vite, car on était parti de Bordeaux bien après le début du jusant. Marie redonna aux deux hommes de l'eau-de-vie, et le mousse, qui était chargé des victuailles, alla ranger la musette dans le coffre situé sur bâbord. Profitant de son absence, Philippe prit les deux mains de Marie et les serra dans les siennes.

— Non ! Philippe, fit-elle durement.

Et elle les retira vivement, feignant de n'accorder aucune importance à ce geste qu'elle redoutait tant, puis elle se leva et observa le ciel. Le vent avait balayé les nuages. Le froid demeurait toujours aussi vif, mais la neige s'était arrêtée de tomber et la visibilité, maintenant, était meilleure. Elle donna aussitôt l'ordre de départ et s'engagea dans la Dordogne au milieu d'un intense trafic, inquiète de nouveau à l'idée d'un abordage qui eût attiré sur l'*Elina* l'attention des autorités maritimes. Car non seulement elle ne possédait pas de permis, mais encore elle transportait des armes. Elle se demanda si Benjamin, lui-même, aurait pris de tels risques et, une nouvelle fois, se dit qu'elle était folle.

Heureusement, les petits ports se succédèrent très vite sur bâbord, et rien ne vint troubler la remonte sinon le vent et le vol tourmenté des oiseaux qui ne pouvaient lutter contre lui et se laissaient emporter comme des feuilles mortes. Passé Saint-André-de-Cubzac, le trafic augmenta encore, mais le vent, lui, parut s'essouffler, la Dordogne étant maintenant protégée par les collines. Marie avait un peu moins froid. Face à elle, le ciel semblait s'ouvrir, là-bas, au-delà de Libourne, avec de grands froissements d'air et de lumière. La vallée se mit à mieux respirer. Il ne neigerait plus. Cette paix retrouvée rassura définitivement Marie qui, en apercevant le clocher de l'église Saint-Jean dans le lointain, rêva un long moment au lit passé à la bassinoire dans lequel elle allait bientôt se glisser.

La nuit tombait quand l'équipage de l'*Elina* retrouva celui de la capitane à l'auberge. Marie mangea une soupe brûlante en compagnie de ses matelots, puis elle donna ses dernières instructions à Vidal avant de monter dans sa chambre.

Elle approchait de l'escalier lorsqu'un homme vint au-devant d'elle et demanda à lui parler. Ce n'était pas un batelier. Elle ne l'avait jamais vu. Sa houppelande verte, son gilet de soie et ses bottes à revers indiquaient plutôt un marchand. Elle hésita, puis le suivit dans l'arrière-salle sous le regard hostile de ses hommes.

— C'est pour les caisses, dit l'étranger, dont les yeux gris, le nez très fin, les lèvres minces inspiraient à Marie une grande méfiance.

Elle ne répondit pas, feignit de ne pas comprendre en attendant le mot de reconnaissance donné par Desplas.

— Résurgence ! dit l'homme avec un sourire qui le rendit tout de suite moins inquiétant.

— Suivez-moi !

Elle appela Philippe et le mousse, sortit, précédant ses deux matelots et l'homme à la houppelande verte. Elle se dirigea vers l'*Elina,* le cœur battant à grands coups dans sa poitrine, avec une seule idée en tête : se débarrasser le plus vite possible des armes. Cependant, elle dut attendre que l'homme fasse approcher la charrette menée par l'un des sacquiers du port.

— Combien y en a-t-il ? demanda-t-il en montant sur l'*Elina*.

— Deux.

— C'est le compte.

Marie fit le guet pendant que les quatre hommes s'activaient. Le quai était désert, mais elle redoutait à chaque instant de voir surgir des uniformes et jetait des regards d'impatience vers le bateau. Quand les caisses furent dégagées, l'homme à la houppelande sauta sur le quai et surveilla le transfert avec beaucoup de calme. Dès qu'elles eurent été portées sur la charrette, pourtant, il ne s'attarda pas : tandis que le sacquier prenait les rênes, il s'éloigna à pied dans la direction opposée et disparut dans une ruelle. Marie et ses matelots eurent tôt fait de remettre les sacs en place et de regagner l'auberge où elle put enfin se blottir dans des draps chauds et oublier l'angoisse qui l'avait étreinte à chaque minute de cette interminable journée.

Le lendemain, croyant ses épreuves terminées, elle déjeuna de bonne humeur, d'autant que le froid semblait avoir un peu desserré sa prise. Ensuite, elle se hâta de rejoindre l'équipage qui procédait aux préparatifs du départ. Elle aperçut seulement les policiers à l'instant où elle déboucha sur le quai. Ils étaient six, trois devant chacun des bateaux et, manifestement, l'attendaient. Elle croisa le regard de Philippe et de Vidal, sentit une main glacée se poser entre ses omoplates, s'arrêta, cherchant à rassembler ses idées, puis, lentement, s'approcha. Un brigadier moustachu, qui tenait une arme dans sa main droite, vint au-devant d'elle et demanda :

— Ces bateaux sont à vous, madame ?

Elle hocha la tête, avec en elle la certitude d'avoir été trahie. Par qui ? Pourquoi ? Elle n'eut pas le temps de s'interroger davantage, le brigadier reprenant :

— Ces sacs ont été scellés à Bordeaux. Montrez-moi votre permis maritime.

Elle se sentit presque soulagée, répondit :

— Je n'en ai pas.

— Dans ce cas, dit-il, vous allez devoir décharger vos bateaux.

— Vous n'y pensez pas ? dit Marie.

— Je dois saisir toute la cargaison.

— Sur ma capitane les sacs sont scellés à Libourne.

— Toute la cargaison, madame ! répéta le brigadier.

Marie chercha l'aide de Vidal et de Philippe, hésita, mais elle comprit à leur regard qu'il valait mieux obtempérer. La rage au cœur, elle leur donna l'ordre de décharger les sacs, songeant avec effroi à ce qui se serait passé si les policiers étaient intervenus la veille au soir. Elle se tint immobile tout le temps que dura l'opération, puis, flanquée de Philippe et de Vidal, tremblante à l'idée de la catastrophe à laquelle elle avait échappé, elle suivit les policiers avec la sensation de revivre le cauchemar de sa prison bordelaise.

Quinze jours avaient passé depuis cette funeste escale libournaise. Marie avait dû vendre la seconde pour payer l'amende et une partie de la cargaison de sel qui avait été saisie par les autorités maritimes. Au terme de ce sinistre voyage, cependant, une bonne surprise l'attendait à Souillac : Benjamin avait envoyé de l'argent, expliquant qu'il était le fruit de son travail sur le domaine de Mathieu Charrière dont il avait déjà parlé dans ses précédentes lettres. Réconfortée par cet apport inespéré, Marie s'en était servie pour acheter un petit gabarot qui servirait d'allège et pour payer au marchand bordelais la deuxième moitié de la cargaison saisie. Elle avait gardé quelques louis en réserve, sachant que ses voyages, arrêtés désormais à Libourne, lui rapporteraient moins que ceux de Bordeaux. Il était évident qu'elle ne pouvait continuer de vivre dans l'illégalité et risquer de perdre une deuxième cargaison. D'ailleurs cette décision n'avait pas été trop difficile à prendre : passer le bec d'Ambès avait été chaque fois une épreuve, et c'était avec une sorte de soulagement qu'elle envisageait un avenir plus prudent.

Vincent, guéri de sa pneumonie, avait repris sa place sur la capitane. Le temps, heureusement, avait cassé, et les pluies avaient relevé le niveau des eaux, les rendant moins dangereuses. Délivrée du carcan qui l'avait emprisonnée depuis décembre, la Dordogne bouillonnait avec allégresse, dans la vallée ruinée par le froid de l'hiver, et le vent d'ouest glissait en longues vagues qui sentaient la mousse. Debout à la barre de l'*Elina*, Marie ne cherchait plus à s'en protéger, au contraire : elle lui offrait son visage et en buvait de grandes bolées qui l'enivraient délicieusement. On était encore très loin du printemps, mais il lui était infiniment agréable d'imaginer qu'il était pour demain.

Le convoi approchait de Libourne. La veille au soir, à Sainte-Foy, retrouvant Desplas et ses amis, Marie leur avait expliqué à quels périls elle avait échappé lors de son dernier voyage. Ils en avaient été ébranlés, car ils n'étaient pas éloignés de croire, comme elle, à une trahison. Mais ils avaient davantage été contrariés d'apprendre qu'elle ne descendrait plus jusqu'à Bordeaux. Cependant, comme ils n'avaient pas le choix des moyens, ils l'avaient chargée d'une autre mission : remonter les armes depuis Sainte-Foy jusqu'à Bergerac, Limeuil et le Périgord. Ils trouveraient un autre bateau pour les livraisons de Bordeaux, du moins l'espéraient-ils. Bien qu'elle se sentît surveillée, Marie avait accepté, ne pouvant pas les abandonner dans une période aussi cruciale.

Ce ne fut pas sans appréhension, ce soir-là, qu'elle accosta au port de Libourne, à l'endroit exact où sa cargaison avait été saisie. Elle n'eut pas le courage d'attendre la fin des manœuvres sur ce quai maudit, et elle partit tout de suite à l'auberge, confiant à Vidal le soin d'organiser la surveillance des bateaux pour la nuit. Une fois à l'auberge, elle monta directement dans sa chambre et s'y fit servir à manger. Elle ne tenait pas à redescendre parmi les gabariers, où il lui semblait qu'elle se trouvait désormais en danger. Qui, en effet, pouvait être responsable d'une dénonciation, sinon l'un d'entre eux ? Elle avait dû trop parler, trop faire confiance, et la menace était là, confuse mais certaine, peut-être même immédiate.

Quand on frappa à sa porte, une heure plus tard, elle était bien décidée à refuser toutes les invitations. Elle ouvrit sa porte de mauvaise grâce, s'attendant à se trouver face à son père ou à l'aubergiste. C'était Philippe.

— Il faut que je vous parle, bredouilla le jeune homme d'une voix troublée.

— Voyons ! fit-elle, pas dans ma chambre, ce n'est pas possible, ça attendra demain.

— Non ! dit-il, ça ne peut pas attendre, et il faut que nous soyons seuls !

Elle pensa qu'il avait appris quelque chose au sujet du transport des armes et, après une ultime hésitation, s'effaça pour le laisser entrer. Ils demeurèrent debout, face à face, et elle remarqua la fièvre qui faisait briller ses yeux. Elle recula, se tourna vers la fenêtre, et demanda d'une voix froide :

— Alors ! Qu'y a-t-il de si urgent ?

— Vous le savez bien, madame, dit le jeune homme en s'approchant d'un pas.

Elle lui fit face brusquement, observa un instant ce grand garçon brun, au regard farouche, qu'elle côtoyait depuis de longs mois en ayant l'impression de le connaître depuis toujours.

— Non, Philippe, dit-elle, je ne sais rien et ne veux rien savoir.

Elle avait essayé de conserver un ton distant mais elle n'y était pas tout à fait parvenue. Il la dévisageait gravement, espérant un geste, un mot qui l'encouragerait à poursuivre, et, comme elle demeurait silencieuse, il ajouta :

— Vous savez bien que je souffre, madame.

Elle n'eut pas la force de soutenir ce regard qu'elle avait si souvent surpris posé sur elle. Comme elle ne répondait pas davantage, il reprit :

— Je souffre de vous aimer comme un fou depuis le premier jour.

Il avait avancé en parlant, mais elle l'arrêta de la main et murmura :

— Si vous m'aimez vraiment, Philippe, il faut partir tout de suite.

Il pâlit, demanda :

— Mais vous ?

Elle eut quelques secondes de faiblesse, puis elle songea au risque qu'elle courait, seule avec cet homme dans sa chambre, et répondit :

— Mon mari est en Algérie, Philippe. Il y est prisonnier et peut-être est-il en danger en ce moment.

Il baissa la tête, comme un enfant pris en faute. Un silence tomba, durant lequel elle comprit qu'elle avait trouvé les mots qu'il fallait.

— Alors je vais vous quitter, dit-il.

Elle soutint son regard, sourit.

— Oui, Philippe, s'il vous plaît, dit-elle.

— Je veux dire : définitivement, madame.

— J'avais compris.

Il s'ébroua, poussa un long soupir, puis :

— Encore un mot, madame, si vous le permettez. Vous verrez combien aimer est peu dire.

Il la considérait maintenant avec une sorte de désespoir, se débattant manifestement contre une idée qui semblait l'obséder.

— Avant, je vous en prie, promettez-moi une chose...

Et, comme elle hésitait, ne sachant dans quel piège il tentait de l'attirer :

— Promettez-moi de ne pas charger d'armes demain à Sainte-Foy.

Elle crut que son cœur s'arrêtait de battre, chancela, s'appuya au mur : elle n'avait mis encore personne au courant des caisses qu'il fallait remonter de Sainte-Foy à Bergerac.

— Puis-je vous demander comment vous savez cela ? fit-elle d'une voix blanche.

— Je sais tout, madame, dit-il, et depuis le début.

Il ajouta, tandis qu'elle le dévisageait avec l'impression que le monde basculait autour d'elle :

— Ils m'ont envoyé auprès de vous pour ça. C'est mon travail.

Elle s'assit sur son lit, cherchant à rassembler ses idées, regardant ses mains qui tremblaient.

— Me croyez-vous, maintenant, si je vous dis que je vous aime ?

Elle ne répondit pas, incapable qu'elle était de prononcer le moindre mot, épouvantée par l'idée de savoir qu'elle était surveillée depuis le début — sans doute depuis l'arrestation de Benjamin — et qu'elle avait frôlé le pire. Elle avait souvent entendu dire que la police essayait d'infiltrer les réseaux républicains, mais elle ne s'était pas méfiée. Et elle comprenait mieux aujourd'hui pourquoi elle était sortie si facilement de la prison de Bordeaux. Elle se redressa, demanda avec lassitude :

— Et la saisie des sacs de sel, l'autre jour ?

— C'était moi, madame, de ma propre initiative, j'ai voulu vous faire peur, vous protéger. J'ai appris aujourd'hui que je n'y avais pas réussi.

Elle hocha la tête pensivement, demanda encore :

— Et mes amis ?

— Ne cherchez pas à les revoir. Vous ne pouvez plus rien pour eux. Tout ce que vous réussiriez à faire, ce serait de disparaître avec eux.

Un long silence s'installa. Elle comprit qu'il s'approchait.

— Marie, dit-il.

Elle se leva brusquement, sachant que s'il la touchait elle était perdue.

— Partez ! dit-elle d'une voix où, maintenant, il pouvait déceler de la colère.

— Alors nous ne nous reverrons plus ?

— Non !

— Plus jamais ?

— Non ! plus jamais.

Il approcha encore et elle recula jusqu'au mur.

— Eh bien ! Adieu, madame, dit-il.

Elle ne répondit pas. Il attendit encore quelques secondes, espérant qu'elle allait le retenir, mais elle regardait à travers la fenêtre, hostile et désespérée. Alors il fit brusquement demi-tour et se précipita vers la porte sans entendre le « merci » qu'elle prononçait du bout des lèvres, des larmes plein les yeux.

A la fin de février, le vent du nord ramena le froid sur la vallée. Les eaux étant propices au voyage, Marie et Vincent repartirent de Souillac dans un de ces matins d'hiver que le gel enlumine. Entre Groléjac et Domme, la rivière réverbérait si violemment la lumière qu'elle semblait couler d'un lustre d'église. Tenant fermement la barre de l'*Elina*, Marie précédait d'une centaine de mètres la capitane conduite par Vincent. Elle se retournait régulièrement pour juger de la distance entre les deux bateaux, était à chaque fois éblouie par une luminosité insupportable aux yeux. Devant elle, le pont de l'*Elina* luisait dangereusement malgré l'apparition du soleil dont les premiers rayons n'étaient pas assez puissants pour faire fondre la mince pellicule de glace.

Ce fut au passage de la barre de Domme que Marie entendit le bruit caractéristique d'un tas de bois qui s'écroule, puis, tout de suite après, le cri terrible d'un homme blessé. Quand elle se retourna, elle aperçut la capitane qui était en travers du courant et menaçait de chavirer. Elle cria elle aussi, de panique et d'impuissance, sachant que si l'un des matelots tombait à l'eau, il mourrait aussitôt. Là-bas, Vidal tentait d'escalader le merrain qui s'était écroulé sur Vincent, mais il glissait et n'y parvenait pas. Marie manœuvra pour sortir du courant et se laisser rejoindre. Elle réussit à s'arrêter dans une meilhe, regarda désespérément dans la direction de la capitane où Vidal, après avoir failli tomber plusieurs fois, atteignit enfin le gouvernail et rétablit le bateau dans le bon axe de la descente. Il sortit lui aussi du courant et put s'approcher sans trop de difficulté de la rive près de laquelle attendait l'*Elina.* Le visage décomposé, Marie aperçut alors les épaules et la tête de son père qui dépassaient du bois et comprit qu'il n'était pas possible de le dégager sans accoster. Or la rive, en cet endroit de la rivière, était hérissée de rochers.

— A La Roque-Gageac ! cria-t-elle d'une voix qu'elle essaya de maîtriser mais qui trahit son angoisse.

Les deux gabares poursuivirent leur descente en prenant tous les risques et ne mirent pas plus d'une demi-heure pour venir s'amarrer au petit port sous la route qui longe la falaise. Les matelots de la capitane avaient commencé tant bien que mal à dégager Vincent qui gisait sur le dos, la tête contre le bordage, les yeux clos. Marie descendit de l'*Elina,* courut vers la capitane, furieuse contre ses hommes qui avaient si mal échafaudé le merrain. Elle savait pourtant que c'étaient le froid et le gel qui avaient provoqué la chute du bois, mais la peur et la colère l'aveuglaient.

— Dépêchez-vous donc ! lança-t-elle sur un ton qui surprit les matelots.

Vincent fut dégagé en moins de cinq minutes. Il respirait avec difficulté, n'ouvrait pas les yeux. Incontestablement, il souffrait de fractures, mais où ? Marie pensa à un enfoncement de la cage thoracique, à de graves hémorragies internes, se dit que son père allait mourir. Elle s'agenouilla près de lui, l'entendit murmurer :

— Mes jambes ! Mes jambes !

Elle aida ses hommes à le transporter dans l'auberge, de l'autre côté de la route. Là, une fois qu'il fut allongé près du feu, on le ranima en le frictionnant avec de l'eau-de-vie. Marie en fit glisser quelques gouttes entre ses lèvres. Il cessa de trembler, ouvrit les yeux, se plaignit de nouveau de ses jambes. Elle trouva miraculeux de ne constater aucune plaie ouverte, puis elle se dit qu'il eût peut-être mieux valu.

L'attente dura longtemps, car le médecin était en tournée dans les fermes. Un rebouteux trouvé par l'aubergiste posa des attelles sans chercher à réduire les fractures qui, au demeurant, paraissaient franches. Marie hésita alors sur la conduite à tenir : fallait-il transporter son père dans un hôpital ou bien le ramener à Souillac où le docteur Lafarge — qui s'occupait depuis longtemps de la famille Donadieu — avait l'habitude de traiter ce genre de blessure ? Elle opta pour la deuxième solution, songeant que, si elle partait tout de suite à la remonte, elle arriverait à Souillac avant la nuit. Son père serait alors soigné, au chaud et en sécurité. Elle demanda à Vidal de continuer jusqu'à Libourne et de l'attendre là-bas, puis elle donna l'ordre de déballer les victuailles : puisqu'on avait dû s'arrêter, il valait mieux se restaurer sur la rive que sur l'eau.

Un peu après midi, donc, une fois que tous les hommes eurent repris des forces, elle descendit avec l'*Elina* en aval de La Roque-Gageac où se trouvait le relais de tire, puis elle se lança dans la remonte en essayant de se persuader qu'elle avait pris la bonne décision.

Cette remonte fut très lente et très dangereuse, car le soleil s'était caché et le vent du nord courait dans la vallée en rafales furieuses. Les attelages glissèrent à plusieurs reprises sur le chemin de halage, et il fallut toute l'habileté des patrons bouviers pour arriver sans encombre à l'extrémité des tires. Une partie du bois de l'*Elina* ayant été transbordée sur le gabarot, on avait pu allonger Vincent à l'abri du vent. Il ne se plaignait pas, paraissait dormir. Seule, de temps en temps, une grimace venait trahir sa souffrance. Alors, Marie, assise près de lui, se maudissait d'avoir entrepris ce voyage. Déjà fortement ébranlée par la trahison et le départ de Philippe, elle se sentait responsable de cet accident et elle perdait cette confiance si précieuse que les passages du bec d'Ambès et le respect des gabariers, au fil des mois, avaient forgée. Aujourd'hui, elle n'aspirait plus qu'à une chose : arriver le plus vite possible à Souillac et retrouver Elina, son sourire, sa chaleur si réconfortante.

Ce fut fait juste avant la nuit. Les matelots transportèrent Vincent dans la maison des Donadieu où le médecin ne tarda pas à venir. Il défit les attelles, examina les blessures, vérifia qu'il n'y avait aucun déplacement, reposa les attelles, immobilisa les jambes et rassura Marie : avec ce genre de blessure, les hémorragies internes étaient la plupart du temps foudroyantes ; si donc son père était toujours en vie, c'est qu'il n'avait pas subi de lésions majeures. Pour le reste, il fallait du temps et de la patience : les os se ressouderaient d'eux-mêmes.

Quand il fut reparti, Marie raconta à Elina comment s'était produit l'accident. Elles convinrent que c'eût pu être pire si le bateau avait chaviré ou si Vincent avait été projeté à l'eau.

— Avec un temps pareil, il ne faudrait jamais naviguer, soupira Elina.

— Comment faire autrement ? dit Marie.

Plusieurs familles dépendaient d'elle. Qu'elle le voulût ou non, elle devait continuer. Il n'était plus temps de mesurer les risques ou de faire preuve de prudence.

— Je dois appareiller demain, dit-elle. La capitane ne peut pas attendre indéfiniment à Libourne.

— Alors, allons nous coucher, ma fille, dit Elina. Tu dois en avoir bien besoin.

Quand elle entra dans ses draps chauds, Marie se demanda comment elle allait trouver la force de remonter à l'aube sur son bateau. Durant toute la nuit, le cri de son père la tira du sommeil chaque fois qu'elle y sombrait. Elle descendit, ralluma le feu, s'assit devant les flammes bleues, et attendit le lever du jour en pensant à Benjamin.

Elle repartit donc dans le froid glacial qui la transperçait jusqu'aux os malgré ses deux tricots de laine, sa pèlerine et le manteau en peau de mouton de Benjamin. Elle avait découvert avec un plaisir infini que ce manteau portait encore son odeur et elle ne s'en séparait plus. La nuit, elle s'en servait d'oreiller. C'était à la fois délicieux et douloureux, mais elle ne pouvait plus s'en passer.

Quarante-huit heures plus tard, elle arriva à Sainte-Foy avec une légère appréhension, mais bien décidée à ne pas prendre contact avec Desplas et ses amis. Elle s'en voulait un peu de ne les avoir pas prévenus du danger qu'ils couraient, mais comment faire autrement ? Une intervention de sa part n'aurait eu pour conséquence que de disparaître avec eux. Ne devait-elle pas penser à ses enfants ? Sincère avec elle-même, elle était persuadée que, si elle avait eu la moindre chance de les sauver, elle n'aurait pas hésité.

Sur le port, une désagréable surprise l'attendait : l'auberge était fermée. Elle en chercha une autre avec son équipage, certaine qu'il s'était passé quelque chose de grave pendant les derniers jours. Toutes affichaient complet : avec ce froid vif, aucun matelot ne couchait sur les bateaux. Ils finirent pourtant par en trouver une dans une ruelle, et, malgré son aspect peu engageant, y entrèrent. Ils furent accueillis fraîchement par une maîtresse femme qui régentait sa maison avec autorité. Elle n'avait qu'une chambre disponible. Les matelots pouvaient dormir dans la grange, sur la paille. Vidal et les hommes d'équipage, qui avaient craint de passer la nuit dehors, acceptèrent sans discuter. Ils purent manger dans la grande salle sous l'œil inquisiteur des habitués des lieux : des portefaix, des sacquiers, des petits marchands et quelques hommes dont il était bien difficile de deviner l'activité.

A peine Marie eut-elle avalé une soupe bien chaude que deux gendarmes firent irruption et lui demandèrent de les suivre. D'abord elle refusa, puis, comme ils la menaçaient d'aller chercher des renforts, elle leur demanda où ils voulaient l'emmener.

— A la gendarmerie, madame ! fit le brigadier qui était si gros et si rond que ses buffleteries arrivaient à peine à en faire le tour.

Les matelots de Marie se levèrent comme un seul homme.

— Ils viennent avec moi, dit-elle.

Le brigadier hésita, se vit entouré par l'équipage et concéda :

— La patronne va nous trouver ce qu'il nous faut pour parler au calme.

— D'accord, dit Marie, mais je veux un de mes hommes comme témoin.

Le brigadier, de nouveau, hésita, puis, tandis que son collègue allait chercher l'aubergiste, se retrouvant seul, il finit par accepter. Quand la patronne arriva, il la suivit dans une sorte de resserre attenante à la cuisine, précédant son collègue, Marie et Vidal à qui elle avait fait signe de l'accompagner. Ils pénétrèrent dans une pièce étroite à peine éclairée par un mauvais chaleil, où étaient entreposés des sacs de sel et des denrées diverses. Ils restèrent debout, Marie et Vidal d'un côté, les gendarmes de l'autre.

— Connaissez-vous un homme qui s'appelle Philippe Rey, madame ? demanda le brigadier sans le moindre préalable.

— Oui, répondit Marie, en sentant son cœur s'affoler.

— Il travaillait avec vous ?

— Oui.

— Depuis combien de temps ?

— Deux ou trois ans, répondit-elle en se demandant ce qui avait bien pu se passer en son absence.

— Pourquoi vous a-t-il quittée ?

Elle craignit un piège et prit le temps de la réflexion.

— Je ne sais pas. Il ne voulait plus voyager, je crois.

— Il ne vous a rien dit en vous quittant ?

— Non. Absolument rien. Mais pourquoi toutes ces questions ? Vous savez très bien que je ne suis pas obligée de vous répondre.

Le brigadier la dévisagea de ses yeux sombres, attendit un long moment avant de poursuivre, un léger sourire aux lèvres :

— Il est mort, madame.

Et il ajouta, comme Marie s'appuyait au mur pour ne pas tomber.

— Dix coups de couteau. Dont deux au cœur.

— Mon Dieu ! fit Marie en sentant ses jambes s'affaisser sous elle.

Vidal, heureusement, vint à son secours et demanda :

— On connaît les coupables ?

Le brigadier ne le regarda même pas et reprit, s'adressant à Marie :

— A votre idée, madame ?

— Comment voulez-vous que je le sache ? fit Marie avec colère.

Le brigadier sourit de nouveau mais ne répondit pas tout de suite. Son regard transperçait Marie qui tremblait de plus en plus et se troublait.

— Evidemment... Evidemment..., fit-il.

Il caressa ses moustaches qu'il portait très effilées, reprit de la même voix soupçonneuse :

— Est-ce que le nom de Desplas vous dit quelque chose ?

Marie accusa le coup, devint encore plus pâle qu'elle n'était, attendit deux ou trois secondes, craignant que sa voix ne la trahisse.

— Rien du tout.

— Vous ne l'avez jamais rencontré ?

D'abord elle refusa de répondre, puis elle se dit qu'il pourrait considérer cela comme un aveu.

— Jamais, fit-elle.

Elle n'en pouvait plus, aurait donné tout ce qu'elle possédait pour sortir de cette pièce.

— Et Caminade ? Et Laribe ? Ça ne vous dit rien non plus ?

Elle fit « non » de la tête, incapable, maintenant, de parler. Vidal, qui s'en aperçut, demanda :

— Ça va continuer longtemps, vos histoires ? Madame répond à vos questions parce qu'elle le veut bien, mais ça ne va pas durer toute la nuit, croyez-moi !

L'hésitation du brigadier indiqua à Marie qu'il n'était pas aussi sûr de lui qu'il voulait bien le montrer. Même s'il avait des soupçons, il ne possédait aucune preuve. Car elle était certaine qu'aucun de ces hommes n'avait parlé, et surtout pas Philippe.

— Une dernière question, s'il vous plaît, dit le brigadier, et vous pourrez aller.

Marie hocha la tête et attendit, se demandant si elle allait enfin pouvoir s'échapper.

— Tous ces gens descendaient chez M. Menault.

— M. Menault ?

— Oui. Le patron de l'auberge que vous fréquentiez. Vous ne pouvez pas ne pas les avoir rencontrés.

— Rencontrés, peut-être, dit Marie, mais je ne les connais pas.

— Et vous ne vous demandez pas ce qu'il est devenu, votre aubergiste ?

Marie revit l'homme débonnaire et chaleureux qu'elle retrouvait toujours avec plaisir et qui, lui aussi, avait épousé la cause républicaine.

— Celui-là est en prison, madame. Il ne risque que la peine de mort.

Le brigadier était ravi de son effet. Il jubilait. Marie, elle, était à bout.

— Bon, c'est terminé ! dit Vidal.

— Pour le moment, dit le brigadier, mais je crois que nous sommes appelés à nous revoir.

Marie sortit de la resserre avec une sensation d'oppression aussi pénible que celle qu'elle avait éprouvée à Bordeaux. C'était bien la même menace, le même étau qui se refermait inexorablement. Et Philippe était mort ! Et l'aubergiste allait mourir aussi ! Qu'étaient devenus Desplas et les autres ? Elle avait si mal au cœur qu'elle monta directement dans sa chambre et se jeta sur son lit.

Elle pensa toute la nuit à Philippe, à son regard posé sur elle, à cette manière qu'il avait eue de la protéger alors qu'on l'avait envoyé près d'elle pour la perdre. Comment aurait-elle pu trouver le sommeil après une telle épreuve ? Qu'allait-il se passer ? Parviendrait-elle à se soustraire aux soupçons qui pesaient sur elle ? Oui, peut-être, si Philippe avait pu détruire avant de mourir les papiers compromettants qu'il devait posséder. Mais comment en être sûre ?

Toutes ces questions tournèrent douloureusement dans sa tête une grande partie de la nuit. Dès quatre heures du matin, elle n'eut qu'une hâte : voir se lever le jour. Elle eut très peur, un peu plus tard, quand des pas s'arrêtèrent devant sa chambre. Elle comprit qu'on glissait une feuille de papier sous sa porte, attendit quelques instants, alluma sa chandelle, se leva, revint lire dans son lit. Une écriture inconnue lui expliquait que Desplas, ses hommes et l'aubergiste avaient été arrêtés dix jours auparavant. L'un d'entre eux, pourtant, avait pu s'échapper. Quant à Philippe Rey, c'était un indicateur. Il n'avait eu que ce qu'il méritait. Le billet se terminait par ces mots : « Le combat continue ! Vive la République ! » Elle relut le billet, puis, fébrilement, le brûla. Jusqu'à l'aube elle guetta les bruits dans le couloir, craignant à tout moment que les gendarmes ne viennent la chercher. Dès que le jour pointa, elle rejoignit son équipage, un peu réconfortée de savoir qu'un homme, au moins, avait relevé le défi, mais bien décidée à rester à l'écart, désormais, d'un combat qui la dépassait.

Elle appareilla dès que la lumière fut suffisante, soulagée de quitter ce port où erraient tant de menaces. Une fois sur la Dordogne que le soleil nacrait d'une pellicule rose, elle songea de nouveau à Philippe et eut très froid, soudain, jusque dans ses os, jusque dans son cœur. La vision hideuse du monde auquel elle venait de se heurter lui donna l'envie de retourner très vite chez elle, de se blottir au cœur de ce coin de vallée qu'elle n'aurait jamais dû quitter.

Cet hiver de glaces et de drames s'acheva heureusement par un bonheur inattendu : Vivien put revenir au village après une remise de peine justifiée par sa bonne conduite. Il arriva avec Elise un soir de mars alors que Marie, Elina, Vincent et les enfants s'apprêtaient à manger. Ce fut la joie dans la maison où les femmes se mirent en frais de cuisine, faisant sauter des crêpes et cuire des quartiers de canard. Malgré l'évidence de ce retour merveilleux, Marie n'osait y croire. Elle avait fait plusieurs fois répéter à Vivien la bonne nouvelle et voulu voir le document officiel que lui avaient remis les gendarmes. Elle l'avait lu en tremblant, aveuglée par une buée qui était douce à ses yeux. C'était donc vrai ! L'impression de solitude et de menace qui la hantait depuis plusieurs mois s'estompait, ce soir, de la plus heureuse des manières qui fût. Elle ne serait plus seule, désormais, pour conduire les bateaux, négocier le prix du sel, se faire obéir des hommes d'équipage. Vivien serait près d'elle, et bientôt Vincent pourrait remarcher, et tout recommencerait !

Pendant le repas, Vivien voulut savoir ce qui s'était passé en son absence. Marie raconta pourquoi elle avait été obligée de vendre la seconde pour payer l'amende, et comment elle avait pu acheter un gabarot avec les louis d'or envoyés par Benjamin. Elle ne dit rien de Desplas et des armes qu'elle avait transportées, car elle craignait le jugement de Vivien, et surtout celui d'Elina à qui elle avait soigneusement caché cette activité. Elle évoqua les dangers de la navigation au bec d'Ambès par temps de brume et ses difficultés à négocier le prix du sel. Vincent, lui, raconta son accident, insistant sur le courage de Vidal qui avait réussi à redresser la capitane. Quand ils se turent, Vivien les rassura : ils pouvaient se reposer sur lui ; désormais, il était là et rien ne pourrait de nouveau l'éloigner de Souillac.

Elina porta sur la table deux bouteilles de cidre pour accompagner les crêpes. Ce fut le moment que choisit Vivien pour annoncer qu'Elise attendait un enfant.

— C'est pour quand ? demandèrent Elina et Marie d'une même voix.

— Pour juillet.

— Qu'est-ce que vous préférez ? Un garçon ou une fille ?

— Je voudrais bien un garçon, dit Vivien, mais Elise préférerait une fille. Enfin ! On prendra ce qui arrivera !

Il s'extasia sur la bonne mine d'Aubin et d'Emilien, puis il parla de la vie qu'ils avaient menée, là-bas avec Elise, dans la ferme des Essarts et se montra soucieux pour les deux vieux qu'ils avaient laissés seuls.

— Ils ont été si bons avec nous ! dit-il, tourné vers Elise qui approuvait de la tête, toujours aussi timide.

Enfin il demanda des nouvelles de celui dont l'absence pesait tellement sur ces retrouvailles. Le silence se fit, tandis que Marie tendait à Vivien la dernière lettre de Benjamin. Il ne travaillait plus dans la Bourkika, mais près de la côte, dans un domaine que Charrière avait réussi à acheter après avoir vendu le précédent à un colon récemment arrivé. Le climat y était plus clément et la culture moins difficile. Comme à son habitude, Benjamin ne se plaignait pas, mais s'inquiétait plutôt pour sa famille, demandait des précisions sur les bateaux, le commerce, et donnait des conseils, toujours les mêmes, sans se douter qu'il était impossible à Marie de les mettre en pratique.

— Je lui écrirai demain, dit-elle. Il sera rassuré de savoir que tu es parmi nous.

La devinant préoccupée, Vivien fit des projets et assura que Benjamin, lui aussi, reviendrait bientôt. Ils achèteraient d'autres bateaux et leur flotte deviendrait la plus importante de toute la vallée. Il riait, plaisantait. Mon Dieu ! comme il avait changé ! Marie ne reconnaissait plus ce soir l'homme désespéré qui venait, la nuit, hanter les rives de la Dordogne. Alors, la pensée de ne plus reconnaître Benjamin à son retour lui broya le cœur, et elle se leva pour éviter que Vivien ne s'en aperçoive. Elle remarqua que Vincent, lui aussi, ne souriait guère. Elle savait qu'il redoutait de ne pas pouvoir remarcher convenablement malgré le pronostic favorable du docteur Lafarge. Allons ! ce soir était soir de fête ! Il fallait profiter de ces moments sans trop penser à l'avenir et faire confiance à la providence. S'asseyant de nouveau à table, elle invita son père à trinquer avec elle, reparla des voyages avec Vivien, et Vincent consentit à sourire.

Ils se couchèrent tard, cette nuit-là, et Marie fut la dernière à monter dans sa chambre. Elle savait qu'elle allait se retrouver seule comme chaque nuit depuis plus de deux ans. Mais elle mesurait davantage ce soir combien Benjamin était loin. Fière et forte la journée, il lui arrivait de sombrer, la nuit, lorsqu'elle cherchait un corps près d'elle dans son demi-sommeil. A ces moments-là, s'il n'y avait eu Elina et les enfants, elle aurait crié de douleur. Mais quelquefois aussi elle le voyait en rêve et cherchait vainement à s'en approcher. Lorsque le rêve s'estompait et qu'elle s'asseyait, hagarde, sur son lit, la colère supplantait le chagrin : on leur avait volé huit années de leur vie ! Huit ans ! se disait-elle. Huit ans qu'ils ne revivraient jamais et qui étaient perdus, pour l'un comme pour l'autre ! Elle se demandait alors si la solution n'était pas de partir pour l'Algérie où elle pourrait le voir enfin, une heure, une minute, une seconde, et il lui arrivait de penser qu'elle s'embarquerait dès l'arrivée des beaux jours.

11

Les beaux jours étaient là et elle n'était pas partie. Comment aurait-elle pu abandonner ses enfants, Elina et Vincent qui marchait avec des béquilles et se plaignait de n'être plus utile à rien ? Le printemps avait été pluvieux dès le début d'avril et l'on pouvait raisonnablement penser que les eaux seraient marchandes jusqu'à la mi-juin. C'était de bon augure pour le commerce qui bénéficiait maintenant de l'expérience de Vivien. Autant Vincent n'avait été d'aucun secours à Marie pour négocier les marchés, autant Vivien démontrait une autorité qui en imposait aux marchands. En le voyant agir, elle comprenait pourquoi elle avait eu tant de mal à se faire une place dans ce monde gouverné par les rapports de force.

En cette mi-mai, c'était pour Marie, comme chaque année, le même émerveillement. Debout à l'arrière de la capitane (Vivien conduisait maintenant l'*Elina*), elle s'étonnait du renouveau magique des couleurs qui jaillissaient en gerbes sur les rives et endimanchaient la vallée dont les arbres frissonnaient doucement. Même la lumière semblait verte. Elle paraissait surgir de la terre et non couler du ciel, faisait fondre le bleu comme un fleuve en crue qui entre dans la mer. Des parfums de lilas sauvages et de prairies grasses affluaient dans l'air tiède que Marie respirait en fermant les yeux, savourant cette paix éternelle dans laquelle s'assoupissait la vallée bercée par le froissement des feuilles et les soupirs de la terre caressée par le vent.

Le convoi arrivait à Libourne. La ville semblait écrasée par le poids du ciel. La capitane passa devant les chais, où les odeurs fortes de vin et de moûts épaississaient l'air comme du sirop. En prenant pied sur le quai, Marie se sentit ivre et chancela. Son corps, ce soir, lui semblait lourd. Elle eut la fugace impression que le monde entier était en elle. Ce sentiment de communion avec le port, la ville, le monde, cette sensation de plénitude s'accentuèrent encore pendant le court trajet de son bateau à l'auberge située à proximité de l'église Saint-Jean. Ce n'était pas un soir ordinaire, elle le savait. Aussi ne fut-elle pas surprise d'apercevoir Emeline sur le seuil de l'auberge et de la voir s'avancer vers elle avec sa grâce coutumière. Emeline portait une robe de soie rose et une coiffe blanche d'où coulaient ses boucles noires jusque sur les épaules. S'arrêtant à deux pas d'elle, Marie lui trouva une bizarre expression dans le regard.

— Je voudrais te parler, dit Emeline avec la même humilité qui avait tant étonné Marie lors de leur dernière rencontre à Bordeaux.

Et, comme celle-ci demeurait sur ses gardes et ne répondait pas :

— C'est au sujet de Benjamin.

Il sembla à Marie qu'elle avait du mal à se tenir debout.

— Rentrons, si tu veux bien, ajouta-t-elle, je voudrais m'asseoir.

Surprise par cette sorte de désarroi qu'Emeline ne cherchait pas à dissimuler, Marie accepta et la précéda dans l'auberge où elles furent accueillies par des cris, de nombreux matelots étant déjà attablés pour le repas du soir. Elles montèrent l'escalier et, quand Marie se retourna après avoir ouvert sa porte, elle dut soutenir Emeline, qui, livide, le visage défait, respirait avec difficulté. Elle l'aida à s'asseoir, un peu effrayée par sa pâleur que soulignait le rouge étrange des pommettes. Elle attendit patiemment qu'Emeline reprenne son souffle, malgré les innombrables questions qui se bousculaient dans sa tête. Emeline s'essuya le front luisant de sueur avec un mouchoir qu'elle sortit de sa manche, murmura :

— Il va revenir.

Ces trois mots portaient trop de bonheur pour que Marie pût les accepter si vite. Elle demanda doucement :

— Qui ?

— Benjamin, il va revenir, répéta Emeline.

Marie chancela, dut s'asseoir elle aussi, tellement son cœur était devenu fou. Un reste de méfiance, pourtant, jetait un peu d'ombre sur l'immense soleil qui était entré dans la pièce.

— Tu m'avais dit que ce n'était pas possible, bredouilla-t-elle.

Un bref sourire éclaira le visage d'Emeline.

— Mon mari a rencontré le duc de Morny la semaine dernière, dit-elle.

Marie ne comprenait pas pourquoi Emeline avait fait intervenir son mari dans une affaire qui ne le concernait en rien. Elle redouta un marché qui consisterait à échanger le retour de Benjamin contre une promesse de renoncer à lui. L'espace d'un instant, pourtant, elle y consentit, prête à le perdre pourvu qu'elle puisse le voir de temps en temps, pourvu qu'il soit libre. Emeline comprit ce qui se passait dans sa tête. Une ombre d'une infinie tristesse erra dans ses yeux noirs lorsqu'elle murmura dans un soupir :

— Quels que soient leurs rapports, leurs conflits, un mari ne peut rien refuser à sa femme qui va mourir.

Elle baissa la tête, comme si cet aveu avait consumé toute l'énergie qu'elle possédait, puis elle la releva lentement, cherchant le regard de Marie qui ne mesurait pas tout à fait, encore, la gravité des mots qu'elle venait d'entendre. Un lourd silence erra dans la chambre, que ni l'une ni l'autre n'osait rompre. Et surtout pas Marie qui sentait des frissons courir sur son dos, bouleversée qu'elle était par l'appel au secours décelé dans les yeux d'Emeline.

— Phtisie galopante, reprit celle-ci après un long silence. J'ai rencontré les plus illustres médecins du pays. Ils ne peuvent plus rien pour moi. Il me reste très peu de temps.

Elle gardait la tête haute, maintenant, souriant avec une sorte de fierté pitoyable qui broyait le cœur de Marie. Celle-ci cherchait des mots mais n'en trouvait pas d'assez grands pour exprimer tout ce qu'elle ressentait de compassion.

— Tu sais, commença-t-elle...

Mais elle s'interrompit aussitôt, car il lui sembla que tout ce qu'elle pouvait dire allait aggraver la souffrance d'Emeline. Et puis elle pensa que tout valait mieux que ce silence et le poids de ce regard implorant.

— On ne sait jamais, reprit-elle...

— Non, fit Emeline en l'arrêtant de la main, je vais mourir, c'est sûr, je m'y prépare.

Et elle ajouta, avec un pauvre sourire :

— Merci. Tu es gentille.

Marie avait tellement souffert du combat qui les avait dressées l'une contre l'autre qu'elle avait du mal à croire à ces mots si nouveaux dans la bouche d'Emeline. Tout l'y poussait, pourtant, aujourd'hui, mais l'angoisse était là, toujours la même, et elle se débattait entre deux idées contradictoires qui accentuaient son trouble. Une violente quinte de toux contraignit Emeline à se plier sur elle-même. Comme elle s'étouffait, Marie voulut l'aider, mais Emeline l'arrêta d'un signe de la main. Alors Marie demeura sur sa chaise, terriblement émue par le spectacle de cette femme qui courbait le dos devant elle et qu'elle ne haïssait plus, soudain, mais qu'elle plaignait, au contraire, comme si elles avaient toujours été amies.

Quand Emeline se redressa, ses yeux étaient pleins de larmes. Il lui fallut plus d'une minute pour reprendre son souffle et esquisser un sourire qui fit si mal à Marie qu'elle détourna la tête.

— Tu vois, murmura Emeline, d'une voix presque inaudible, tu me crois maintenant ?

Elles s'étaient combattues toute leur vie mais, ce soir, Marie l'oubliait car la détresse d'Emeline brisait la distance qui les avait séparées.

— Ce n'est pas pour me faire voir à toi dans cet état

que je suis venue, reprit Emeline. C'est parce que je voudrais te demander quelque chose... Une dernière chose.

Marie, de nouveau, craignit d'avoir été trompée. Elle eut une sorte de retrait du buste qu'Emeline remarqua.

— N'aie pas peur, dit-elle. Ce que j'ai à te demander ne te coûtera rien et ne concerne pas Benjamin.

Et, comme Marie demeurait hostile :

— C'est un peu difficile à dire. Je ne sais pas si tu comprendras, mais c'est très important.

Marie, intriguée, ne fit pas un geste, et attendit qu'Emeline, enfin, se décide.

— Voilà : je voudrais passer une dernière journée à Souillac, dans les prairies, et je voudrais que tu la passes avec moi, comme quand on était enfants.

Devinant que Marie cherchait à déceler un piège dans cette demande effectivement peu banale, elle reprit :

— Je sais que c'est peut-être difficile à comprendre, mais comment t'expliquer ?

Elle se tut un instant, parut poursuivre un rêve, et la paix revint sur son visage. Elle murmura d'une voix dans laquelle Marie perçut une totale sincérité :

— J'ai tellement souffert d'avoir perdu tout ça.

Comment ne pas la croire ? Ses yeux étaient de nouveau pleins de larmes et, peut-être pour la première fois de sa vie, Marie eut l'impression de la découvrir telle qu'elle était vraiment. Pourtant elle ne répondit pas tout de suite car elle se rappela les années de leur adolescence et craignit de se heurter aux mêmes sensations. Puis elle se souvint que son père et sa mère avaient marié de force Emeline à Duthil. Elle songea au déchirement qu'avait été pour elle-même, le jour de son départ pour Bordeaux, le fait de quitter ce coin de vallée, le seul endroit du monde, elle le savait aujourd'hui, où elle pouvait vraiment être heureuse.

— J'en ai tellement besoin, reprit Emeline. C'était si bon. Si seulement je pouvais emporter un peu de ces prairies avec moi.

Comment Marie eût-elle pu demeurer insensible à

ces mots-là ? Elle ne prit même pas le temps de la réflexion et répondit doucement :

— C'est d'accord. Quand tu voudras.

— Je suis pressée, murmura Emeline, terriblement pressée.

Marie hocha la tête, proposa :

— Je serai remontée dans dix jours. Tu peux venir. Je t'attendrai.

— Merci ! dit Emeline. Tu ne peux pas savoir ce que ça représente pour moi.

Elle ajouta après une hésitation :

— Moi qui ne t'ai fait que du mal.

Elles s'observèrent en silence, comprirent que, pour l'une comme pour l'autre, tout était oublié.

— J'arriverai la veille en voiture, à l'auberge du Lion d'or. Je repartirai le surlendemain. Je voudrais que tu viennes me rejoindre... Si j'en ai la force, nous descendrons à pied vers la Dordogne.

— Je viendrai, dit Marie.

Emeline fut prise de nouveau d'une quinte de toux qui la laissa sans forces. Marie s'approcha d'elle, posa une main sur son épaule, mais Emeline se dégagea doucement. Alors elle revint vers sa chaise et demanda :

— Tu n'as besoin de rien ?

— Non, dit Emeline, rien de plus que ce que je t'ai demandé.

Elles se turent, évitant maintenant de se regarder pour ne pas ajouter à leur émotion. Puis, Marie, se souvenant brusquement des premiers mots d'Emeline, demanda :

— Benjamin, il reviendra quand ?

— Avant la fin de l'été, j'espère. Le décret de grâce est sur le bureau de l'Empereur.

Marie songea alors au visage hautain, aux yeux glauques et à la moue de mépris qu'elle avait aperçus à Bordeaux, et la libération de Benjamin lui apparut tout à coup très lointaine.

— Il va signer, dit Emeline qui avait deviné sa pensée. Il l'a promis au duc de Morny. C'est seulement une question de jours.

— Tu en es sûre ?

— J'en suis certaine, sinon je ne serais pas venue te voir.

Une nouvelle fois, la toux la reprit, mais cette quinte-là dura plus que les précédentes. Marie dut lui venir en aide lorsqu'elle voulut se redresser. Enfin, après de longues minutes passées à retrouver une respiration normale, Emeline demanda :

— Mon cocher attend en bas. Tu veux bien m'aider à descendre ?

Marie, en prenant son bras, fut étrangement émue par ce contact, cet abandon dans lequel elle puisa la conviction qu'Emeline ne lui avait pas menti. Elle sentit son souffle brûlant contre sa joue, en fut heureuse. En bas de l'escalier, c'est à peine si, en traversant la salle, elle entendit les plaisanteries des hommes. Elle était au-delà de toutes ces petites choses, ce soir. En regardant s'éloigner la voiture dans laquelle elle avait aidé Emeline à monter, elle imaginait le moment où Benjamin apparaîtrait devant elle, et avec quelle force elle se précipiterait dans ses bras.

Douze jours avaient passé, et l'été, déjà, illuminait la vallée, bleuté comme en plein mois d'août. Ce matin-là, comme promis, Marie se rendait à Souillac en traversant les prairies qu'avait lustrées la rosée de la nuit. La veille au soir, le cocher d'Emeline était venu la prévenir de son arrivée à l'auberge du Lion d'or. Persuadée qu'Emeline allait lui donner des nouvelles de Benjamin, elle courait sur le sentier dont elle connaissait les moindres détours, la plus petite racine à éviter pour ne pas tomber. Obsédée par cette idée, elle était étrangère au monde qui l'entourait, que ce fût le balancement silencieux des grands frênes ou les grains d'or de la poussière végétale que les rayons du soleil embrasaient comme un chaume. Elle courait, elle courait, avalant avec délices de grandes goulées de parfums familiers qui lui rappelaient d'autres courses, heureuses ou malheureuses, dont les images défilaient avec une surprenante netteté.

Elle s'arrêta pour traverser la route de Sarlat,

continua en marchant, mais très vite, en direction du bourg. Il lui fallut encore dix minutes pour arriver à l'auberge du Lion d'or où le cocher l'attendait devant la porte. Il la conduisit dans la chambre d'Emeline qui était assise dans un fauteuil de velours vieux rose et lui sourit. Elle paraissait moins fatiguée que lors de leur rencontre libournaise. Ou alors c'était un effet de sa robe bleue qui rehaussait son teint et redonnait à son visage un aspect plus vivant, presque gai.

— Merci d'être venue, dit-elle en se levant.

— Je t'avais promis, fit Marie, et c'est si peu de chose.

Emeline s'approcha, lui prit les mains et sourit de nouveau.

— Moi aussi je tiens mes promesses, dit-elle, et j'ai une bonne nouvelle pour toi.

Le cœur de Marie s'emballa.

— L'Empereur a signé, reprit Emeline. Benjamin sera là avant juillet.

Marie dut s'asseoir, tant ses jambes tremblaient. Elle regardait fixement Emeline sans parvenir à prononcer le moindre mot, tellement les idées se bousculaient dans sa tête. Libre ! Benjamin était libre ! Il serait là avant juillet ! Etait-ce possible ? Elle n'osait y croire et brûlait de poser d'autres questions, sans se rendre compte que sa joie s'inscrivait sur son visage.

— Merci, dit-elle enfin, je n'oublierai jamais ce que tu as fait.

Et aussitôt son bonheur lui parut déplacé devant cette femme, si jeune encore, qui allait mourir. Elle s'en voulut, revint rapidement à l'objet de sa venue à Souillac et demanda :

— Quand veux-tu que nous partions ?

— Tout de suite, dit Emeline, mais il faudra peut-être que tu m'aides un peu à marcher.

— Je t'aiderai, sois sans crainte.

— Alors, allons-y.

Elles descendirent lentement l'escalier, se retrouvèrent dans le grand soleil, côte à côte.

— Ce matin, les prairies... Cet après-midi, si je le peux, le marché et la place de la Nau, dit Emeline.

— Comme tu veux, fit Marie en suivant Emeline dans la voiture qui allait les emmener jusqu'à la route de Sarlat.

— Mon cocher nous laissera là-bas et viendra nous reprendre à midi, dit Emeline en s'asseyant sur le siège de cuir.

Il ne leur fallut pas plus de cinq minutes pour arriver à destination. Elles traversèrent la route et s'engagèrent sur le sentier que l'herbe avait presque entièrement recouvert. Dès le début, Emeline ne cessa de s'extasier sur les couleurs, les bruits, les parfums. A chaque pas elle s'arrêtait et répétait, la tête levée vers le ciel :

— Que c'est bon !

Elles allaient lentement, attentives à l'épaisseur de l'air sous les frondaisons, aux éclats de lumière sur le sentier, aux froissements des feuilles qui chuchotaient des mots dont la douceur évoquait celle de l'enfance.

— Arrêtons-nous, dit Emeline, ne bougeons plus.

Marie remarqua qu'elle fermait les yeux et s'efforçait de respirer lentement, profondément, jusqu'au vertige. Elle les garda clos plus de trente secondes puis elle les rouvrit brusquement, comme si elle avait eu peur.

— Quitter tout ça, souffla-t-elle.

Et elle se remit en marche vers les jardins, ceux qui avaient appartenu à son père ou à d'autres, la cabane où elle donnait rendez-vous à Benjamin. Là aussi elle s'arrêta un moment, mais elle ne dit rien. Marie la sentait trembler près d'elle, était tentée de lui prendre le bras, craignant qu'elle ne tombe. Emeline respirait très vite, et Marie comprit qu'elle luttait contre la toux. Mais son malaise se dissipa, elle se détendit et repartit, entraînant Marie vers la Dordogne en disant :

— Je suis sûre qu'elle n'a pas changé.

Dès qu'elles sortirent du couvert des arbres, elles furent aveuglées par la lumière et durent fermer les yeux un instant. C'était un exercice que l'une et l'autre connaissaient bien et qui revêtait ce matin un charme indéfinissable. Le jeu consistait à rouvrir les yeux très lentement, de manière à provoquer un mélange de couleurs toutes aussi magnifiques les unes que les autres. Combien de fois n'avaient-elles pas joué, enfants, à essayer de les compter, de les décrire, mais bien souvent les mots manquaient. Aujourd'hui, il semblait à Marie qu'elle aurait su en parler indéfiniment.

La rivière était devant elles, à une centaine de mètres. On entendait crier des enfants sur le port. La vallée grésillait doucement sur elle-même, engluée dans le soleil qui noyait les collines dans un bleu de myosotis. Elles s'assirent en bordure de la plage de galets, sur le tronc d'arbre renversé qui défiait le temps. Emeline toussa douloureusement, se redressa, s'apaisa, poussa un long soupir. La Dordogne, dont les eaux étaient encore hautes, pétillait dans les éclosions d'éphémères.

— Je venais là sans que tu me voies, dit Emeline, et je te regardais pendant que tu lavais ton linge... Je t'enviais.

— C'est parce que tu ne connais pas la douleur des mains dans l'eau froide, dit Marie doucement.

— Il y a tellement de choses que je ne connais pas aussi bien que toi, reprit Emeline... Benjamin, par exemple.

Marie la regarda, comprit qu'il n'y avait aucune amertume dans sa voix. Non, c'était autre chose : un regret sincère et désespéré.

— Je l'ai aimé, poursuivit Emeline, si tu savais comme je l'ai aimé !...

Elle ajouta, plus bas, d'une voix à peine perceptible :

— Et, moi, je vais mourir.

Elle pleurait sans bruit, sans s'en rendre compte, devant cette rivière qui continuait de couler impassiblement, comme le temps qui emporte tout sur son passage, y compris les rêves, le bonheur et le malheur des hommes.

— Je n'ai pas peur, reprit Emeline. Mourir ne serait pas si grave si l'on pouvait conserver un peu de ce que l'on a aimé : un brin d'herbe, un rayon de soleil, une caresse de vent, une lampée d'eau fraîche...

Elle se tourna brusquement vers Marie :

— C'est tout cela que je suis venue chercher ici... Tu comprends ?

— Oui, dit Marie, je comprends.

Emeline sourit, ajouta :

— Ce soir, mes provisions faites, je partirai.

Elles demeurèrent un long moment silencieuses, l'une et l'autre plongées dans leurs pensées. Une barque, descendant de Lanzac, glissa devant elles sans qu'elles puissent entendre le bruit des rames maniées par le pêcheur. Il sembla à Marie que la vallée se retenait de respirer, comme elle, ce matin, pour laisser tout l'oxygène de l'air à Emeline. Celle-ci avoua à Marie combien elle avait été jalouse des enfants du port qui grandissaient dans la plus totale liberté. Elle parla de la place de la Nau où elle se sentait un peu prisonnière et du plaisir qu'elle avait à suivre son père, sur le quai où elle les rencontrait, eux, les enfants des bateliers, les enfants du voyage.

— Sauras-tu jamais quelle chance tu as eue ! dit-elle.

Marie l'écoutait, bouleversée, incapable de répondre à cette voix qui paraissait venir de très loin. Le soleil, maintenant, était haut dans un ciel sans nuages. La chaleur commençait à ramper sur les rives, épaisse comme des touffes d'herbe. On entendait chanter une femme, là-bas, de l'autre côté, à l'endroit où accostait le bac de Cieurac.

— Allons ! dit Emeline, sinon je n'aurai plus la force.

Elles partirent en direction du port. Des enfants, qui se poursuivaient, les croisèrent en riant. Elles se retournèrent pour prendre une petite part de ce bonheur libre et insouciant, et ce fut comme la première bouffée du vent de nuit, un soir d'été. Plus loin, sous les frênes qui fredonnaient leur chanson de feuilles, Emeline s'arrêta et, de nouveau, leva la tête vers le ciel en inspirant profondément.

— Je crois qu'ici je ne serais jamais tombée malade, dit-elle.

Il y avait une joie espiègle dans sa voix, mais la toux l'obligea à se plier sur elle-même et elle aurait chuté si Marie ne l'avait retenue. Elles repartirent encore plus lentement, arrivèrent sur le port, et montèrent sur la capitane. Elles s'assirent un moment sur la marche où l'on se tient pour manœuvrer le gouvernail.

— Dire que tu sais naviguer, toi ! dit Emeline. Est-ce que tu m'aurais appris si je te l'avais demandé ?

Marie hocha la tête en souriant.

— Tu ne sauras jamais mentir aussi bien que moi.

Et, comprenant qu'elle jetait une ombre sur leur complicité :

— Sois tranquille, il y a déjà plusieurs mois que je ne joue plus à mentir.

Comme il faisait très chaud, Emeline se leva et entraîna Marie vers les entrepôts de sel et la maison de l'octroi. Elles entrèrent dans l'ancien magasin d'Arsène Lombard, mais ne purent y rester longtemps, car des hommes y travaillaient, qui les dévisagèrent bizarrement.

— Je te guettais de là, dit Emeline.

Puis, avec un soupir :

— A quoi bon, tout cela ?

Elle eut un malaise et Marie l'aida à s'asseoir un instant sous un frêne.

— J'ai trop présumé de mes forces, dit Emeline en s'essuyant le front. Tu vois, cette journée ne durera en réalité qu'une matinée. Rentrons, s'il te plaît !

Elles retournèrent sur leurs pas en longeant la rivière. Marie cherchait quelque chose à dire, mais elle n'arrivait pas à trouver les mots qui eussent procuré à Emeline la consolation dont elle avait besoin. Existaient-ils seulement, ces mots-là ? Marie ne le croyait pas. Ce qui existait avant tout, ce matin, c'était la beauté terrible de cette vallée et la certitude que la mort n'y avait pas sa place.

Au moment de quitter la Dordogne et de bifurquer vers la gauche pour traverser les prairies, Emeline ne put s'y résoudre. Elle s'arrêta et, tournée vers la rivière, se laissa aveugler par son éclat en souriant. C'était la dernière fois qu'elle la voyait et Marie le savait. Elle lui prit le bras et l'aida à faire le premier pas vers les jardins. Epuisée, Emeline pesait contre son épaule. Elle ne parlait plus, respirait avec difficulté. Elles marchèrent ainsi un long moment, s'arrêtant de temps en temps, puis, à l'instant de sortir du couvert des arbres, comme on apercevait là-bas la route de Sarlat, Emeline voulut faire une dernière halte. Elle s'assit à l'ombre d'un chêne, invitant Marie à venir près d'elle. Enfin, quand elle eut récupéré un peu de son effort, elle murmura :

— Tu sais, Marie, on ne se reverra plus.

Et, comme celle-ci tentait de protester :

— Non, écoute-moi, s'il te plaît, j'ai déjà assez de mal à parler comme ça : j'ai eu ce que je voulais, ce dont j'avais besoin. Ce morceau d'enfance, qui est ce que je possède de plus précieux, j'ai réussi, grâce à toi, à le garder vivant jusqu'au bout. Je vais l'emporter avec moi et jamais je ne le laisserai s'échapper.

Marie eut un pauvre sourire, mais ne répondit pas.

— Je te demande d'oublier tout le mal que je t'ai fait, reprit Emeline. Tu sais, on devrait mourir à dix ans. Avant, on ne vit que de rêves, et même si on approche le mal, il ne nous est pas encore familier. C'est après que les choses se gâtent. Car on apprend vite...

Elle ajouta tout bas :

— Et moi j'ai appris très vite parce que je souffrais.

Elle se tut, soupira. Un cheval hennit sur la route, là-bas.

— Il est arrivé, dit Emeline, parlant de son cocher.

Et, souriant à Marie :

— On ne s'est jamais embrassées, je crois.

— Non, dit Marie.

— On ne va pas commencer aujourd'hui, ce serait trop triste. Et pourtant, aujourd'hui, tu vois, je te rends Benjamin et je suis heureuse.

Marie se mit à redouter le moment de la séparation qui approchait. Elle aurait voulu retenir Emeline, se sentait réconfortée de voir que ses yeux étaient secs.

— Ce que ces derniers mois m'ont appris, Marie, je te le dois. Un jour, sans doute, tu en auras besoin.

Elle attendit quelques secondes, reprit d'une voix étrangement calme :

— Je crois que notre véritable foyer n'est pas de ce monde. Le feu qui brûle en nous, c'est celui de l'éternité : voilà pourquoi nous souffrons tellement d'être venus sur terre. Voilà aussi pourquoi les blessures les plus terribles sont celles du temps.

Elle s'interrompit un instant, prit la main de Marie, poursuivit :

— Mais moi, aujourd'hui, ce temps, je l'ai vaincu. Marie, grâce à toi, aujourd'hui j'ai dix ans.

Elle se tut. Les traits de son visage paraissaient s'être détendus. Elle regarda un long moment autour d'elle, un léger sourire aux lèvres, puis elle dit en évitant de se tourner vers Marie :

— Aide-moi à me lever, s'il te plaît, mais ne me suis pas. Je n'ai que deux cents mètres à faire. Tu veux bien ?

Refoulant de toutes ses forces les larmes au bord de ses paupières, Marie lui prit les mains pour l'aider. Leurs regards se croisèrent. Marie ne put y résister et ferma les yeux.

— Ma petite Marie que je ne reverrai plus, dit Emeline.

Puis elle dénoua doucement ses mains et, se retournant lentement, elle s'en alla sur le sentier, silhouette fragile que semblait accompagner l'ombre fraîche des arbres. Marie regarda disparaître la robe bleue qui, sur les épaules, soulignait les boucles noires jadis tellement redoutées. Elle ne bougea pas jusqu'au moment où elle entendit claquer le fouet du cocher, là-bas, sur la route. Mais déjà elle ne voyait plus rien depuis plusieurs secondes à cause de la buée qui s'était posée sur ses yeux et descendait le long de ses joues avec la tiède douceur d'une pluie d'automne.

Après avoir consulté Vincent qui se remettait peu à peu, Vivien et Marie avaient décidé d'entreprendre un dernier voyage. L'ultime descente avant les basses eaux donnait toujours à l'équipage un peu de nostalgie. On ne se pressait pas. Comme les jours augmentaient, on pouvait se permettre d'arriver plus tard aux escales et on ne s'en privait pas. Ainsi les journées paraissaient-elles plus belles, et le voyage plus agréable encore.

Marie, elle, était pressée. Depuis la visite d'Emeline

à Souillac, elle s'était persuadée que la remonte allait ressembler à celle qui, onze ans auparavant, lui avait rendu Benjamin. C'était une idée un peu folle, elle le savait, mais rien ne lui semblait impossible en cette fin du mois de mai qui n'avait jamais semé dans la vallée tant de couleurs et tapissé les rives d'un vert aussi profond et aussi lumineux. A Libourne, s'imaginant que Benjamin allait surgir devant elle comme à Bordeaux, dans le Jardin des plantes, ce printemps-là, elle avait demandé à Vivien de ne pas repartir tout de suite. Il avait entamé seul la remonte avec l'*Elina* et le gabarot. Marie avait attendu deux jours de plus, parcourant les rues interminablement, à la recherche de la silhouette qu'elle espérait tant voir apparaître, mais vainement. Comme le niveau des eaux baissait dangereusement, elle avait dû repartir elle aussi, déçue mais portée par un autre espoir qui grandissait de minute en minute. Elle s'était dit que, si Benjamin avait jugé le niveau des eaux impropre à la navigation, il était peut-être parti par la route et l'attendait à Souillac. Dès lors, au lieu de ne plus se presser, elle avait demandé aux bouviers de forcer l'allure et avait profité des relais de tire jusqu'à la nuit.

A partir de Bergerac, pourtant, la vallée incitait au rêve et à la patience. Eclaboussée par la rivière qui cascadait sur les maigres, elle tremblait sur elle-même dans une brume de chaleur qui la rendait irréelle. On avait par moments l'impression d'approcher les lisières d'un monde retourné à ses origines. Et en même temps on était frappé par cette immuable impression de splendeur qui se donnait à voir sans calcul, pour le seul plaisir des sens. Marie la première, qui avait toujours décelé derrière cette sorte de gratuité une présence divine... Siorac, Beynac, La Roque-Gageac et Domme se succédèrent dans la gloire du jour qui, malgré l'habitude qu'avait Marie de fréquenter ces lieux, trompa son impatience et son désir d'arriver au port.

Cette remonte avait fini par l'apaiser. L'été, tapi derrière les rouvres, l'emplissait maintenant d'une certitude de bonheur dont l'attente était aussi précieuse que ce bonheur lui-même. La nuit tombait quand la capitane déboucha du pas du Raysse, livrant en un instant à Marie le port et les collines. Elle reconnut le velours tiède de l'air, les flocons de lumière qu'une ombre délicate éteignait peu à peu, et ressentit la même impression terrible et délicieuse qu'il n'y aurait plus jamais d'autre jour. Des enfants criaient sur le port. Un homme jetait l'épervier sous Cieurac. Bruits et gestes immuables. Ici, rien ne changerait jamais. Ici, on se faisait une idée du paradis. Aussi, quand Marie eut compris à un mot d'Elina que Benjamin n'était pas là, elle n'eut pas de révolte et rentra simplement chez elle en tenant ses enfants par la main.

Une fois dans la maison, pourtant, elle eut peur quand Elina lui donna une lettre qui était arrivée au matin. Elle décacheta l'enveloppe avec une petite appréhension et monta dans sa chambre pour lire. Une écriture inconnue lui annonçait qu'Emeline était morte à son domicile bordelais le 22 mai. Les obsèques s'étaient déroulées le 24, il y avait six jours de cela. Marie s'assit sur son lit, se demandant si ce n'était pas son instinct qui, les jours précédents, l'avait poussée à descendre si vite vers le bas pays. L'idée qu'Emeline avait été enterrée sans témoin du village où elle était née lui parut insupportable. Elle revit ses yeux pleins de fièvre lors de leur promenade dans les prairies, son visage amaigri, sa robe bleue, se souvint de sa peur, de son courage, de ses cris muets, de son sourire. Pourquoi Marie pleurait-elle dans cette nuit si calme ? Benjamin allait revenir. Emeline était morte. Elle ne savait pas qu'elle pleurait son enfance perdue, ce trésor qu'Emeline avait emporté dans cette région de l'âme qu'ignoreront toujours les vivants.

« Avant juillet », avait dit Emeline. La Saint-Jean était passée et juin allait se terminer. Les journées n'en finissaient pas de s'étirer en langueurs que les nuits rafraîchissaient à peine. D'une colline à l'autre, le parfum des foins occupait tout l'espace et Marie, chaque nuit, partait dans les prairies. Elle ne pouvait pas dormir car elle guettait les bruits, le moindre pas sur les chemins, le moindre soupir de la rivière qui chuchotait, là-bas, derrière les frênes.

Cette nuit-là, elle s'était assise sur le tronc où ils avaient l'habitude de se retrouver, Benjamin et elle, au bord de la plage de galets. Une lune pâlotte laissait couler sur la vallée un mince ruisseau qui cascadait le long des arbres avant de se fondre dans la Dordogne. Marie soupira, enleva sa robe et entra dans l'eau. Quoique fraîche encore, elle glissa délicieusement le long de ses jambes dès qu'elle s'élança d'une détente souple. D'abord, elle essaya de nager à contre-courant pour se réchauffer, puis, se renversant sur le dos, elle se laissa porter, songeant seulement au velours de l'eau contre sa peau et au silence qui l'entourait. Un peu avant le port, elle traversa et commença à remonter lentement, en brasses régulières, le long de la rive opposée. Par instants, une liane tiède s'enroulait autour de son corps puis se dénouait mystérieusement et, de nouveau, la fraîcheur la fouettait. Elle s'amusa à descendre au fond d'une meilhe et à remonter rapidement avec l'impression d'émerger dans les étoiles. Parvenue en face de la plage de galets, elle sortit de l'eau, se promena un peu dans les prairies et se souvint de cette nuit où elle s'était endormie avec Aubin dans le foin. La chemise légère qu'elle avait gardée sur elle collait à sa peau et laissait couler sur ses cuisses des gouttes qui descendaient délicieusement jusqu'à ses chevilles.

Elle revint vers la rivière, s'assit sur la berge, prit une poignée d'herbe coupée, la respira intensément, fermant les yeux de plaisir. Ce fut au moment où elle releva la tête qu'elle aperçut une silhouette assise, là-bas, de l'autre côté, sur le tronc renversé. D'abord elle eut peur, mais la silhouette bougea et le mouvement qu'elle fit en s'inclinant sur le côté arracha un sanglot à Marie. Elle voulut crier, mais aucun son ne sortit de sa bouche. Son cœur lui faisait mal et elle n'y voyait plus.

— Benjamin !

Cette fois son cri passa ses lèvres et fit s'envoler les verdiers branchés dans les frênes. Il était debout. Il l'avait vue. Lui aussi cria, mais elle ne l'entendit pas.

Déjà elle était dans l'eau et nageait vers lui de toutes ses forces, sans respirer. Sans même se déshabiller, il avait couru sur les galets et nageait aussi dans sa direction, sortant de temps en temps sa tête hors de l'eau pour juger de la distance qui les séparait.

Ils se heurtèrent avec violence au beau milieu de la rivière, s'enlacèrent et, bras et jambes noués, se laissèrent emporter par le courant. Dévastée par une onde folle de bonheur, Marie le serrait, le serrait, bredouillait son nom, le mordait, cherchait de l'air, le mordait de nouveau et se laissait emporter sans peur, avec en elle la seule pensée de ne plus lâcher ce corps auquel elle avait tellement rêvé. Lui, la sentait peser dans ses bras, agitait simplement les jambes pour ne pas couler, suffoquait, répétait :

— Marie ! Marie !

Cette dérive folle dura jusqu'à ce que le courant les dépose sur la plage de galets située en face du pas du Raysse. Echoués là, comme morts, ils revinrent peu à peu à la vie, tournés vers les étoiles et se tenant la main. Puis ils se levèrent et marchèrent vers les prairies où ils creusèrent un nid dans le foin. Alors ils retrouvèrent les gestes et les mots qu'ils avaient désappris, tout ce qu'ils avaient perdu, y compris le plaisir qui les laissa épuisés, beaucoup plus tard, et encore incrédules de s'être retrouvés. Marie prit le visage de Benjamin entre ses mains, l'inclina dans un rayon de lune pour apercevoir enfin ces traits que le temps avait effacés. Elle ne put que deviner les yeux, le nez, la bouche, et il lui sembla qu'il avait maigri. Elle renonça à cette redécouverte en se promettant de l'entreprendre de nouveau dès le lever du jour. Ils se dévêtirent et s'enfoncèrent dans le foin. Ils ne parlaient plus. Les mots étaient inutiles. Ils s'endormirent juste avant l'aube.

Ce fut le froid qui les réveilla. Un peu de lumière coulait déjà du ciel malgré la brume prisonnière des arbres. Redressée sur un coude, Marie regardait sans pouvoir se lasser les cheveux châtains, les yeux dorés, le nez fin et droit, les traits creusés.

— Tu as maigri, dit-elle.

Il fit « non » de la tête, sourit. Ce sourire, le premier

qu'elle apercevait depuis son retour, raviva tellement de souvenirs, de sensations, que des larmes lui vinrent aux yeux. Il les essuya du doigt, murmura :

— Plus jamais tu ne pleureras. Je te le promets.

Des cris retentirent sur le port.

— Rentrons, fit-elle. Les enfants vont s'inquiéter.

Ils coururent vers la rivière, traversèrent le plus vite possible, fouettés par l'eau froide. Marie enfila sa robe. Benjamin l'aida à faire passer les cheveux par-dessus le tissu, planta son regard dans les yeux verts, puis la fit asseoir près de lui sur le tronc renversé qui les avait toujours réunis. Devant eux, sur la Dordogne, le léger brouillard du matin achevait de monter, comme aimanté par le soleil. Entre son écharpe d'argent et la rivière, la lumière brasillait avec des reflets d'or.

— Tu te souviens de ce que nous a dit le vieil Emilien, là-bas, à Argentat ? demanda Benjamin.

Marie hocha la tête et frissonna dans sa robe humide de rosée.

— Et si elle nous parlait, dit-il, est-ce que tu crois que...

Il s'interrompit, tourna la tête vers Marie qui sourit et répondit doucement :

— Quelle importance ? Puisque nous partirions ensemble.

Brive, mai 1990 - mars 1991

BIBLIOGRAPHIE

COCULA-VAILLIÈRES Anne-Marie : *Un fleuve et des hommes. Les gens de la Dordogne au XVIIIe siècle,* Editions Tallandier, Paris, 1981.

SECRET Jean : *La Dordogne au fil de l'eau,* Périgueux, Editions Fanlac, 1972.

BOMBAL Eusèbe : *La Haute-Dordogne et ses gabariers,* Treignac, Editions Les Monédières, 1980.

COLLECTIF : *La Dordogne et sa région : fleuve, histoire, civilisation,* Bordeaux, Editions Bière, 1959.

GRELIÈRE Paul : *La Dordogne : Ancien Périgord,* Périgueux, Imprimerie Joucla.

GOUYON Jean : *Les maîtres de bateau sur la Dordogne,* Bulletin archéologique de la Corrèze n° 86, janvier-décembre 1964.

FAYOLLE Gérard : *La vie quotidienne en Périgord au temps de Jacquou le croquant,* Hachette, 1977.

LESAGE Fabien : *Souillac et sa région au début du siècle,* Imprimerie Chastrusse, Brive, 1987.

BOURLIAGUET Léonce : *La longue eau verte,* Editions Desclée de Brouwer, Paris, 1961.

DESGRAVES Louis : *Bordeaux. Côte de Beauté, côte d'Argent,* Paris, Arthaud, 1957.

SUFFRAN Michel : *Bordeaux naguère 1859-1939,* Paris, Payot, 1981.

POMMARÈDE Pierre : *Bergerac oublié,* Périgueux, Fanlac, 1982.

NEUVILLE J. A. : *Les proscriptions de Marmande,* Agen, Imprimerie Bonnet et fils, 1882.

Achevé d'imprimer en avril 1995
sur les presses de l'Imprimerie Bussière
à Saint-Amand (Cher)

POCKET - 12, avenue d'Italie - 75627 Paris Cedex 13
Tél. : 44-16-05-00

— N° d'imp. 1033. —
Dépôt légal : janvier 1993.

Imprimé en France